ノーベル賞への夢を紡ぐ
もっと知りたい!!
「科学の芽」の世界
PART 8
監修 筑波大学長 永田恭介
「科学の芽」賞実行委員会 編
筑波大学出版会

Introduction to the Bud of Science
~Collections of Students' Work~

supervised by Kyosuke NAGATA

University of Tsukuba Press, Tsukuba, Japan

ISBN978-4-904074-69-5 C0040

ふしぎだと思うこと
これが科学の芽です
よく観察してたしかめ
そして考えること
これが科学の茎です
そうして最後になぞがとける
これが科学の花です
朝永振一郎

朝永先生の色紙。京都市青少年科学センター所蔵

朝永振一郎博士

科学する心とその喜びをやさしい言葉で見事にいい尽くしたこの有名な色紙は，1974（昭和 49）年 11 月 6 日に，国立京都国際会館で湯川秀樹・朝永振一郎・江崎玲於奈の三博士を招いて開かれた座談会「ノーベル物理学賞受賞三学者 故郷京都を語る」（主催：京都市，京都市教育委員会）で，三博士に，京都の子どもたちに向けた言葉をとの要請に応えて，朝永先生が書かれたものです。実物は，京都市青少年科学センターにあり，筑波大学ギャラリー朝永記念室にもコピーがあります。このときの講演でも述べていますが，朝永先生は，小学校の習字で先生から「お前はなんてこんなへんな字を書く」といわれて以来，字が苦手で，色紙のたぐいはだいたい断っておられたそうです。しかし，このときは断り切れなかったのでしょう。おかげで私たちはこのすばらしい言葉を受け継ぐことができました。

この言葉は，科学の心を表すと同時に，科学する心を育むには，何が大切かもよく表していると思います。朝永先生は，子どもの頃から，科学の芽となる「ふしぎ」をいっぱい見つけ，それを自分の手を動かして実験し，納得がいくまで考えました。

21 世紀の世界に生きる若いみなさんも，この色紙の言葉を胸の中にとどめて，科学する心を培ってほしいと思います。筑波大学は朝永振一郎記念「科学の芽」賞の事業を通じて“科学っ子”，“科学にチャレンジする若者”を応援しています。ぜひたくさんの方々からの応募を期待します。

目　次

「科学の芽」賞に寄せて
～「なぜだろう」が次の世界を開く～…………………………永田　恭介　1

第Ⅰ編　「科学の芽」賞の作品から ……………………………………… 5

第１章　「科学の芽」の発見～めざせ科学っ子～（小学生の部）
「科学の芽」賞　小学生の部について ………………………………志田　正訓　7

＊2020年度の作品＊

テントウムシのひみつパート３
～なぜナナホシテントウはピタッと動きを止めるの？～　小３　江﨑 心瑚　9

糞虫研究　ルリセンチコガネ
奈良公園の鹿の糞をきれいにしているのは、だあれ？　小３　矢野 心乃香　13

自由に形が変えられる水　小４　井上 玲　17

影磁石・光磁石　小４　松本 晴人　21

コロナ　VS　マスク　小４　幾野 和心　25

ハンミョウは最速の虫か② ～足のひみつにせまる～　小４　鈴木 健人　29

はい水こうにあらわれるダイヤモンドをさがせ！　小４　石橋 侑大　33

ザリガニの脱皮の研究（５）
満月が脱皮を引き起こすメカニズムの探索とふ化直後からの脱皮の観察　小５　小山 侑己　37

フラフープの謎にせまれ！ ～謎解きと成功の秘訣～　小５　平井 沙季　41

湯葉のひみつ　小５　春日井 美緒　45

水辺のくらしに適応した謎のカメムシの研究　小５　渡邉 智也　49

＊2021年度の作品＊

オオカミは井戸に落ちるのか？　小３　大友 さやか　53

「しずく」から見えた！ はっ水の力　小４　土倉 歩美　57

どうして、パプリカは実の中では発芽しないの？　小５　本藏 暖香　61

ランドセルでおじぎ実験
～ランドセルの中身はどうしたら落ちるのか～　小５　髙橋 実姫　65

パスタソースの旅路　小５　今野 柚希　69

メンマの科学　小5　佐藤 迪洋・小3　佐藤 知海　73

「炭」パワーのひみつを見つけよう！パート3
～環境に優しい「竹炭」燃料電池を作りたい！～　小6　江﨑 凜太　77

第2章　「科学の芽」を育てる～発明・発見は失敗から～（中学生の部）

「科学の芽」賞　中学生の部について ……………………… 真梶　克彦　81

＊2020年度の作品＊

よく飛ぶ紙飛行機Ⅶ ～飛ぶ力と尾翼の形～　中1　三宅 遼空　83

植物の発根の観察実験 PART 5
シロツメクサの茎と発根の関係　中1　石川 春果　87

ニホンヤモリの体色変化パート3
～ストレスと模様の関係～　中3　大久保 惺　91

シングルリード楽器における吹奏音の研究2
～管端形状による反射する振動の変化を解明する～　中3　矢野 祐奈　95

火口・カルデラと隕石クレーターはなぜ似ているのか？
～構造の分析と形成過程の共通点～　中3　山田 優斗　99

しみこむヨウ素、逃れるヨウ素、捕まるヨウ素　中3　岡田 隆之介　103

カタツムリの研究 パートⅧ ～殻をきれいに保つワケ～　中3　片岡 嵩皓　107

＊2021年度の作品＊

茨城県のトンボの体色変化 トンボの研究パート11　中1　井上 善超　111

方位磁針を用いた地球磁場に関する研究（2）
方位磁針で伏角を知ることができないだろうか　中1　茶屋本 悠司　115

簡易紫外線測定機による日焼け対策の検討
～フォトクロミズムを利用した実験を通して～　中2　芦ヶ原 智之　119

トウモロコシの遺伝の法則　中3　小野 琴未　123

蜘蛛の巣はなぜ円網なのか　中3　三浦 愛咲　127

β-カロテンの人体への吸収率を上げる
～免疫力upのために～　中3　山本 亜生子　131

第3章　「科学の芽」をひらく～未知への探検に乗り出そう～（高校生の部）

「科学の芽」賞　高校生の部について ……………………… 櫻井　一充　135

＊2020年度作品＊

茶粕と太陽光を用いた水素製造
高2　望月 凌　谷本 里音　田中 響　髙木 駿　西村 総治朗　137

マグネシウム空気電池の高電圧化と長寿命化
高2　谷﨑 信也　髙橋 圭吾　宗﨑 拓斗
高1　白川 琴梨　143

＊ 2021 年度作品＊

森林環境保全活動に伴う放置竹林の再利用
高3　渡邉 梓月　上夷 胡桃　草野 雄多　髙谷 昂佑　長門 杏奈
高2　一ノ瀬 美妃　浦添 陽勢　神尾 桃香　坂田 楓
柴田 伊吹　森下 真琴　山本 雪吹　吉田 美優
高1　石橋 拓実　原口 愛加　平野 仁那　森本 玲菜　矢竹 華奈　149

第Ⅱ編　科学者からのメッセージ …… 155

「もっと知りたい！」という目的意識 …… 南　龍太郎　157

「科学の芽」から拡がる研究の世界 …… 笹　公和　159

「不思議に思ったこと」を自ら確かめることの大切さ …… 長友　重紀　161

科学にまつわる言葉 …… 野村　港二　163

第Ⅲ編　資料編 …… 165

朝永振一郎博士の業績とひとがら
～誕生から小学校・中学校時代まで～ …… 「科学の芽」賞実行委員会　167

朝永振一郎博士　略年譜 …… 171

応募状況一覧（第 1 ～ 16 回） …… 172

第 15 回「科学の芽」賞
オンライン表彰式・発表会（2020 年 12 月 19 日） …… 174

第 16 回「科学の芽」賞
オンライン表彰式・発表会（2021 年 12 月 18 日） …… 175

第 15 回　受賞作品（「科学の芽」賞，奨励賞，学校奨励賞，努力賞） …… 176

第 16 回　受賞作品（「科学の芽」賞，奨励賞，学校奨励賞，努力賞） …… 180

〈参考〉第 1 回（2006 年）～第 14 回（2019 年）
受賞作品一覧／筑波大学ギャラリーの紹介 …… 185

日本のノーベル賞受賞者と筑波大学関係者 …… 190

あとがき　～子どもたちのふしぎを育てる「科学の芽」賞～
…… 溝上　智恵子　191

「科学の芽」賞受賞作品は，インターネット上に全文が公開されています。
筑波大学の公式ホームページ（https://www.tsukuba.ac.jp/）から,「社会連携」
→「小中高生向け」→「「科学の芽」賞」，とたどってご覧ください。

「科学の芽」賞に寄せて

～「なぜだろう」が次の世界を開く～

永田恭介

「科学の芽」賞は16回を重ねてきました。この間の応募作品数は，全国の小学校，中学校，高等学校等から合わせて33,525作品となり，参加人数は39,610人（団体で応募の人数を合わせた延べ人数）にのぼりました。この2年間は新型コロナウイルスの感染拡大に見舞われながらも，15回は2,116作品，16回は2,441作品の応募がありました。コロナ禍でも研究を続けた小中高生たちはもちろんのこと，厳しい状況下でもサポートしていただいた先生方や保護者の皆様の存在があったからこそだと受け止めています。

新型コロナウイルスと感染症について，私の専門分野であるウイルス学の立場から，「科学の芽」的に解説してみます。なぜ突然にこのウイルスが出現したのか，変異体ってなんだろう，どうして変異体がこんなにも出てくるのだろう，今回のワクチンはどんなもの，抗新型コロナウイルスに対する薬はどうやって作るのだろう，などなど質問や疑問は枚挙に暇がありません。紙面の制限もありますので，最初の疑問についてだけ考えてみます。

まずウイルスは単独では全く増えません，つまり感染する宿主（‘しゅくしゅ’と読みますが‘やどぬし’のほうが分かりやすいですね）が必要です。だとすると，ウイルスは宿主に合わせた形で存在するということになります。ヒトにもほかの動物にもそれぞれに感染するウイルスがいます。仮にトリに感染するウイルスを考えてみれば，ヒトよりずっと体温の高いトリに適合したウイルスになっているはずです。そのほかにもトリとヒトは違うところがたくさんありますから，トリのウイルスをそのままヒトに感染させても，増えたり病気を引き起こすことはまずないと考えられます。新しい生物やウイルスを作り出すことは，たとえ自然がパワフルであっても容易ではありません。ならば，ヒトに対する新型ウイルスは，すでに自然界に存在しほかの動物に適合していたウイルスが変化を起こして，ヒトにも容易に感染できるようになったのではないかという仮説が生まれてきます。というわけで，ヒトに対する新型コロナウイルスに類似したウイルスが他の動物の中に存在していたかどうかについて調べようとしているわけです。実際，エイズウイルスはサルのウイルス由来であることが示されていますし，パンデミックを引き起こすインフルエンザウイルスはヒト型とトリ型がブタなどに同時感染して，混ざり合って生まれてきます。

さて「科学の芽」賞に戻ります。「科学の芽」賞は，ノーベル賞を受賞された朝永先生の「全国の児童生徒の皆さんに科学者を目指してほしい」という願いを受け継ぎ，生誕 100 年にあたる 2006 年から始まりました。

朝永先生は，
「ふしぎだと思うこと　これが科学の芽です
よく観察してたしかめ　そして考えること　これが科学の茎です
そうして最後になぞがとける　これが科学の花です」
と色紙に書かれ，その言葉を子ども達に語りかけられました。ここには，ニュートンが体系化した古典力学では決して説明できない，原子や分子等のミクロな世界での現象の解明に果敢に挑戦した，朝永先生の思いが込められています。

朝永先生は，若い頃，ドイツに留学し原子核物理学や場の量子論について研究されました。第二次世界大戦前の当時は，いまと違って渡航は簡単なものではありませんでした。異文化の中，若き研究者が欧州に集まり，切磋琢磨（せっさたくま）を繰り返しながら新たな物理学の誕生と発展を目指しました。その貢献と業績が認められ，8 回目の受賞候補となった 1965 年に，先生の「なぜだろう」の答えにノーベル物理学賞が贈られました。

実は私も，博士課程修了後に渡米し約 5 年間研究に没頭しました。大学の卒業研究のテーマは「ゲノム複製の開始の分子メカニズム」でした。その当時，二十数年間世界中が苦闘し続けた課題でした。大学 4 年生であっても，大きな課題に挑戦すべきだと考えたからです。その結果は惨憺（さんたん）たるものであり，大学院修士課程，博士課程を終える段階で，ただ 1 つの論文も公表できない状況となりました。それでも，大学院の審査員の先生方の「将来への期待」という寛大な判断をいただいて博士の学位を得ることはできました。当時，この研究課題は私にとっても世界にとっても未解決のままでした。そこで，海外の研究室での挑戦を続ける決心をしました。大学院修了までに目に見える業績はなかったわけですから，博士研究員として受け入れてくれるところがなかなか見つかりません。ようやく低額な給与で望む研究テーマが展開できるところが見つかりました。場所はニューヨーク，ブロンクスです。治安が悪い上に物価が高く，生活はある意味で悲惨なものでした。それでも，研究は本当に楽しく，土日もなく，毎日夜中の 1 時，2 時まで研究を進めました。その結果，アデノウイルスをモデルとしたゲノム複製開始機構の全貌を明らかにすることができたのは本当に大きな喜びでした。この分野の研究の進展の基礎を形作ることができたからです。そして，自分自身の「なぜだろう」に挑戦する自信が湧いてきたのです。論文も相当数公表でき，給料も上がりました。その後ですか？　長くなりますから，紙面の都合上またの機会に披露させていただきます。

「科学の芽」賞が大切にしているのは「ふしぎ」という思いです。我々は様々なことを「ふしぎ」に思います。「ふしぎ」は幼い頃はもちろん，大人となっても次々と湧いてきます。知識が増えていくことで，「ふしぎ」は減りそうなものですが，一向に減りません。研究は新たな「ふしぎ」を生み出し，決して尽きることはありません。それを追い求め，世界を舞台とした研究へと発展していく可能性があります。児童・生徒の皆さんが，この本から大きな刺激を受けて，様々なことに疑問を持ち「ふしぎ」を感じ，「なぜ」という問いに自ら答える努力をされることを大いに期待しています。

令和４年６月吉日

［筑波大学長］

第Ⅰ編

「科学の芽」賞の作品から

第 1 章　「科学の芽」の発見
～めざせ科学っ子～（小学生の部）　7

第 2 章　「科学の芽」を育てる
～発明・発見は失敗から～（中学生の部）　81

第 3 章　「科学の芽」をひらく
～未知への探検に乗り出そう～（高校生の部）　135

CHAPTER 1 Discovery of “KAGAKUNOME”

第1章「科学の芽」の発見

～めざせ科学っ子～（小学生の部）

「科学の芽」賞

――小学生の部について

今年も「科学の芽」賞にたくさんの応募(おうぼ)をいただきました。その一つひとつに応募してくれたみなさんの発見があり，美しい「科学の花」が咲いていると感じました。このような素晴らしい「科学の花」を咲かせるために，たくさんの観察や実験を行ったことと思います。このように，たくさんの観察や実験を行い，多くのデータをとるために必要なのは，「もっと調べたい」，「もっと確かめたい」，「もっと追究したい」といったみなさんの「自然や科学への情熱」ではないでしょうか。

このような「自然や科学への情熱」を注ぐのにふさわしいテーマに出会えることが研究の第一歩であり，研究においてとても重要なプロセスの一つといえるでしょう。では，このような研究テーマに出会うためには，どんなことに気を付ければよいのでしょうか。

大切なことは，日常生活をはじめとした様々な場所で，自然や科学に触(ふ)れたときに，たくさんのふしぎを見つけることです。どんなに些細(ささい)なことでもかまいません。とにかくたくさんのふしぎを見つけていけば，きっとその中から，「自然や科学への情熱」を注ぎたくなるような，自分だけのふしぎに出会えることでしょう。

このようにして出会えた自分だけのふしぎに「自然や科学への情熱」を注ぎ，「科学の芽」を育てていく時に，「科学の芽」賞の審査(しんさ)の観点を意識することで，きっと「科学の花」は，より一層美しいものとなることでしょう。「科学の芽」賞の審査の観点は，次の通りです。

【審査の観点】

① テーマの独創性：日常的な自然や現象の中から独創的な問題をみつけ出しているか。

② **探求力：問題を解決するための観察・実験・調査を的確に根気よく行っているか。目的を達成させるための実験観察方法を工夫しているか。**

③ **表現・活用：自分なりに結果をまとめ，それをわかりやすく人に伝えるものになっているか。研究成果を活(い)かしたり，創造したりしているか。**

いずれの観点も大切なことですが，特に①は自分だけの研究にしていくためにとても大切なことです。もしも，自分が見つけたふしぎが，すでに誰かによって解決されているなら，それは独創的な研究とは言えなくなります。ですから，自分がふしぎを見つけられたときに，それがすでに誰かによって研究されていないかを確認しようと，インターネットなどで調べてみることは，研究を本当の意味で自分だけの独創的なものにしていくために有効な方法です。今回の研究テーマも，インターネットなどでも見当たらない，独創性にあふれた作品がたくさんありました。他にも，インターネットでも似たような研究はあるものの，違(ちが)った視点から調べてみたり，すでに調べられたことから，新たなふしぎを見つけて調べたりしているような研究もありました。このように，すでに調べられたことと同じように見えても，明らかな違いをもたせている研究もまた，独創的な研究といえるでしょう。

観点②と③を充実させることは，時間や手間のかかることにつながることかもしれません。今回の研究テーマでも，夏休み期間中だけで終わるような研究だけでなく，数か月，場合によっては数年をかけて取り組んだ研究もありました。ただ，時間や手間の違いはあれど，②と③が優れている研究には，ふしぎを解決して，美しい「科学の花」が咲くまでの複雑かつ多様なストーリーが見られました。これらの研究は，小学校での理科の学習でよく見られるような，問題→予想→観察・実験→結果→考察→結論といった直線的で平坦(へいたん)なものではなく，例えば，実験結果が，予想していなかったものになったときに，その方法に立ち返って，修正を加えたうえで改めて実験するということを何度も行ったり，一度結論を出したものの，それが本当に正しいのかを理論的に再度検証していたり，一通りの実験でも，素材を変えて，膨大(ぼうだい)な数のデータを取ったりといったように，紆余曲折(うよきょくせつ)を経ているものでした。自分の予想通りにいかなかったことも含めて記述したり，膨大なデータを丁寧(ていねい)に記録したりすることで，自然のふしぎを解決するための科学の方法は決して一つではないということが，非常によく伝わってきました。

科学者アイザック・ニュートンは，先人の積み重ねた発見に基づいて，新しく発見することを，「巨人の肩の上に立つ」と喩(たと)えたと言われています。「科学の芽」賞の作品も，これまでの研究をもとに発展し，さらに美しい「科学の花」が咲くことを願っています。

第15回 小学生の部

テントウムシのひみつ パート3

～なぜナナホシテントウはピタッと動きを止めるの？～

江﨑 心瑚（えさき ここ）［多治見市立根本小学校 3年生］

私はテントウムシが大好きです！ 小さい体で一生懸命生きる姿がかわいいからです。今年はじっと動きを止める謎を研究をしました。

大変だったのは100匹のナナホシテントウのピタッとタイム測定やエサのアブラムシ探しでした。でもいつもお父さんお母さんお兄ちゃん、家族が助けてくれて楽しさがいっぱいつまった研究になりました！

I 研究の概要

研究の動機・目的

11 月に，ナナホシテントウが枯(か)れ葉や木の間でじっと動きを止めていた。居心地がいいのかな。それに，すばしっこく歩くのに急に動きを止めるのはなぜだろう。つかまえようとしたらころんと落ちてひっくり返って黄色い汁(しる)を出した。「死んじゃったの？」。きっとナナホシテントウの作戦。なぜ，ピタッと動きを止めるのか，その理由を見つけて死んだふりのなぞを解き明かす。

実験と結果

【実験１：生息場所調べ】

2019 年冬～ 2020 年夏の間，テントウムシが動きを止めているところを調べた。

また，季節と動きを止める場所の関係を図にすると，次のようになった。

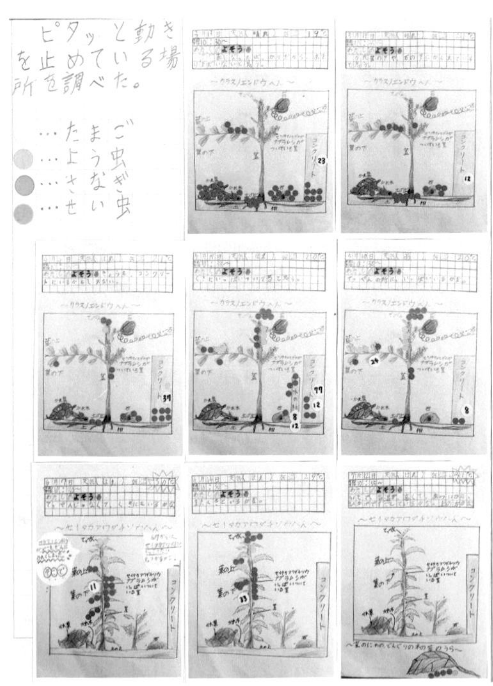

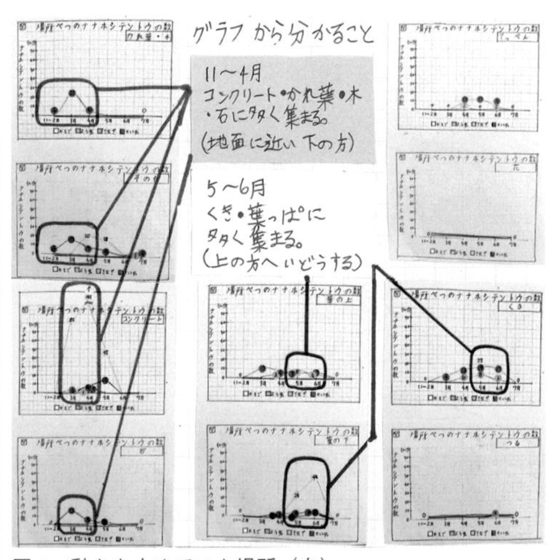

図１　動きを止めていた場所（左）
図２　場所ごとの止まった数（11 月～７月）（上）

図３　実験２①の様子

【実験２：ピタッと動きを止める条件を調べよう】

①素材を調べよう

図３･４のようにして，どこに集まるか調べた。

木と同じかたい素材のコンクリートにはなぜ集まらないのかな。コンクリートは熱くなるからかな。

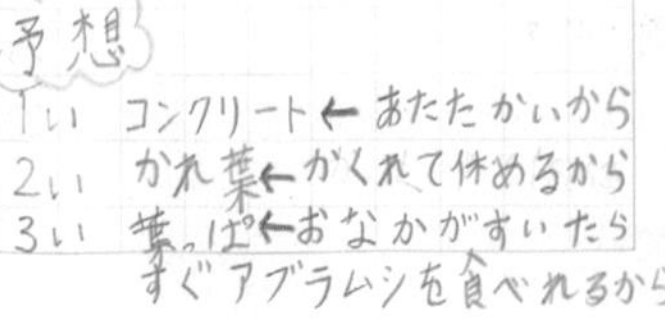

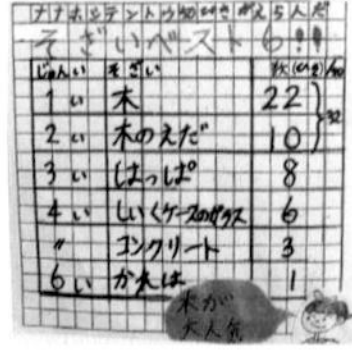

図４　実験２①の予想と結果

②木の色を変えて調べよう

明るい色は光みたいだから，テントウムシも好きだと思う。

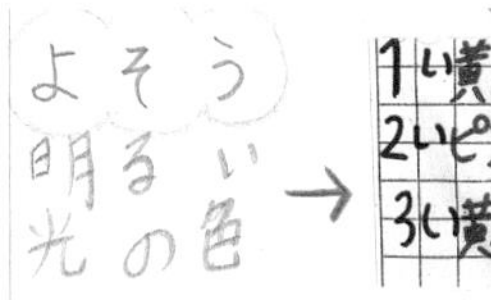

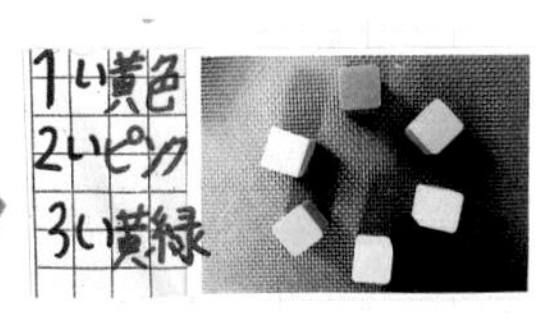

図５　実験２②の予想と結果

【実験３：ナナホシテントウ１００匹　ピタッとタイム選手権】

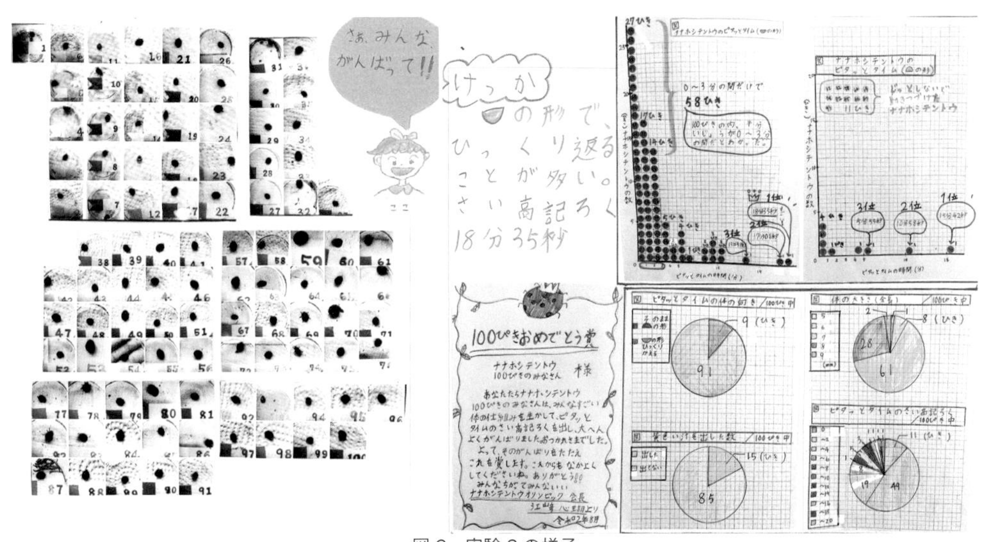

図６　実験３の様子

【実験４：すごいぞ！ナナホシテントウの技のひみつ】

体の仕組みを調べた。

考　察

実験１より　気温に合わせて居心地のよい場所を選ぶ。

実験２より　卵を産みつけやすい木の素材で動きを止める。

実験３より　100匹それぞれ違いがあり，18分35秒も動きを止めるものもいる。

図７　ピタッとタイムの姿勢の体験実験

〈助言を頂きお世話になった方〉

長野県佐久市下広尾　パラダ　「昆虫体験博物館」　館長　金子順一郎先生

作品について

ナナホシテントウが大好きな江崎さんの愛情たっぷりの研究です。

子どもらしい素朴（そぼく）な感じ方を文章で表していますが，視覚に訴（うった）える図や写真，表の数には圧倒されます。丸いシールを，ナナホシテントウの成長段階ごとに色分けして使うところも，アイデアですね。

ナナホシテントウ 100 匹がピタッと止まるときの様子を調べています。1 匹ずつナンバリングして写真に撮（と）っているところ，ここからもナナホシテントウ愛が伝わります。100 匹もの数のナナホシテントウを育てることは，さぞ大変だったでしょう。

本文には載（の）せきれませんでしたが，他にも様々な実験をして，結果をまとめていました。

木と同じ素材の紙にも集まるのか，居心地のよい木の形はどれか，温度を変えるとどうなるかなど，実験の様子や結果を写真に撮り，分かりやすくまとめていました。また，ピタッと止まった後で刺激（しげき）を与えるとどうなるか，幼虫のときにピタッと止まる様子についても調べ，大変充実（じゅうじつ）した内容の研究です。

1 つの生き物の決まった動き，この作品の場合はナナホシテントウのピタッと止まる動きですが，これにこだわって様々な側面から調べることの面白さが伝わる作品です。

最後に，ナナホシテントウのひっくり返った姿勢は，楽ちんなんですね。甲羅（こうら）を背負ってなりきるところに子どもらしさを感じながらも，試しに自分でナナホシテントウになってみることで発見できることもあるのだなと感心しました。

第15回 小学生の部

糞虫研究　ルリセンチコガネ

奈良公園の鹿の糞をきれいにしているのは、だあれ？

矢野 心乃香（やの このか）［大阪教育大学附属天王寺小学校 3年生］

私の研究は、奈良公園には多くの鹿の糞があるのに、芝生が綺麗な事を不思議に思ったことから始まりました。ルリセンチコガネが糞を食べる糞虫であると知り、調べたいと考えました。
早起きして彼らを観察し、工夫して写真撮影することは大変でしたが、調査や実験から糞虫が糞を分解し土に還していることがわかりました。

I 研究の概要

研究の動機・目的

昨年の夏，祖父母が住んでいる近くの奈良公園で見つけた，落ち葉の上を宝石のようにキラキラ光りながら動いている虫を目にした。その虫は，コガネムシよりも一回り小さく，緑とも青とも言えない不思議な色をしていた。調べたところ，奈良公園に生息するルリセンチコガネというコガネムシで，フンコロガシの仲間であることが分かった。このルリセンチコガネについて，もっと調べてみたいと思いテーマに選んだ。

実験方法および結果

調査１「ルリセンチコガネの生息場所」

【使った道具】昆虫ケース，食品用カップ（キリで蓋に穴をあける），スケール，プラケース（昆虫の採寸用に物差しを貼り付けたものを自作），ピンセット，土壌測定器（温度・湿度・PH），ノギス（採寸用），虫眼鏡，ビニール手袋，割りばし（鹿の糞をほぐすため）

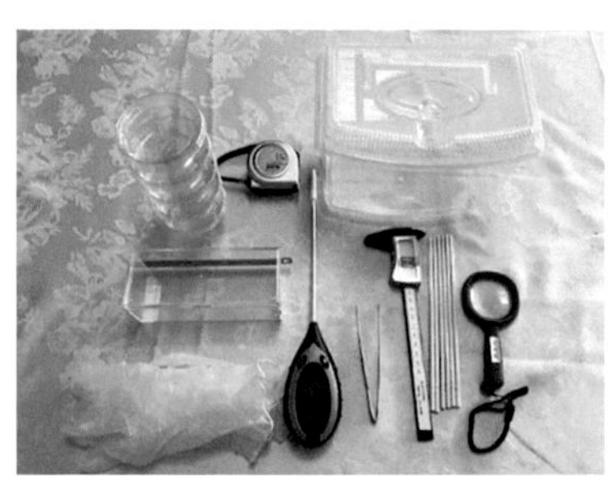

図１　使った道具

表１　場所とルリセンチコガネ生息数の関係調査表

	①飛火野春日大社参道	②研究センター	③浅茅が原池・井戸付近	④浮見堂A	⑤浮見堂B	⑥荒池園地	⑦浮雲園地	
日付	8/8	8/8	8/8	8/9	8/9	8/10	8/11	8/14
時間	6：15	6：50	7：10	5：30	6：55	7：00	5：00	6：20
日当たり	日陰・日向	日陰・日向	日陰	日陰	日陰	日陰・日向	日陰・日向	日陰・日向
土壌温度	29度	28度	28度	28度	27度	29度	27度	29度
土壌湿度	DRY+	DRY+	DRY+	DRY+	DRY	DRY+	DRY+	DRY+
PH	7.0	7.0	7.0	7.0	6.5	7.0	7.0	7.0
地面の様子	日陰にはカサカリした落ち葉が多く，日当たりの良いところは芝生。	全体的に日が昇っても木が多いので日陰部分が広い。	池を囲って周りに芝生が広がる。その周りに落ち葉が多い。	浮見堂付近裏は，少し湿り気がある。落ち葉が多い。	落ち葉の上に鹿の糞が多く落ちている。湿り気のある落ち葉が多い。	飛火野とよく似て，日陰は落ち葉が多く，日当たりの良いところは芝生。	小さな小川や鯉の泳ぐ池がある。東大寺側の土塀に沿って日陰の部分が多く少し，ひんやりしている。落ち葉が多い。	
樹木の様子	古木が多く茂っているところがある。	木々が多い。落ち葉がフカフカしている。	井戸の周りに木が茂って，落ち葉も多い。	背の高い木が茂り，日中も日が少ししか差し込まない。木の根っこや石が，苔むしている。		古木が多く，根元で鹿の群れが休憩している。	シラカシをはじめ，松などいろいろな木が茂っている。古い木が多く，根っこは苔むしている	
鹿の数	多め	少なめ	少なめ	多め		多め	多め	
見つけた数	0	0（死骸1）	1	16		1	14	25
他の昆虫	ムカデ オンブバッタ コオロギ アリ	ガ コオロギ アリ	コオロギ アリ	コオロギ アリ		コオロギ アリ	コオロギ ショウリョウバッタ アリ　アブ スズメバチ　ゴキブリ クモ　ミノムシ カナブン	
場所の特徴とルリセンチコガネ	木陰の落ち葉は多いが，日がよく当たる部分も多い。	木は多いが，参道近くで人通りもある。	池のそばでひんやりしているものの，鹿の糞が少ない。	観光客があまり立ち入らないような裏側を探索した。鹿が群れでくつろいでいるところが多かった。		浮見堂から近いこともあり，鹿も多いが，観光客も多い。	奈良国際フォーラム甍の付近は観光客が多いが，東大寺側は少ない。ひんやりした場所なので，多くの虫が好むようだ。	

図２　調査場所
（地図引用　奈良公園クイックガイドより）

【調査場所】①春日大社参道沿い飛火野付近　②浅茅が原園地（仏教美術資料研究センター）付近　③浅茅が原園地（池・井戸）付近　④浮見堂裏傾斜付近A　⑤浮見堂裏傾斜付近B　⑥荒池園地　⑦浮雲園地付近

調査した結果（表1）から，多くのルリセンチコガネは，＊早朝の涼しいとき　＊日陰　＊鹿が多くいて新鮮な糞があるところ　＊人通りが少ない　＊苔むした石や木の根があるところ　＊湿った落ち葉がたくさんあるところを好んでいることが分かった。

調査２「ルリセンチコガネの糞運び」

【調査のきっかけ】

テレビや図鑑で見たことのある「フンコロガシ」は，後肢で上手に糞を丸めて転がしていくが，奈良公園のルリセンチコガネは，フンコロガシのように糞を運搬するのかと疑問に思ったため。

【観察】

ルリセンチコガネは,「フンコロガシ」のように糞を転がさず，巣まで引っ張っていた。時々糞を置いて穴の確認に戻り，また糞を引っ張るという作業を何度も何度も繰り返していた。この行動は，巣の位置や，運んでいる糞が入る大きさかどうかを確認するためではないかと考えた。

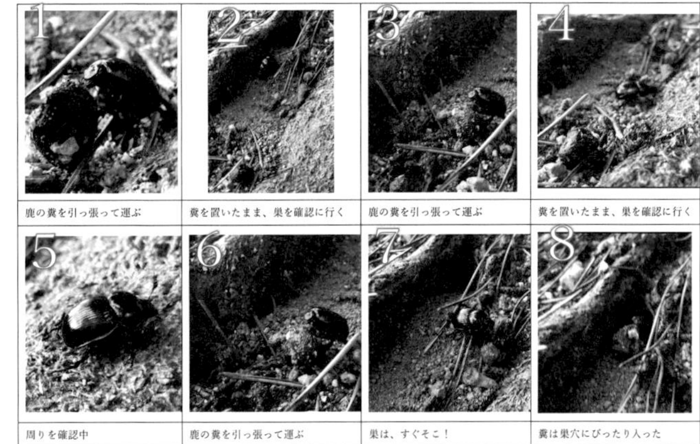

図３　ルリセンチコガネが糞を運ぶ様子

【結果および考察】

たくさんの穴は全てセミの幼虫が出て行ったあとだと思っていた。調査からルリセンチコガネの巣穴もあることが分かった。「ならまち糞虫館」を訪れ，館長の中村さんにお話を伺ったところ，メスは地面に穴を掘り，そこに鹿の糞一粒を運び，卵を一個だけ産んではまた別の穴を掘り，卵を産むということを繰り返すそうだ。たくさんの穴は，ルリセンチコガネの赤ちゃんのマンションだと分かって，びっくりした。

図４　巣穴の大きさ調べ

調査の結果，その巣穴の入り口の大きさは13 mm前後だということが分かった。

まとめ

今回の調査と実験を通し，普段遊んでいる奈良公園は，鹿の糞をきれいに分解して食べてくれる糞虫の仲間たちによって守られているということが，よく分かった。もし，私が鹿の糞を掃除しようと思っても，１日１トンと言われる鹿の糞を掃除できそうにないと思うので，糞虫はすごいなと思った。糞虫といっても色々な種類のものがいることで，それぞれ日向と日陰で役割分担をして，奈良公園をきれいに保ってくれていることが分かった。

作品について

奈良公園にいる，ルリセンチコガネへの愛情がたくさん感じられた作品でした。遊んでいるときに見つけた虫に興味をもち，そこから観察を続けるたびに虫の体や動きに目が向き，さらにルリセンチコガネに興味がわいていったことがよく分かりました。

紙幅の関係で紹介することができませんでしたが，ルリセンチコガネがどのようにして，鹿の糞を細かくしていくのかの実験も行っていました（図5）。

図5に示した実験についても，2つのグループにして実験を行うことで，より確かなデータになることを考えての実験計画も素晴らしいです。この実験より，導き出した1匹1日2gという結果から，鹿の糞を分解するのに50万匹のルリセンチコガネがいるという考察も行っていました。

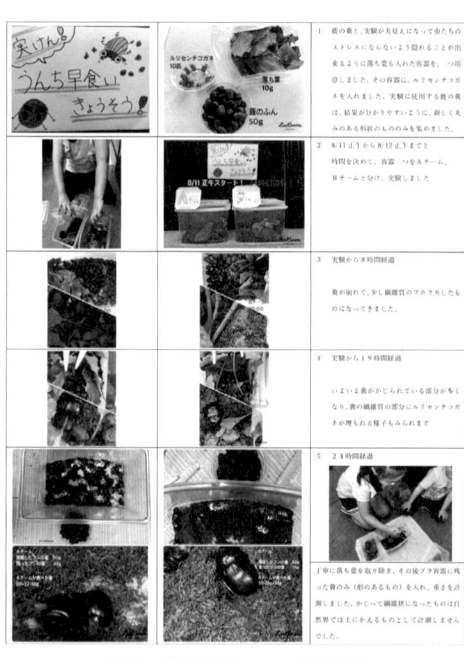

図5　糞の分解についての実験

また，ルリセンチコガネ以外の糞虫にも目を向け，それぞれの特徴についても調べていました。ルリセンチコガネの仲間にも興味が広がっていること，さらに，奈良公園の場所によって，日当たりなどの環境によって，糞を分解する虫が違うこと，いわゆる「役割分担」などについても考えを深めていました。

たくさんの場所での朝早くからの調査，そして，ルリセンチコガネの生態を調べるための飼育，どれも簡単なことではありませんが，ルリセンチコガネへの愛情と興味や関心によって，粘り強く取り組むことができたことは素晴らしいと感じました。調査や観察を終えて，糞虫たちにお礼を言ってから採取した場所の奈良公園に返すというところからも，自然を大切にする気持ちが伝わってきました。

この夏の取組から生まれた，巣穴の大きさについて，飛ぶかどうかについて，他の糞虫の生態等，新たな疑問をもとにした，さらなる研究に期待が膨らみます。

第15回 小学生の部

自由に形が変えられる水

井上 玲（いのうえ れい）［筑波大学附属小学校 4年生］

ビーチサンダルに水が当たった時にはね方が不思議だったので、身近にあるいろいろな形や大きさ、違った材質の物に水を当ててはね方を調べました。水は自由に形を変えられる！ はね方の形を自分で作り出せる！と分かった時とてもおどろきました。
予想と結果が全く違ったので、なぜそうなるのかもっと調べてみたいと思います。

研究の概要

研究の動機・目的

私がはいていたビーチサンダルに水がかかった。その時の水の形がビーチサンダルから広がるようになって驚いた。水が当たる物の形，材質によってどんな差が出るのか知りたくなって，水のはね方について調べてみようと思った。

実験方法

水道の蛇口から出た水を物に当てて，水のはね方を観察する。

実験と結果

【実験１：物の形ではね方はどう変わるか】

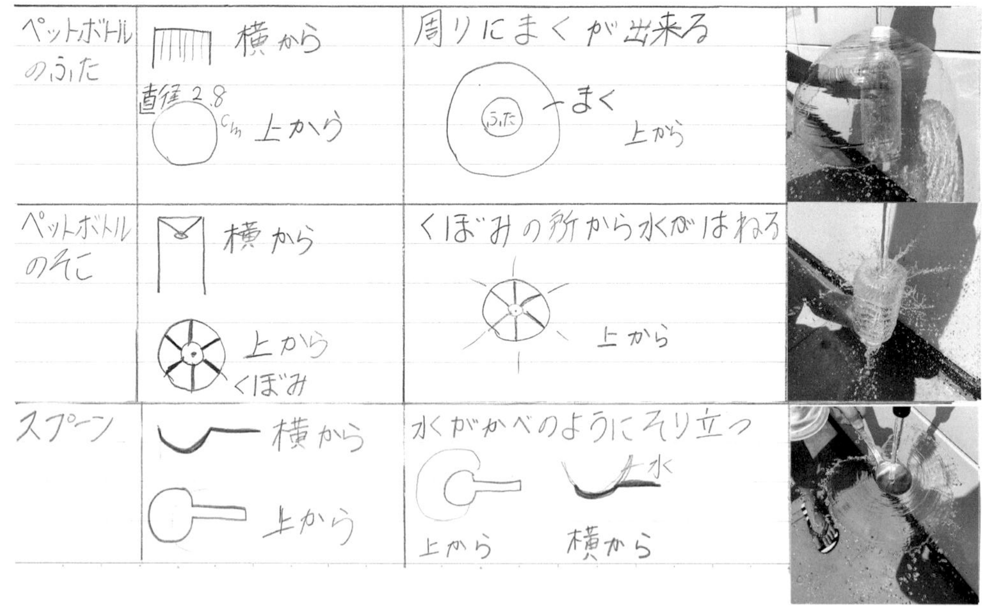

図１　実験１の結果と様子

【実験２：物の材質ではね方はどう変わるか】

大きくはねた順に並べると，下のようになった。

1. プラスチック　4 cm
2. ダンボール　4 cm
3. あつ紙　1 cm
4. スチール　0 cm
5. とうき　0 cm
6. コルク　0 cm

プラスチック

ダンボール

あつ紙

図２　実験２の様子

【実験３：水の量ではね方はどう変わるか】

結果

	毎秒	広がった大きさ
小	44.6mL	14cm
中	81.9mL	20cm
大	156.2mL	25cm

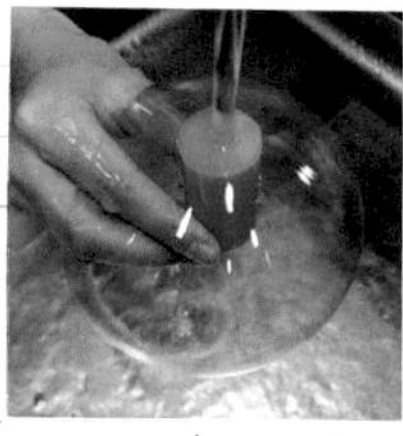

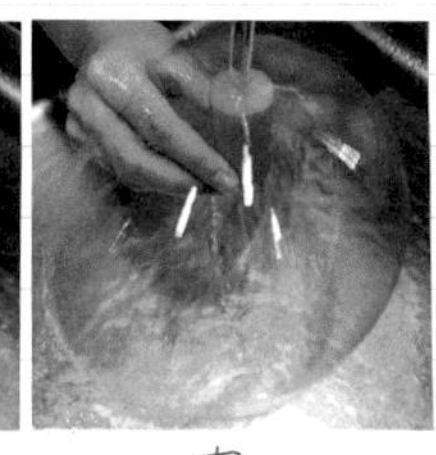

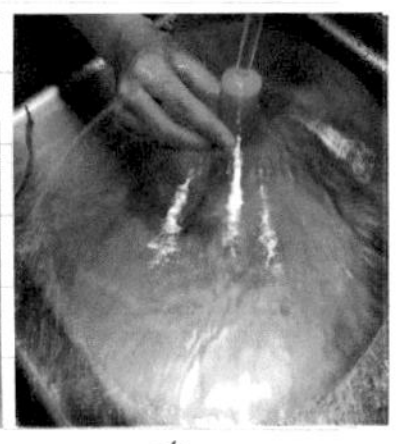

図３　実験３の結果と様子

【実験４：物の大きさではね方はどう変わるか】

直径　プラスチックのはじからまくのはじまで

2cm ⟶ 13cm
5cm ⟶ 11cm
10cm ⟶ 3cm
15cm ⟶ 0cm
20cm ⟶ 0cm

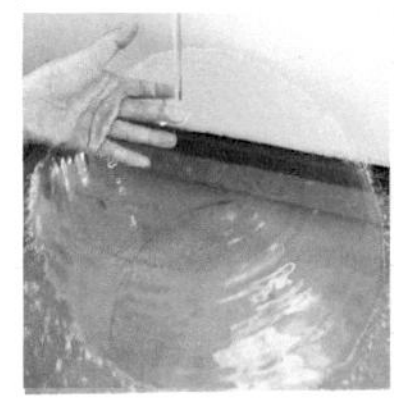

図４　実験４の結果と様子

【実験５：好きなはね方を見つけよう】

考察

1. 物の形や材質によってはね方は違う。
2. 水の量が増えると，水が広がる大きさも大きくなる。
3. 小さい物の方が大きい物よりはねる。
4. 虫のはらのような形でチョウのようになる形ができたのが気に入った。

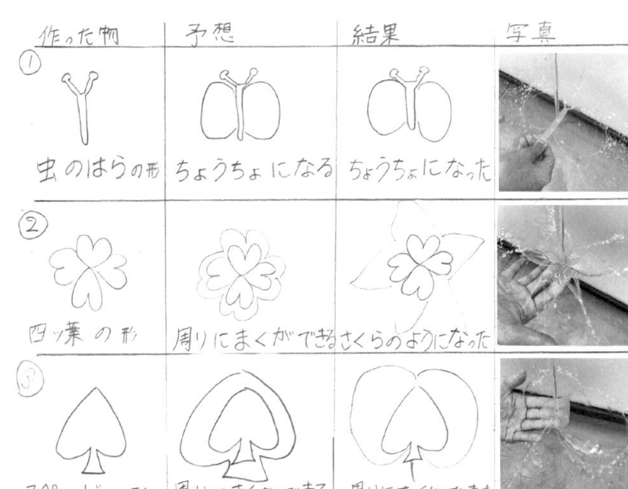

	作った物	予想	結果	写真
①	虫のはらの形	ちょうちょになる	ちょうちょになった	
②	四ツ葉の形	周りにまくができる	さくらのようになった	
③	スペードの形	周りにまくができる	周りにまくができた	

図５　実験５の結果と様子

感想・さらに研究したいこと

水は自由に形が変えられてすごいと思った。中でも，小さい物の方が大きい物より大きく広がるということに一番驚いた。実験をして，予想とまったく違い，こんな広がり方をするんだ!!　と水の力に感心した。

次は，当てる水の種類や温度で水のはね方は変わるか調べてみたい。そして，もっと水のパワーについて知りたいと思う。

作品について

ビーチサンダルにかかった水の形を見て，興味をもったことから研究が始まります。日常生活では，身の回りで様々な現象が起きていますが，多くの出来事は特に気にされることもなく，通り過ぎていきます。多くの人にとって，サンダルに水がかかる現象もその一つだったでしょう。

しかし，井上さんは違いました。その何気ない現象に興味をもったのです。ここが，研究における第一関門になります。この第一関門を通り抜けることができるのは，豊かな感性，旺盛な知的好奇心の持ち主だからです。何かを知りたいと思う気持ちは誰でも持っていますが，日常の生活に流されて忘れてしまいがちです。「科学の芽」賞の応募を一つのきっかけにしてもらうのもよいでしょう。たとえ応募のきっかけが，人に言われたことであったとしても，テーマをみつけようという思いが，第一関門の扉を開くこともあります。この研究のテーマは，そういう意味でも参考になると思います。

研究の第一関門をくぐったら，次の関門はその探究を楽しめるかということになります。本研究では，どんな形になるのだろう，水がこんなおもしろい形になったとワクワクしながら実験する井上さんの姿が思い浮かんできました。「科学の芽」賞を審査するときに感じる入賞作品の共通性でもあります。

そして，最後の関門になるのが，創造性の発揮です。実験の方法を考えるとき，実験結果を考察するとき，そして追究結果を生かすときに創造力は大きな成果を生み出すことになります。

図６　チョウの羽の形になった水のまく

井上さんは，水を当てる物の形を変えたり，水の量を変えたりする実験の中で，水の形がチョウの羽の形に見えることがあったのではないでしょうか。そこで，羽の形になるように胴体部分の物を用意して，お気に入りの作品を作り上げることができたのだと思います。

【実験５：好きなはね方を見つけよう】の実験で，四つ葉の形をした物を使って，水の花を咲かせることができた。これが，まさに朝永振一郎先生の言う「科学の花」ではないかと思います。

図７　花の形になった水のまく

第15回 小学生の部

影磁石・光磁石

松本 晴人（まつもと はると）［筑波大学附属小学校 4年生］

ぼくが家で、壁に映る自分の影で遊んでいたとき、不思議なことがおこりました。

頭の影をドアの影に近づけたとたん、頭の先が細くとがって、にゅーっとドアにくっついたのです！

ふしぎで面白かったので、何度も試しましたが、やっぱりそうなりました。

影にも磁石のような働きがあるのかなと思いました。

研究の概要

研究の動機・目的

ぼくが家で，壁に映る自分の影で遊んでいたとき，不思議なことがおこった。頭の影をドアの影に近づけたとたん，頭の先が細くとがって，にゅーっとドアにくっついたのだ！不思議で面白かったので，何度も試したが，やっぱりそうなった（図1）。

影にも磁石のような働きがあるのかなと思った。

図1　頭の先が細くとがって，にゅーっとドアにくっついた

実験1

【実験1～4：どんなときでも影磁石はできるのか？】

実験：分かりやすいように単純な形の物を何種類か選んで，ライトを当てて影がくっつくか試す。（四角い紙，四角い積み木，丸いカード，球体の積み木）

結果：形が四角でも丸でも，平面でも立体でも，細い部分どうしをくっつけると影がくっついた。影磁石ができた！（図2）物と物の間に隙間があると，影はくっつかない。

図2　物と物をくっつけると，影磁石ができる

予想：物と物をくっつけると影がくっつくということは，影がのびているのではなくて，影のまわりの部分がへこむことで，細くのびているように見えるのではないか。

【実験5：本当に影のまわりがへこんでいるのか？】

実験：四角い紙にライトを当ててみる。

結果：強い光が当たるところだけ，影のまわりが薄い影になっていた。やはり影のまわりの部分はへこんでいる。

予想：下にしいた白い板に光が反射して，影のまわりに光が入り込むのではないか。

【実験6：反射した光が影に入り込んでいるのか？】

実験：反射しやすさが違うものを下にしいて比べる。（鏡，白い紙，黒い紙）

結果：鏡は紙自身が映ってしまい結果が分からなかったが，反射しやすい白い紙でも反射しにくい黒い紙でも同じくらい影磁石ができた。反射はあまり関係なさそうだ。

予想：反射でないなら，影に光が入り込む原因は何だろう。光を当てる距離や物の幅などを変えてみれば何か分かるかもしれない。

【実験7：反射でないなら，なぜ影に光が入り込むのか？】

実験：幅の広い狭いがあるように切った紙を，上下や前後にずらしてライトを当てる。

結果：強い光が当たったときと，幅の狭いところでできやすい。ただ，なぜ影に光が入り込むのかは分からなかった。

予想：前から，木もれ日が葉っぱの形ではなくて丸くなることに気が付いて，不思議だなと思っていた（図3）。これは影磁石と同じような原理ではないか。そして，光が斜(なな)めに物の下に入り込んでいるからではないか。

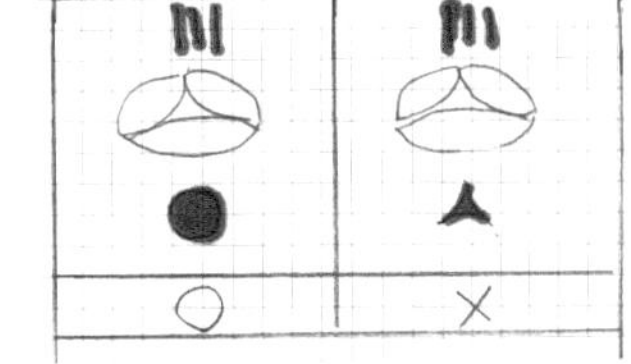

図3　本当なら三角になるはずなのに，丸くなる

【実験8・9：光が斜めに入り込んでいるのか？】

実験：葉っぱ型の紙3枚を丸く並べて，隙間の穴に光を当ててみた。

結果：ある程度大きな穴だと三角のままだが，小さくなるにつれて丸くなっていく。丸くなるということは光が影に入り込んでいるといえそう。実験9ではライトの光が放射状に広がっていることも分かった。つまり，光が放射状だから，物の下に斜めに入り込んでいるのではないか。

しかし，「太陽はとても遠いので，光はほぼ平行だよ」とお父さんに言われてしまった。

予想：影磁石の部分をよく見ると，そこだけが青っぽくなるときがある（図4）。これは青い光だけが入り込んでいるからではないか。だとしたら，波長の長さに関係があるのではないか。

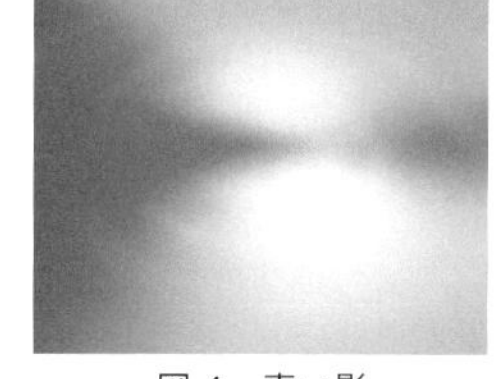

図4　青い影

青い光の波長が分からなかったので，インターネットで調べていると，光の波が物に当たった場合，物の裏側にくるんと回って入り込む「回折(かいせつ)」という現象があることが分かった。そして，回折は光の色（波長）によって曲がる角度が変わるので，分光することも分かった。「これかもしれない！」と思った。

つまり，影に分光が見られれば，回折がおこっている証拠になるのではないか？

【実験10：影に分光が見られるか？】

実験：葉っぱ型の3枚の紙のすき間の穴に，光を当ててみる。

結果：いろいろと試しているうちに，青だけでなく，きれいな虹(にじ)ができた！（図5）

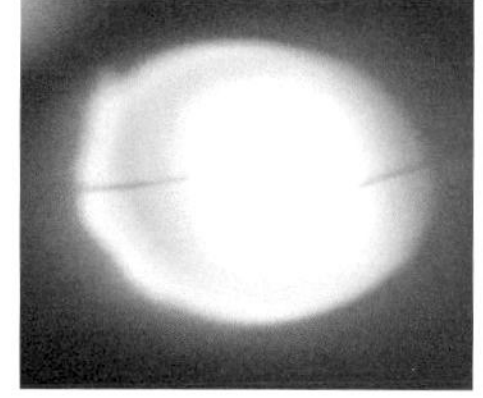

図5　虹の影

まとめ

影磁石とは「回折」によってできるのではないかと思った。

つまり，物の影に光が入り込んで，そのとき光の色（波長）によって入り込む角度が違うので分光される。そのため虹ができる。また，青色になることもある。

影は，「ただ光が少なくて暗くなっているだけ」と思っていたのに，影の中にも分光した光が入り込んでいて，虹まであったのはびっくりした。

作品について

松本さんの研究内容を２ページにまとめるのに大変苦労しました。影磁石についての探究がどんどん深まっていく過程がとても興味深く，どの実験，考えも省略することができないと思えたからです。

この研究のよさは実験をして，そこからの発見や予想をもとに次の実験観察をしていく中で，謎を解明していくところです。その過程をしっかり伝えたいと思い，掲載したい写真をいくつか省かざるを得ませんでした。

そのために，光の色のことが突然出てきたように思うかもしれませんが，影磁石の写真をその気になって見返してみると，あらゆる場面で影磁石付近に分光した青や紫色の光が見えています。何気なく見えていた色がどこか気になっていたのでしょう。考えが行き詰まったときに，光の色のことを調べることにして，謎を解明する糸口になったのだと思います。

とにかく，松本さんの根気強さと発想の豊かさには驚かされます。考えていた通りの実験結果が得られなくても，これまでの体験を想起したり，違う視点から現象を見たりして，あきらめずに探究を続けています。これは，日常的に知的好奇心をもって生活しているからこそ，できることなのかもしれません。

現象のおもしろさは，科学の魅力の一つですが，なぜそうなるのかを考えることは，避けたいと思う子もいます。「なぜ」を考えると，とても高度な理論でないと説明できないことや，未だに解明されていないことも出てきます。

それでも，「なぜ」の中に，本当の科学の魅力が潜んでいます。完全をめざす必要はなく，それを解明しようとする過程を楽しんでほしいと思います。

この研究では，影の部分がへこむ「なぜ」を考えようと，６種類の実験が行われています。最初に光の「反射」が影響していると考え，それが違うということが分かってから，「回折」に到達するまで，紆余曲折をしながらの探究が行われました。時には自分の考えが行き詰まった場面もありましたが，それがあったからこそ,「回折」という解明の糸口が見えたときの喜びもひとしおだったのではないでしょうか。

今日，インターネットを使うことで，様々な情報を得やすくなっています。その情報は玉石混淆ですから，その活用方法も考えなければなりません。この研究は，その活用法も参考になると思います。

第15回 小学生の部

コロナ VS マスク

幾野 和心（いくの わこ）［洛南高等学校附属小学校 4年生］

目に見えない小さな飛沫や飛沫核からマスクは本当に私を守ってくれているのでしょうか？ 見えないウィルスの世界を大きくすることで、マスクが感染を予防する様子を目に見える形で調べました。空気の流れにのる飛沫の代わりを見つけるのが大変でした。妹とお風呂でシャボン玉遊びをしたときにこれだ!! と代わりを見つけました。

I 研究の概要

研究の動機・目的

家には生まれたばかりの弟がいる。もしも私が新型コロナウイルスにかかったら，弟にもうつってしまうと思った。だから，私は絶対に感染するわけにはいかない。いろんなマスクが売っているけど，どんなマスクが良いマスクなのだろうか？　目に見えない新型コロナウイルスを大きくして考えたら，新型コロナウイルスがマスクを通ってしまったりしないのかが分かるのではないかと考えた。

実験方法および結果

① マスクについて可能な限り精度を高めた測定を行い，マスクの繊維の太さを求める。

② ①で測定した数値を用いて，飛沫や飛沫核が通れるのか，通れないのかを，モデル化して検証する。飛沫のモデルとして，シャボン玉を用いて試行する。

③ マスクの脇や隙間から新型コロナウイルスの飛沫や飛沫核が入ってこないのかを実験する。

実験方法および結果

【実験１：マスクの繊維の太さを測定しよう】

マスクを 25 mm^2 切り取って，繊維の数から，マスク 1 mm^2 あたりの繊維の長さを算出したところ，418 mm であることが分かった。

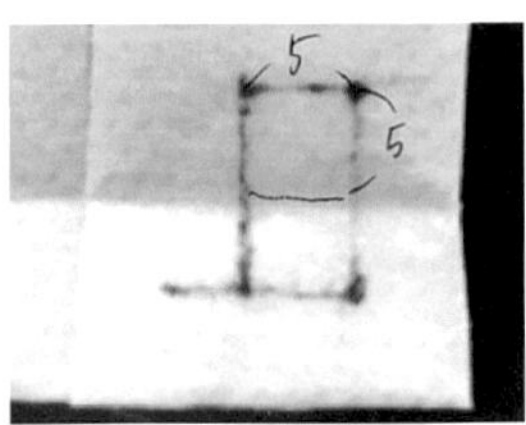

図１　切り取るマスク

次に，マスク 1 mm^2 当たりのマスクの繊維の体積を，水に沈めたときの体積の増加分から求める方法を用いて測定した。その際，マスクが沈まないことを解消するために，洗剤を入れて沈めさせ，測定した。その結果，マスクの繊維の体積は 0.0308 mm^3 であることが分かった。

これらの測定結果から，繊維の太さを測定すると，9.6 μm であることが分かった。

【実験２：マスクの布を飛沫や飛沫核が通れないかどうかを調べてみよう】

【実験 1】で求めたマスクの繊維の太さと，飛沫の大きさに基づいて，モデルを作成し，実験をした。なお，飛沫のモデルには，シャボン玉を使った。その結果，飛沫が通らないことを確認した。

図２　実験２のモデルと実験の様子

次に飛沫核がマスクを通り抜けることができるかを調べた。飛沫核は飛沫よりも小さいため，新たなモデルを作成し，実験した。

①格子状の布マスク

②でたらめな不織布マスク

③縦方向だけ

図３　実験２の飛沫核検証用モデル

表１　飛沫核通過実験の結果

		1回目	2回目	3回目	4回目	5回目	6回目	7回目	8回目	9回目	10回目	平均(%)
①	吹いた数	19	25	27	24	22	23	27	19	21	24	
布	通った数	9	12	15	14	13	14	16	15	14	13	
	率	0.47	0.48	0.56	0.58	0.59	0.61	0.59	0.79	0.67	0.54	**58.83**
②	吹いた数	15	26	24	18	31	24	22	27	16	24	
不織布	通った数	10	8	10	6	15	10	11	7	7	8	
	率	0.67	0.31	0.42	0.33	0.48	0.42	0.50	0.26	0.44	0.33	**41.55**
③	吹いた数	30	15	24	20	25	22	18	27	20	29	
縦	通った数	5	2	4	2	3	1	0	6	2	5	
	率	0.17	0.13	0.17	0.10	0.12	0.05	0.00	0.22	0.10	0.17	**12.27**

【実験３：マスクの脇や隙間から飛沫や飛沫核は入ってくるのか】

マスクの脇や隙間から飛沫や飛沫核が入るのかをマネキンと煙(けむり)を用いて実験した。マスクについては，不織布マスクだけでなく，いろいろなマスクで実験をした。

図４　実験３の様子

表２　実験３の結果

①マスクなし	鼻にそのまま煙が吸い込まれる。
②布マスクＡ	鼻の部分から煙が吸い込まれるが，上の隙間からも吸い込まれる。
③布マスクＢ	マスクは鼻に張り付き，鼻から煙が吸い込まれる。
④不織布マスクＡ	マスクは鼻に張り付き，鼻から煙が吸い込まれる。
⑤不織布マスクＢ	マスクはぴったり鼻に張り付き，鼻から煙が吸い込まれる。

考察

マスクの電子顕微鏡(けんびきょう)写真を見てみると，この研究で用いた模型と同じようなものだということが分かった。ただ，布マスクについては，大きな穴がみられ，飛沫も飛沫核も通ってしまう可能性があった。

図５　電子顕微鏡で拡大した布マスク

まとめ

目に見えない新型コロナウイルスの飛沫や飛沫核も375倍や5000倍に拡大したマスクの模型を作ったら，マスクを通ってしまわないのかを調べることができた。飛沫はマスクが完全に防ぐことができた。飛沫核については，不織布マスクでより防ぐことができ，今回の実験では，40％に抑(おさ)えることができると考えられた。

作品について

今や，新型コロナウイルスに関する情報は，インターネットや雑誌をはじめ，いたるところにあふれています。そのような情報を取捨選択することは必要なことですが，さらにそこから，問題を見つけ出し，自分で解決をしようとするところに独創性を感じました。

マスクの効果については，専門的な観点から様々な研究がなされていますが，この研究で行ったようにマスクの繊維の太さに基づいて，拡大したモデルを用いて検証するという方法は，高い探究力のなせるわざであり，観察や実験の方法への工夫が見られる点です。見えないものを見えないまま扱うのではなく，見えないものを見えるようにして取り扱い，自分の問題を解決していくことは，自然について調べていくために，とても大切なことです。特に，実験においてシャボン玉を使用している点は，飛沫などの見えないものを見えるようにして，問題をできるだけ信頼できるデータに基づいて解決していくために，とても良い方法でした。空気中の飛沫と，ふわふわと動くシャボン玉は，両者とも「空気の流れに乗って動く」という点で共通しており，問題を解決することにつながっていった実験方法の工夫といえるでしょう。

また，これだけにとどまらず，マスクの隙間についても検証をしています。ここでも，煙を用いて実験をしており，見えないものを何とか見えるようにして，問題を解決しようとする工夫が見られます。ここにも，小学生にできることで，信頼できるデータを取ろうとする，探究力の高さが見られます。

研究の最後に，電子顕微鏡のデータから，自分の算出した繊維の太さやモデルの適切さを検証している点も，研究全体を客観的なデータで捉え直し，自分のデータが信頼できるデータだったのかどうかを判別するためのものとして役立っています。このように，客観的なデータを問題を解決するための直接的な根拠とするのではなく，自分のデータを検証したり，より正しいことを示すために用いるという点に，表現の工夫が認められます。

この研究では，誰もが不思議に思うことを，独自の方法で調べることができました。これからも，この研究で得られたことを大切にしながら，様々な分野の研究を行っていってほしいです。

第15回 小学生の部

ハンミョウは最速の虫か ②

〜足のひみつにせまる〜

鈴木 健人（すずき けんと）［大阪教育大学附属天王寺小学校 4年生］

神社やお寺などでいつも走り回っているハンミョウ。なぜハンミョウはそんなにも速く走れるのか、という疑問を解明するために、今回は足について研究をした。足の動かし方や作りなどを観察するために実験器具を自作した。様々な路面でハンミョウを走らせて、スロー動画や写真を撮影し、足の使い方についてできる限り調べた。

研究の概要

研究の動機・目的

ハンミョウの足の速さにひかれ，昨年32種の虫の足の速さを比べる研究を行った。結果，ハンミョウは甲虫（こうちゅう）の中で1位だった。そのハンミョウの足はどうなっているのか，かぎづめは？　足の動かし方は？　と次々と疑問が出てきた。速さの秘密は足にあると思い，調べることにした。

実験方法および結果

実験1「どんな路面が走りやすいのかを調べる」

> 【道具】アクリル板で作成した長さ20 cmのコース
> 路面㋐プラスチック　路面㋑紙　路面㋒紙やすり（60番）
> 路面㋓障害物　路面㋔赤玉土　路面㋕赤玉土の砂
> 路面㋖プラスチックの坂20度　路面㋗紙やすり坂20度

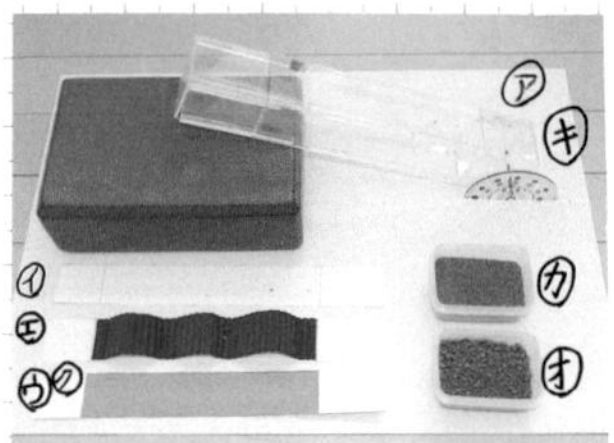

図1　使った道具

実験：コースの床（ゆか）を変え，ハンミョウを走らせてタイムを計る。

準備：たくさんつかまえ，体長を測る。
マーカーでしるしをつける（図2）。

方法：同じコースで3回タイムを計る。
坂道は2回（負担がかかるから）。
まっすぐ走るために追いたてぼうで追い立てる（図3）。
タイムは記録用紙に記録する。
動画，連続写真を撮（と）り，足の動きを観察する。

結果：タイムを表にまとめ，最速タイムを抜（ぬ）き出したグラフを図4に示す。

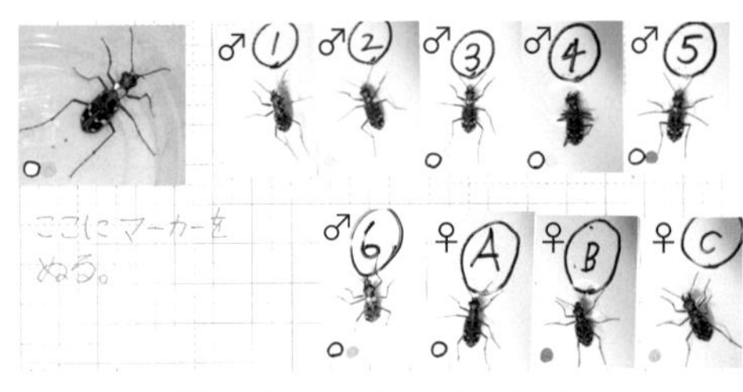

図2　マーカーをしたハンミョウ

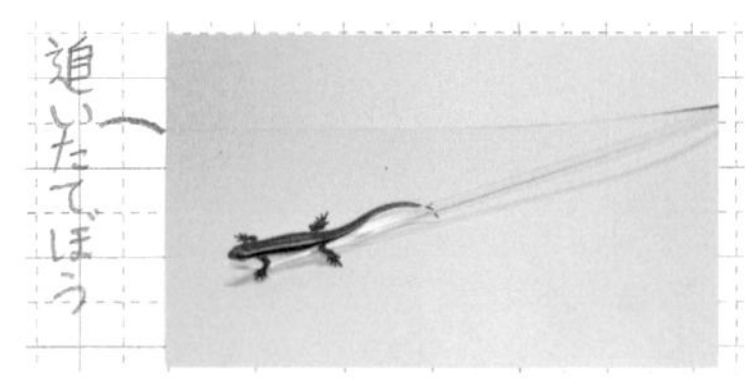

図3　追いたてぼう

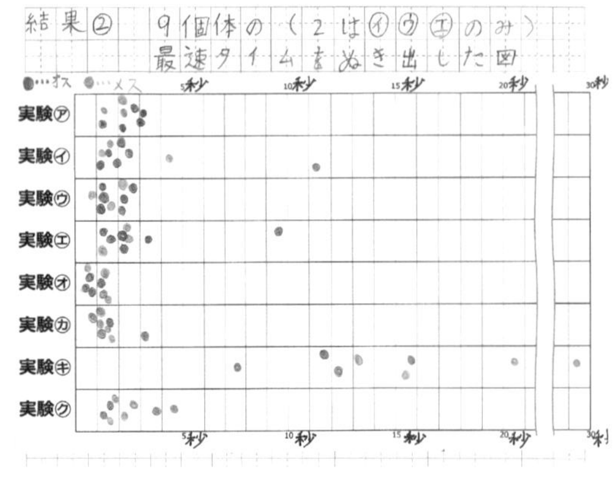

図4　最速タイムを抜き出したグラフ

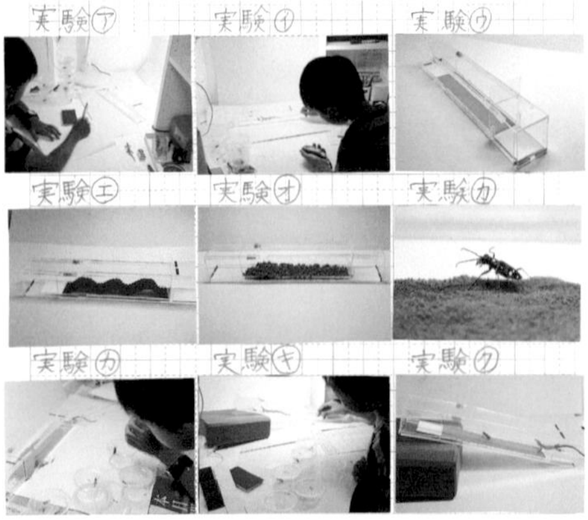

図5　実験の様子

結果から

(1) プラスチックの路面について（路面㋐，路面㋖）

路面㋐（平坦）では，オスとメスの走り方に違いがあった。オスは前足にごう毛パッドがあるので，すべらずに走れた。メスはスケートのようにすべって走っていた。しかし，差はほとんどなかった。差が出たのは路面㋖（上り坂20度）だ。メスは走っても進まず，オスより時間がかかった。これはオスにあるごう毛パッドの差だと思う（図6）。

オスのごう毛パッド前足

メスの前足

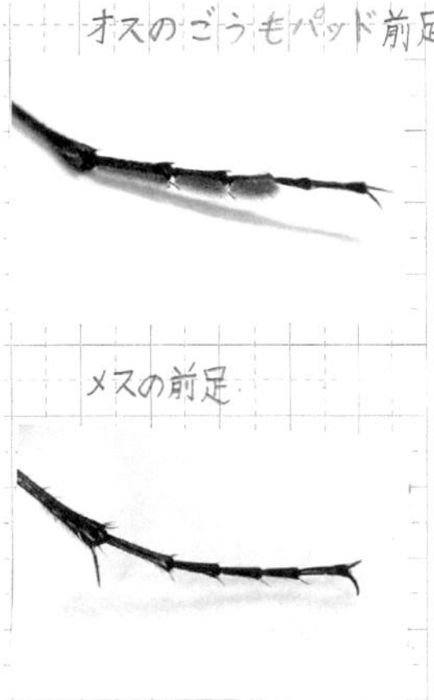

図6　オスとメスの足比べ

(2) 紙やすりの路面について

路面㋒（平坦）は，跗節のつめが引っかかることが多かった。しかし，路面㋗（上り坂20度）では，ひっかかるハンミョウはいなかった。これは坂により足を抜く角度が違ったからだと思う（図7）。

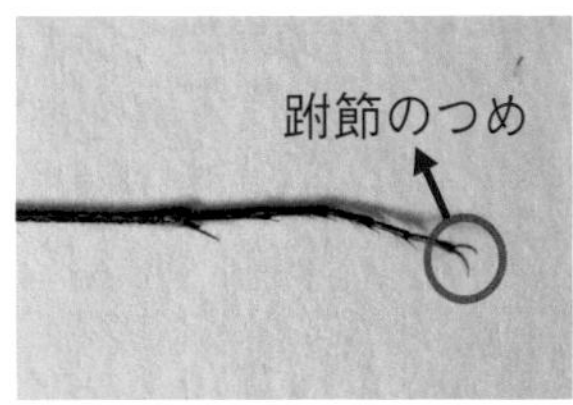

図7　ハンミョウの跗節のつめ

(3) 障害物のある路面㋓について

高いところ（図8の★）で全個体が止まった。この行動は，走っては止まるを繰り返す習性があるからだと思う。これは，路面㋖㋗のような上り坂20度の坂道でも同じことがいえる。坂道は負担がかかると思ったが，スムーズに上がった（図8）。

図8　路面㋓障害物

観察して分かったこと

・走る時は，前足，中足，後足の順番に動く。左右はたがい違いに動く。

・前足には，ブレーキの役割，中足は方向転換のときに使われているようだ。

・前足，中足は跗節のほんの先しかついておらず，主エンジンは後足。

・ハンミョウはゆっくり走る時はおしりをつけて，速く走る時は体全体を浮かせて走る。また，体の軽さも関係していると思う（計測しても1g未満）。

・20 cmのコースをスムーズに走った時，1本の足につき14回着地（2秒間）。

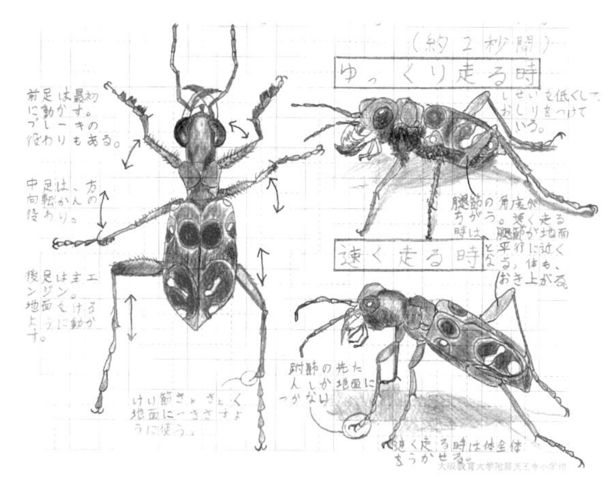

図9　考察をもとに表した図

作品について

前年度に引き続き，ハンミョウにスポットを当てた研究です。調べれば調べるほど，新たな疑問や興味が湧き出てきます。今回のハンミョウの継続研究においても，音が聞こえているのか，走り方にどのような影響を与えるのか，自分の速さに目がついていかず，時々立ち止まってえさを探すということが証明できるか，この他にも様々な疑問が生み出されていました。良い成果を出すためには，良い問いをもつことが大切です。さらなる研究に期待をしています。

この作品の最後に，感想が書かれておりました。紙幅の関係で前ページには掲載できませんでしたが，その一部を以下に掲載いたしました。ここに書かれていることは，うまくいったことや分かったことだけではありません。むしろ，うまくいかなかったことの方が多く書かれているようにも感じます。うまくいかない時にも，方法を変えたり，考え方を変えたりしながら，乗り越えていく。研究にとってこれも大切な力です。あきらめない心，やり遂げようとする気持ちを持ち続けて頑張ったこの作品のように，次の研究でも根気強く頑張ってほしいと感じました。

〈感想〉
・ハンミョウが思ったほど見つからず，あせった。
・実験の時、なかなかまっすぐ走ってくれなかったので苦労した。
・ハンミョウが足のどの部分で着地しているのか知りたかったので、足に絵の具をつけて、紙の上を走らせてみたがうまくいかなかった。

図 10　感想より

もう一つ，結果④を示しながら，この研究の素晴らしさに触れたいと思います。結果④はそれぞれのハンミョウの最速タイムを比べ，上の段に最速タイムの順位が，下の段にはタイムを平均した順位が示されています。この結果から「体長，顔の大きさ，後足の長さと速さの関係は見つからなかった。順位は個体の元気さによると思う」と考察しています。つまり，9 匹のハンミョウの体の傾向，個体差よりもハンミョウが実験を行った際に元気だったかどうかに関係すると考えたようです。予想した結果が得られなかったけれど，今回の実験では個体差と速さとの関係が見つからなかったという結果が得られたことになります。素晴らしい結果との向き合い方です。そこから新たな疑問が出ることもありますね。これからの研究にも生かしてほしい姿です。

結果④　個体別　順位

	1	2	3	4	5	6	A	B	C
最速	7		3	2	6	4	5	1	8
平均	3		1	5	2	4	6	7	8

図 11　結果④

第15回 小学生の部

はい水こうにあらわれるダイヤモンドをさがせ！

石橋 侑大（いしばし ゆうだい）［豊中市立新田小学校 4年生］

ぼくははい水こうで見つけたダイヤモンド（ひし形）がなぜ現れるのかを調べた。いつも見ているはい水こうを不思議がって観察するだけで、こんなに深く考えることになるとは思いもしなかった。実験では何度も行きづまったが、そのたびに新たな発見があり、研究の面白さを感じることが出来た。

雨の日にぜひはい水こうをのぞいてみてください。

Ⅰ 研究の概要

研究の動機・目的

雨の降る日，道を歩きながら妹が排水溝を指して「ダイヤモンドだ！」とさけんだ。驚いてのぞきこむと，水面がキラキラ光り，雨で排水溝に流れる水がひし形になっていた。「diamond」は「ひし形」のことだった。毎日のように通る道。これまで注意して見ることはなかった。妹の発見がきっかけで，排水溝をよく見るようになった。すると，場所によって違いがあることに気がついた。くっきり現れる場所もあれば，薄く現れる場所もあった。そこで，どうしたら最高のダイヤモンドが現れるのかについて調べてみようと思った。

実験方法および結果

実験１　排水溝の水の流れを調べる

【仮説】排水溝に水が流れ，その勢いで壁に当たり，ジグザグに水が流れるのではと予想した。そのジグザグが重なり合い，ひし形になると考えた。

【実験方法】葉っぱを落とし，流れを調べる。

【結果】葉っぱはまっすぐに進んだ。

【考察】水の表面にはひし形の形ができたまま，葉っぱはジグザグにはならず，まっすぐに進んだ。水はつねに同じ方向に向いて流れており，ひとつの流れがジグザグになるのではないと分かった。

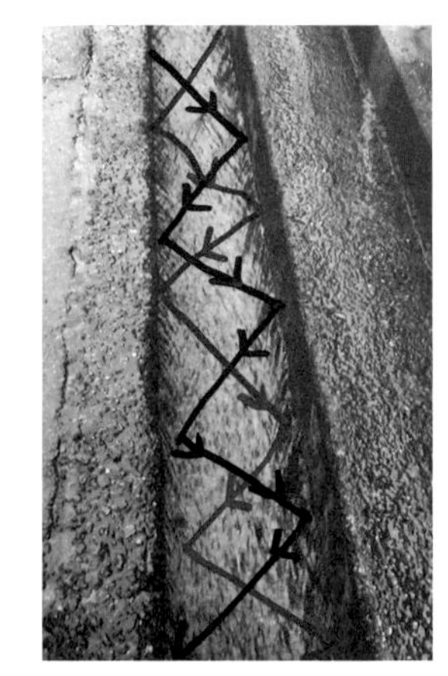

図１　仮説のイメージ

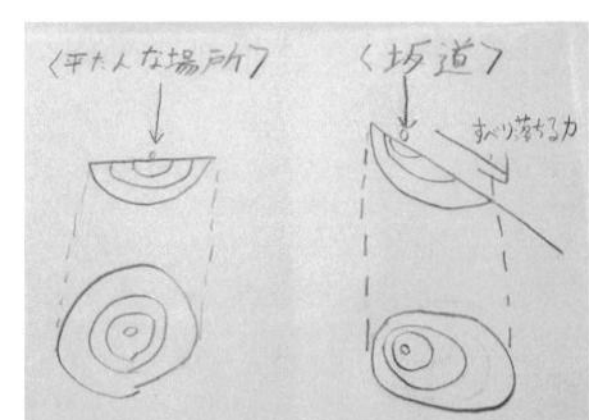

図２　波紋の図

実験１を終えた後，まったく違う形に出会った。角度がない平坦な場所で，ひし形ではなく波紋が現れた。このことから，平坦な場所では波紋であり，角度がつくことによって，波紋が楕円の形からまっすぐの直線に近い形となり，交わることでひし形になると新たに考えた。

実験２　波紋の形が角度がつくことで変化するかを調べる

【仮説】雨が降ると平坦な場所では雨のしずくで波紋ができる。それが角度をつけることで波紋が丸から楕円になり，直線に近い形に変化するのではと考える。その直線が重なることでひし形になり，それが続くことでずっとひし形ができる。

【実験方法】お風呂のふたを板として，平らな場所と角度のある場所を作る。

水を落とし，波紋の様子を調べる。

・スポイトで色水を落とす。　・ペットボトルの底に穴をあけ，色水を落とす。

【実験結果】

①スポイトで色水を落とす

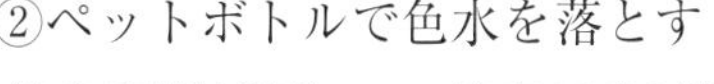

②ペットボトルで色水を落とす

〈角度が平坦な場所〉

〈角度25度の場所〉

〈角度が平坦な場所〉　〈角度25度の場所〉

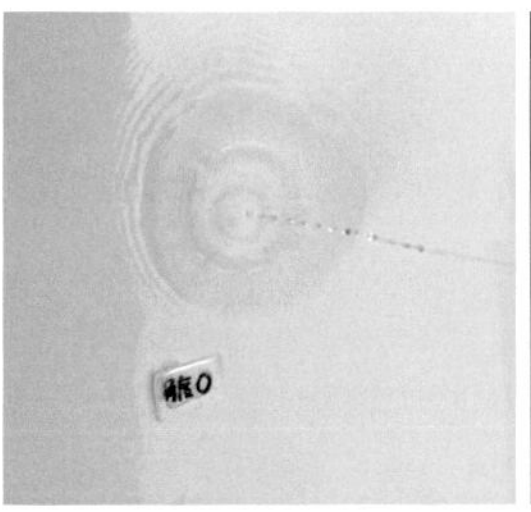

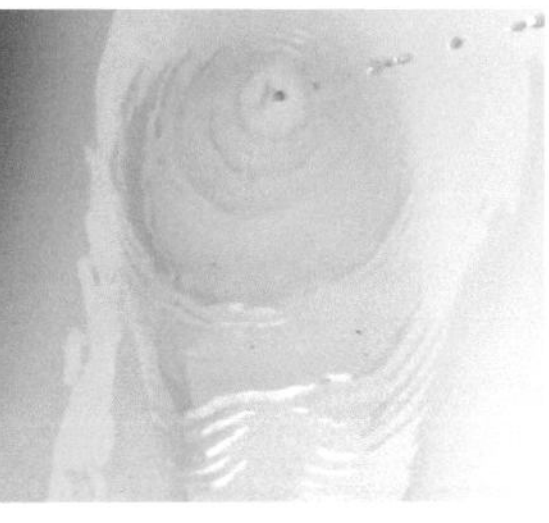

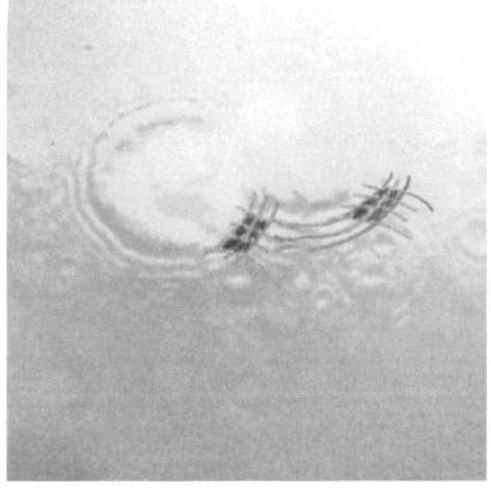

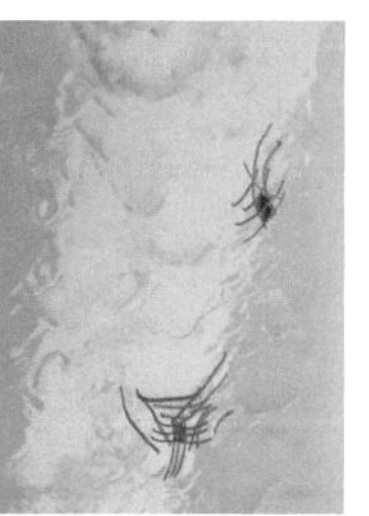

【考察】角度のない場所でもある場所でも波紋が重なり合う場所ではかろうじてひし形を見つけることができた。だけれども，一瞬(しゅん)一瞬でしか見られず，排水溝で見つけた連続したきれいなひし形になることはなかった。

もう一度排水溝を観察しようと外に出たとき，排水溝以外の場所に目をやると実験と似ている形の流れを見つけた。ここは坂がかなり急なふつうの道路だった。そして，この場所に立ってみると新たな発見があった。それは，ぼくが立っている間にだけひし形が現れた。

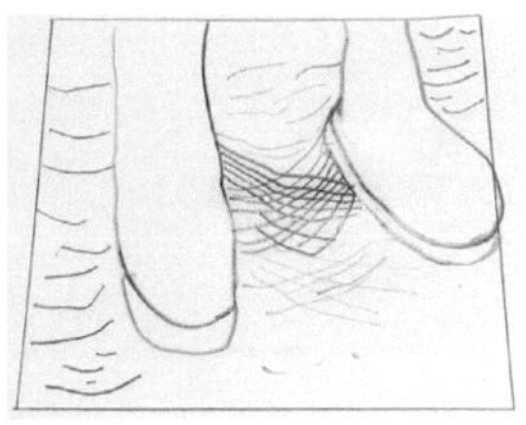

図３　足の間に現れるダイヤモンド

実験３　角度（25度）をつけた場所に壁を作り水の流れる形を観察する。

【仮説】角度をつけることで波紋が半円のように流れる。そこに壁を作ることでななめの線ができ，重なり合うことでひし形ができると予想する。

【方法】角度をつけた場所で水を流し，壁（牛乳パックを折って壁にする）を作る。だんだん幅(はば)をせまくして，水の流れを観察する。

【結果】まず，お風呂のふた（板）のふち（低い壁とみなす）になっている部分を見ると，図４のような斜(しゃ)線が現れた。反対側から寄せていくと……

ついに「ひし形」が現れた!!

斜面を水が流れると波紋が壁に当たり，斜線が現れる。それが両サイドに壁を作ることで両サイドから斜線が現れ，ひし形ができると確かめることができた。

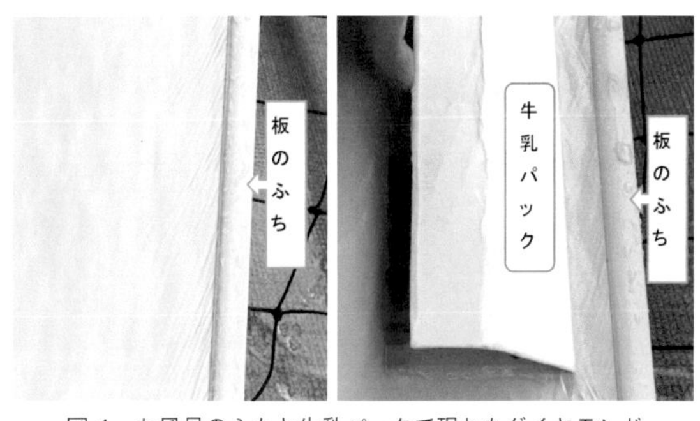

図４　お風呂のふたと牛乳パックで現れたダイヤモンド

作品について

妹が排水溝で見つけた「ダイヤモンド」を再現するために，試行錯誤を繰り返し，たどり着くことができたのは，飽くなき探究心と粘り強さがあったからでしょう。いつも見ていた排水溝に，きれいなダイヤモンド（ひし形）を見つけた瞬間から，排水溝の水の流れが気になっていったのと同じように，「どうやれば，ダイヤモンドが再現できるのだろう」という疑問を持ち続けたまま，様々なものに目を向けていたからこそ，長靴の間を流れる水の形にダイヤモンドを見つけることができたのだと思います。

ただ，漫然と過ごしていては見えなかったものも，興味をもってのぞき込めばそこには，奥深い世界が広がっているのだということを，この研究から改めて感じました。

実験3では，さらに牛乳パックとまな板での比較を行っています。水を流してふにゃふにゃになってきた牛乳パックは，よりくっきりとしたダイヤモンドを作ることができることも発見することができました（図5）。そこから，あえてでこぼこに差をつけた排水溝を自作して，流すことででこぼこが，ダイヤモンドをよりきれいに見せるという確証を得ることができました（図6）。

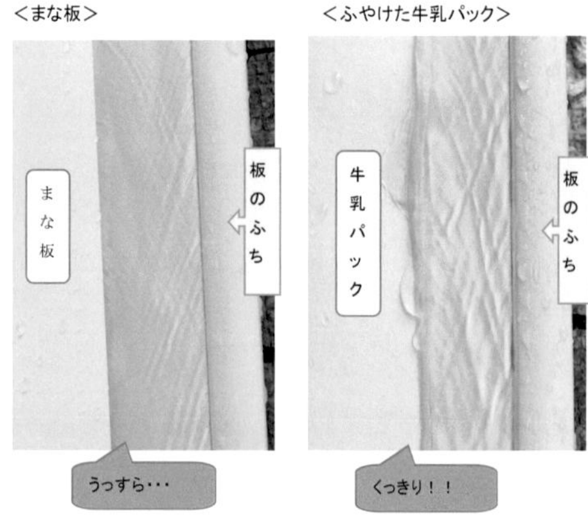

図5　まな板と牛乳パックの比較

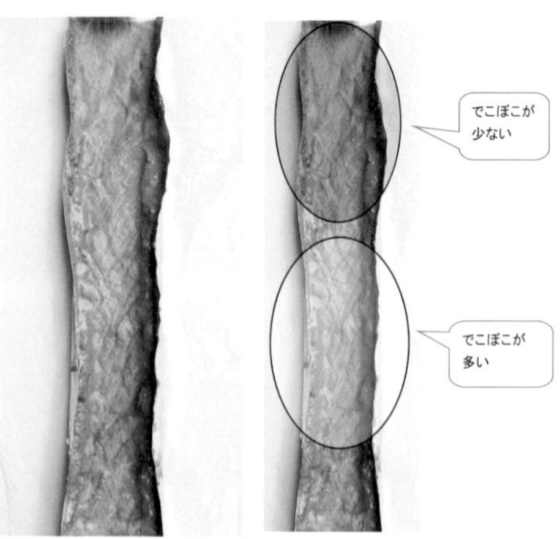

図6　モルタルで自作した排水溝

「つまずきが新しい発見のためにとても大切だと分かった。つまずきは失敗ではなくて，次につなげるためにパワーをためているのだと思った」。作品の最後に書かれた力強いメッセージ。あきらめずに取り組むことの大切さを伝えています。

ザリガニの脱皮の研究（5）

満月が脱皮を引き起こすメカニズムの探索とふ化直後からの脱皮の観察

こやま ゆうき
小山 侑己［つくば市立竹園東小学校 5年生］

ザリガニを飼っていて、なぜ満月の前後に脱皮をするザリガニが多いのか不思議でした。月の明るさや引力が関係しているのではないかと考えて実験をした結果、両方とも関係しているらしいことがわかりました。
毎日ザリガニの世話をするのは大変でしたが、脱皮やふ化のようすをたくさん見ることができておもしろかったです。

研究の概要

研究の動機・目的

これまでの研究により，ザリガニが，満月の前後に多く脱皮することが分かっている。その他の甲殻類でも，脱皮と月齢の関係が報告されている。それらの先行研究を踏まえ，月の光の明るさや，月の引力と潮汐などの諸条件件が脱皮を引き起こす可能性について調べた。また，前年度の失敗を踏まえたザリガニの人工ふ化や，甲殻類の産卵日と月齢の関係についても調べた。

実験方法

ザリガニの脱皮と，月の光の明るさ，潮汐との関係を調べるために，ザリガニを3グループに分け，月の光とよく似た照明光を当てる実験を行った。その際には，前年度の研究を踏まえ，「満月グループ」と，「上弦の月グループ」と，「光なしグループ」に分けて，脱皮回数を比べた。

脱皮と地磁気との関係を調べるために，観測所のデータと飼育しているザリガニのデータとを比べた。

ザリガニの人工ふ化に挑戦すべく，新たに人工保育器を製作し，実験を行った。

ザリガニの産卵日と月齢の関係を調べるために，2017年9月以降のザリガニの産卵の有無のデータと，月齢を比べ，まとめた。

実験と結果

【実験1：ザリガニの脱皮と月の光の明るさや潮汐との関係を調べる実験】

満月と上弦の月の2つのグループのザリガニに，それぞれの月とよく似た照明光を当て，光無しのグループについては，夜間全く光が当たらないように飼育した。その結果，表1のようになった。

また，過去4年間の脱皮の記録を一つにまとめたところ，表2のようになり，満月と新月の前後にいくつかのピークができていることが分かった。

表1　実験1の結果

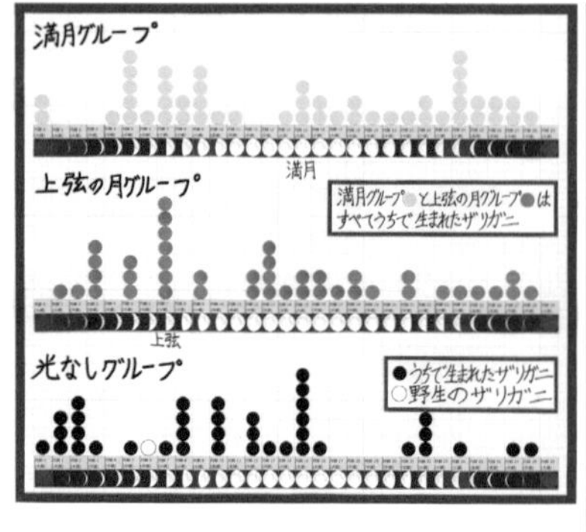

表2　過去4年間の月齢毎の脱皮数の集計

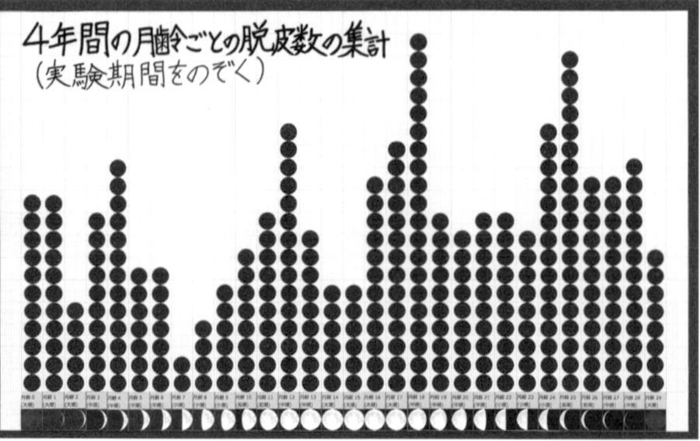

【実験２：脱皮と地磁気の関係について調べる実験】

地磁気観測所のホームページから，地磁気活動が多い日と少ない日を明らかにし，それらの日の脱皮の回数を数えて比較すると，表３のようになった。また，静穏の日と翌日に卵がふ化したことがそれぞれ１回ずつあったことから，地磁気は脱皮だけでなく，ふ化にも影響している可能性が考えられる。

表３　実験２の結果
地磁気の静穏日・じょう乱日の脱皮回数まとめ

	当日の脱皮	次の日の脱皮	備考
静穏(11日)	4	8	当日1回，翌日1回ふ化を確認
じょう乱(6日)	4	9	

【実験３：ザリガニの人工ふ化を試みる】

前年度にうまくいかなかったことを踏まえ，今年度は，右のような人工保育器を作成し，人工ふ化を試みた。100個程度の卵があったが，人工保育器の酸素が止まる度に，多くのザリガニが死亡してしまい，最終的には２匹のザリガニが３cm程度まで成長し，そのうち１匹は今も元気に成長している。人工保育の過程で，子ザリガニが偶然脱皮を始めたことから，その撮影にも成功した。

図１　実験３の結果

図２　人工保育した生後１か月のザリガニの抜け殻

【実験４：産卵日と月齢の関係】

2017年９月以降，毎日ザリガニの産卵の有無を確認してきたことから，それ以降の記録を調べ，産卵を発見した日付をまとめたところ，表４のようになった。

表４　実験４の結果
過去３年間の産卵日の一覧

日付	月齢	潮汐	ザリガニ
2017年10月8日	17.9	大潮	左メスザリガニ1
2018年3月30日	12.6	中潮	左メスザリガニ2
2019年3月28日	21.5	中潮	f
2019年4月4日	28.5	中潮	SS
2019年10月16日	17.4	大潮	19b
2019年12月16日	19.5	中潮	19q
2020年3月30日	5.7	中潮	19j

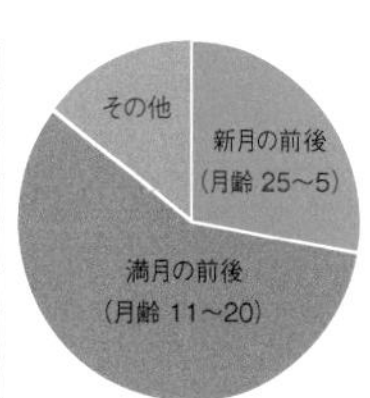

考察と結論

① 満月に光を当てたグループでは，満月の少し後に脱皮が最も多く，上弦の月の光を当てたグループは，上弦の月の日に脱皮が多かったことから，ザリガニの脱皮には，月の光は確かに関係していた。また，いずれのグループも新月の前後にやや脱皮が増えたことから，月の引力や潮汐も関係していると思われる。また，地磁気については，脱皮だけでなく，ふ化も含めて成長の様々な段階に影響している可能性がある。

② 人工ふ化については，成功したとまでは言えないが，母体から離れたばかりの子ザリガニを成長させることができたことから，人工保育には成功したといえる。

作品について

ザリガニの生態について，様々な要因と関連させながら調べています。ザリガニをただ飼育するだけでなく，脱皮と自然界の諸条件との関係に目を向けているところが，独創性のある研究といえます。ただ，この研究の素晴らしさは他にもたくさんあります。

まずは，ザリガニをはじめとした甲殻類について，徹底的に調べているところです。満月の日と脱皮との関係について調べる際にも，ザリガニだけにとどまらず，他の甲殻類についても調べていることから，生物の営みと月の満ち欠けとの間に何らかの関係があることが読み手にも推測できる研究となっています。また，他の先行研究を読み，それを研究の中に自分の言葉で表していることで，研究の内容が分かりやすく伝わってきます。

次に，膨大な数のデータに基づいているところです。研究の中の言葉に，「2017 年 9 月以降，毎日ザリガニの産卵の有無を確認してきた」とあります。言葉で表せばたったこれだけの文ですが，これを実際に行うとなると，ものすごい労力が必要になることは想像に難くありません。また，実験で取り扱っているザリガニの数も，ものすごい数であることが分かります。このように何年間というレベルで，データをずっと取り続けていたり，何十匹，ともすると何百匹ものザリガニを飼育しながらデータを取っているところに，ザリガニ研究への信念が感じられ，その執念そのものに，テーマとしての独創性を感じざるを得ません。

そして，最後に，研究の継続性です。これまでの研究で得られた知見や，うまくいかなかったことを受けて，それらがうまくいくように挑戦しているところに，探究力の高さを感じます。特に，ザリガニの人工ふ化に挑戦するところでは，前回の研究でうまくいかなかったことから，装置を自作して挑戦しており，数は少ないと感じたものの，成功をしているところが素晴らしいです。

きっと，これからも，ザリガニの研究を続けていくと思います。その時には，今回の研究のように，これまでの観察記録や研究でうまくいかなかったことがきっと生かされることと思います。これまでの知見を生かして，ザリガニの生態について新たな一面を明らかにしてくれる研究成果を今後も期待したいです。

第15回 小学生の部

フラフープの謎にせまれ！

～謎解きと成功の秘訣～

平井 沙季（ひらい さき）［筑波大学附属小学校 5年生］

フラフープは何もしなければ手を離した瞬間地面に落ちるのに、なぜ回すと落ちずに回るの？ 回り続けるコツは何かな？ どんなフラフープが回しやすいんだろう？ という謎解きをしていきます。

力の法則から考えると謎に満ち、宇宙とも繋がれるフラフープの世界を楽しんで下さい。コツを実践すればあなたも達人になれるかも!?

 研究の概要

研究の動機・目的

フラフープは何もしなければ手を離した瞬間地面に落ちてしまうのに，なぜ回すと落ちずに回るのか不思議に思った。回り続けるコツは何か，おすすめフラフープはどれか，つぎつぎと疑問が浮かんだ。

研究したこと

【なぜフラフープは落ちずに回るか】

ものには同じ働きを続けようとする「慣性」という性質があり，回転する物体は同じ姿勢を保とうとする性質をもっている。この回転パワーのことをジャイロといい，回転している間は安定して姿勢を保っているけれど，勢いがなくなるとバランスが崩れてしまう。また回転しているものには，円の外側に遠心力が働いていて，重力と遠心力がつり合うようにフラフープの回転数を保てば落ちずに回る。

【実験１：フラフープを回し続けるコツは何か】

フラフープをセロハンテープの芯に，私を鉛筆に見立て，フラフープがどのように回り出し，回転を続けるのかコツをイメージできると仮定し，以下の手順で実験した。

① セロハンテープの芯を回し始めるには，鉛筆がセロハンテープの芯から離れないよう常に芯にくっついたままの状態で 3~5 回転，円を描いた。

② 3~5 回転すると，セロハンテープの芯から遠心力と思われる外向きの力が手に伝わってきた。今までと同じように芯に鉛筆をつけたままの状態で円を描き続けると，芯は同じ速度で回り続けたが鉛筆を前後に動かすと勢いよく回転し始めた。

③ ①～②を時計回り，反時計回り両方とも 20 秒を 10 回ずつ，3 日間実験し，回転回数を記録して平均値を出した。

〈結果〉時計回りの方が回転した。また，鉛筆の筆跡も時計回りの方が無駄が少ない。

表１　実験１の結果

	時計回り	反時計回り
1日目	105.1回	94.6回
2日目	106.8回	98.0回
3日目	126.4回	96.9回
平均値	112.8回	96.5回

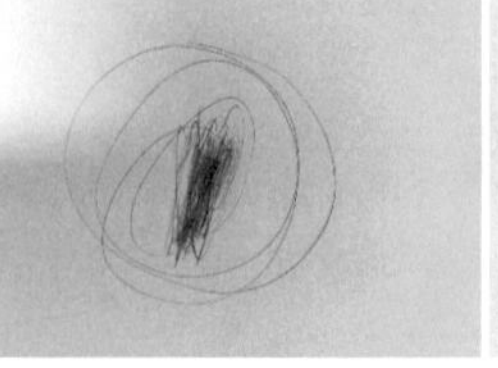

時計回り（左）と反時計回り（右）

図１　実験１の鉛筆の筆跡

フラフープを回すコツは，慣性力，ジャイロ，遠心力が働くように出だしで勢いよく回転させ，3～5 回転後，腰を前後に動かすようにする。その際，フラフープの中央に立つのではなく，左右どちらかに寄って立ち，密着した状態で回転させる。

【実験２：おすすめのフラフープはどれか】

フラフープは遠心力が大きくなるほど落ちにくくなると仮定し，以下の公式を用い計算した。

遠心力＝質量（kg）×速度（m/s）の２乗÷半径（m）

フラフープが重く，速度が速く，半径が小さいほど遠心力が大きくなると予想した。質量の違う（ちが）フラフープ（①～④），半径の違うフラフープ（⑤～⑦）で調べた。

〈結果〉①～④は，質量が大きくなるほど遠心力も大きくなり，予想通りの結果になった。⑤⑥⑦の順に半径が大きくなるほど遠心力は弱くなると予想していたが，⑦が３つのうちで最も速度が速く遠心力が大きかった。

表２　実験２の結果

実験の結果を表にまとめた。(表-5) なお、遠心力の公式を用いる際、速度については、距離÷時間を用い、距離は円周(直径×3.14)、時間は1回転にかかった秒数を使った。

	①	②	③	④	⑤	⑥	⑦
写真							
質量(kg)	0.54(1本)	1.09(2本)	1.77(3本)	2.27(4本)	1.59(6パーツ)	1.77(7パーツ)	2.01(8パーツ)
半径(m)	0.32	0.32	0.32	0.32	0.33	0.39	0.45
円周(m)	1.98	1.98	1.98	1.98	2.07	2.45	2.83
1回転にかかった時間(S.秒)	0.4	0.45	0.5	0.5	0.5	0.6	0.6
速度(m/s)	4.95	4.4	3.96	3.96	4.14	4.08	4.72
遠心力	41.35	65.95	86.74	111.24	82.58	75.55	99.51

遠心力が強ければ強いほど重力に負けずに回転し続けると予想したが，遠心力が最も強い④は腰（こし）への衝撃（しょうげき）が痛く，回しづらかった。

ほとんどフラフープを回せない兄と父だが，兄は⑥と⑦，父は⑥だけ回すことができた。今までは遠心力が大きいフラフープを選べばよいと思っていたけれど，一周あたり0.6秒で回転するフラフープを選ぶことが，初心者にはよいのではないかと考えた。なぜなら④と⑦を比べると，質量は26 g差があるものの，④は最も遠心力が大きいのに父も兄でも全く回らなかったからだ。

フラフープの回しやすさは遠心力よりも１回転にかかる時間が重要だと分かった。

まとめ

フラフープの重力と遠心力を理解するのに，地球の重力と月の公転をイメージしたり，国際宇宙ステーションや深海でもジャイロパワーが活躍していることを知ったりして，フラフープを通じて無限に世界が広がっていった。ステイホームや骨折をきっかけに始めたフラフープだったけれど，普段（ふだん）やらないことにチャレンジし，科学の世界を通じて新しい生活様式を楽しんでいけたらと思う。

作品について

普段はなかなか気付かないことも，生活に変化があることで気付くことがあります。平井さんの場合は，新型コロナウイルスによるステイホームと手の骨折をきっかけにフラフープを始めました。

スポーツ科学という分野があるように，運動と科学は密接に関係していますが，フラフープもその一つであることが，この研究により証明されたと言えるでしょう。

フラフープの回しやすさは遠心力が関わると予想しながら調べていきますが，質量や半径など様々なフラフープで調べることで，そうとは言い切れないことに気が付きます。その上でさらに考えることで，回しやすさに関係するものが１回転にかかる時間であることにたどり着きます。自分の体で試すだけではなく，家族の協力を得て，傾向を調べていくことは，再現性の保証という大切な科学の視点です。

また，本文では紹介しきれませんでしたが，次のような実験もしています。

- どのような姿勢のときに回転が持続するのか
- コマで見立て下から何 cm のときに回転が持続するか（図 2）を調べた後，同じことが自分の体でもいえるか
- フラフープ４本をくっつけたときと，ばらばらにしたときに，それぞれ回すとどうなるか（図 3）

物を使って見立てたり，自分自身でフラフープを回したりしながら多面的に調べています。

小学校での学習内容を越えた高度な内容ですが，興味・関心をもつことでその難しさを自分で乗り越えていく姿が作品に表れています。人は，本当に興味・関心をもったとき，必要と感じたときに，多くを学ぶのですね。

図２　高さのちがうコマ

図３　フラフープ４本を回す

第15回 小学生の部

湯葉のひみつ

春日井(かすがい) 美緒(みお) ［筑波大学附属小学校 5年生］

私の湯葉研究では、それぞれの材料から作った湯葉を表にまとめることで湯葉の規則性を見つけられ、発見も沢山ありました。

比べたい成分以外の割合を同じにして実験をしなければならなかったことには苦心しましたが、楽しい作業でした。枝豆や落花生などの『新しくておいしい湯葉♪』に出会えて嬉しかったです。

研究の概要

研究の動機・目的

京都へ旅行したときに食べた湯葉をきっかけに，家でもスーパーで買った豆乳を温めて湯葉を作るようになった。大豆から豆乳をしぼり，湯葉を作っているうちに，他の豆でも湯葉はできるのか，どうなると湯葉の形になるのか知りたくなった。

湯葉の作り方

① 豆乳を作る；大豆 100 g をたっぷりの水に浸し，12 時間たったらミキサーにかけて十分に細かくする。できた液を鍋に入れ弱火でゆっくり温める。沸騰して 10 分たったら火を止める。さらし袋で液を流してこす。

② 湯葉を作る；豆乳を鍋に入れて弱火で温める。沸騰したら火を止める。

実験と結果

【実験 1 ：枝豆から湯葉は作れるのか】

枝豆は若い大豆だから枝豆からも湯葉ができるのではないかと考え，調べることにした。ただし，大豆は乾燥していたので水につけて膨らんだが，枝豆は生のものだったので水でほとんど膨らまなかった。また，枝豆の豆乳は大豆よりサラサラしていた。

〈結果〉 湯葉はできた。大豆であれば枝豆でも豆乳ができることが分かった。他の豆ではどうなるか，調べることにした。

【実験 2 ：他の豆 (マメ科の種子) でも湯葉は作れるのか】

小豆，スナップエンドウ，グリーンピース，そら豆，ひよこ豆，落花生から作った。

〈結果〉 落花生でのみ湯葉を作ることができたが，とても膜が薄かった。

牛乳には「低脂肪乳」があるように，脂肪を多く含んでいる。また，大豆は「畑の肉」と言われるようにたんぱく質を多く含んでいる。よって，3 大栄養素の観点から整理して比較することにした（表 1）。

表 1　マメ科の種子の栄養成分

名前	植物の種類	カロリー（kcal）	たんぱく質，脂質，炭水化物の合計（100g あたり）	たんぱく質（100g あたり）		脂質（100g あたり）		炭水化物（100g あたり）	
グリーンピース	マメ科エンドウ属	93	22.6	6.9	30.5%	0.4	1.8%	15.3	67.7%
スナップエンドウ	マメ科エンドウ属	43	10.55	2.8	26.5%	0.2	1.9%	7.6	71.6%
小豆（あずき）	マメ科ササゲ属	343	81.7	20.8	25.5%	2.2	2.7%	58.7	71.8%
大豆	マメ科ダイズ属	422	83	33.8	40.7%	19.7	23.7%	29.5	35.5%
枝豆	マメ科ダイズ属	135	26.7	11.7	43.8%	6.2	23.2%	8.8	33.0%
そら豆	マメ科ソラマメ属	348	83.9	26.0	31.0%	2.0	2.4%	55.9	66.6%
落花生	マメ科ラッカセイ属	562	91.7	25.4	27.7%	47.5	51.8%	18.8	20.5%
ひよこ豆	マメ科ヒヨコマメ属	374	86.7	20.0	23.1%	5.2	6.0%	61.5	70.9%
牛乳		69	12.3	3.4	27.6%	3.9	31.7%	5.0	40.7%

（日本食品標準成分表2015年版（七訂），商品のパッケージより）

表 1 より，湯葉ができる豆には，ある共通点が見つかった。

A：炭水化物の全体に占める割合が約 40 %以下

B：脂質の全体に占める割合が約 20 %以上

【実験３：マメ科でない種子でも湯葉は作れるのか】

マメ科ではない種子８種類を買って栄養成分を調べると，どれもＡとＢの条件に当てはまることが分かった。そこで，ＡとＢがぎりぎり当てはまる種子（カシューナッツ）と，ＡとＢが余裕で当てはまる種子（マカダミアナッツ）で，調べることにした。

〈結果〉どちらも湯葉を作ることができた。

表２　マメ科以外の種子の栄養成分

	名前	植物の種類	カロリー（kcal）	たんぱく質，脂質，炭水化物の合計（100gあたり）	たんぱく質（100gあたり）		脂質（100gあたり）		炭水化物（100gあたり）	
	カシューナッツ	ウルシ科カシューナットノキ属	553	92.3	18.2	19.7%	43.9	47.6%	30.2	32.7%
実験していない	ピスタチオ	ウルシ科ピスタシア属	557	93	20.6	22.2%	44.4	47.7%	28.0	30.1%
実験していない	ヘーゼルナッツ	カバノキ科ハシバミ属	628	92.5	15.0	16.2%	60.8	65.7%	16.7	18.1%
実験していない	ひまわりの種	キク科ヒマワリ属	611	93.6	20.1	21.5%	56.3	60.1%	17.2	18.4%
実験していない	クルミ	クルミ科クルミ属	654	94.1	15.2	16.2%	65.2	69.3%	13.7	14.6%
実験していない	ピーカンナッツ	クルミ科ペカン属	691	94.97	9.2	9.7%	71.9	75.7%	13.9	14.6%
実験していない	アーモンド	バラ科サクラ属	587	92.3	19.6	21.2%	51.8	56.1%	20.9	22.6%
	マカダミアナッツ	ヤマモガシ科マカダミア属	718	97.6	7.9	8.1%	75.8	77.7%	13.9	14.2%
	牛乳		69	12.3	3.4	27.6%	3.9	31.7%	5.0	40.7%

（日本食品標準成分表2015年版（七訂），商品のパッケージより）

【実験４：湯葉ができるものから条件Ｂをなくしたら湯葉は作れるのか】

油は水より軽いので，時間をかけて置いておけば，油が豆乳の上の方に集まってくる可能性が高い。豆乳を３日間冷蔵庫に入れ，静かに置いておく。豆乳の上の部分を，スポイトを使って取る。残った液で湯葉ができるか調べる。

〈結果〉枝豆と落花生の豆乳から湯葉はできなかった。大豆の豆乳はほとんど豆腐になっていて実験できなかった。

【実験５：条件Ａを満たすが条件Ｂを満たさない場合，Ｂを満たせば湯葉は作れるのか】

脂質の少ないものでも油を付け足すことで，条件ＡとＢを満たすことができると考えた。実験は全て自然の食べ物を使っているので，自然の油を探し，バージンオリーブオイルを使うことにした。実験４の上に集まった液だけで湯葉を作れるか試し，上の液を元の液に戻しオリーブオイルを加えながら湯葉ができるまで温めた。

〈結果〉上の液だけでは湯葉はできなかった。オリーブオイルを加える方法では，スナップエンドウ以外は湯葉を作ることができた。

結論

今までの実験結果から，私の考えた条件ＡとＢは大体合っていると考えられる。なぜスナップエンドウで作ることができなかったか，牛乳や種子以外でも，食べられる膜ができるのか調べてみたい。

作品について

豆乳を熱することでできる薄い膜の不思議と，その美味しさ。旅先で食べた湯葉の感動や，それにより動いた心が，知的な探究に変わっていった様子がよく伝わる作品です。

この探究の面白さは，湯葉ができるときの「きまり」にたどりついていくところです。様々な素材から湯葉作りを試み，その結果を栄養成分表で比較して，湯葉ができるときの炭水化物や脂質の割合の傾向に気が付きます。さらには，自分の立てた仮説は正しいものであったのか，確かめていくところに，真理に向かっていく姿が見て取れました。

本文には載せきれませんでしたが，実験に用いたものについて，下の表のようにまとめていました。いかにたくさんの食品を用いて湯葉作りをしたか，栄養成分を調べたか，実験したか，分かりやすくまとめられています。

脂質が少ないものでもオリーブオイルを付け足すことで湯葉ができることには驚きました。新たな料理の可能性も感じられ，わくわくします。

料理は科学の要素を多く含むと言われています。例えば，鮮度抜群の魚の刺身は美味しくいただけますが，一方で食肉などは熟成期間を置くことで香りが豊かになります。この熟成という加工技術も，食肉に関わる人々の試行錯誤と合わせて，科学的な観点から研究され，説明することができます。科学には食生活を豊かにする側面もあるのです。

美味しいで終わらずに自分で作ってみる，この一歩を踏み込むことが，科学の芽生えとなるのでしょう。

表３　調べた種子の実験結果

名前	植物の種類	カロリー（kcal）	たんぱく質，脂質，炭水化物の合計（100gあたり）	たんぱく質（100gあたり）		脂質（100gあたり）		炭水化物（100gあたり）		実験結果（○：湯葉が出来た，×：湯葉が出来ない，－：実験せず）			
										実験1，2，3，4	実験5	実験6①	実験6②
										そのままの液	そのままの液から上澄み液を抜く	上澄み液	そのままの液＋オリーブ油
グリーンピース	マメ科エンドウ属	93	22.6	6.9	30.5%	0.4	1.8%	15.3	67.7%	×	－	×	○
スナップエンドウ	マメ科エンドウ属	43	10.55	2.8	26.5%	0.2	1.9%	7.6	71.6%	×	－	×	×
小豆（あずき）	マメ科ササゲ属	343	81.7	20.8	25.5%	2.2	2.7%	58.7	71.8%	×	－	×	○
大豆	マメ科ダイズ属	422	83	33.8	40.7%	19.7	23.7%	29.5	35.5%	○	－	－	－
枝豆	マメ科ダイズ属	135	26.7	11.7	43.8%	6.2	23.2%	8.8	33.0%	○	○	－	－
そら豆	マメ科ソラマメ属	348	83.9	26.0	31.0%	2.0	2.4%	55.9	66.6%	×	－	×	○
落花生	マメ科ラッカセイ属	562	91.7	25.4	27.7%	47.5	51.8%	18.8	20.5%	○	○	－	－
ひよこ豆	マメ科ヒヨコマメ属	374	86.7	20.0	23.1%	5.2	6.0%	61.5	70.9%	×	－	×	○
カシューナッツ	ウルシ科カシューナットノキ属	553	92.3	18.2	19.7%	43.9	47.6%	30.2	32.7%	○	－	－	－
ピスタチオ	ウルシ科ピスタシア属	557	93	20.6	22.2%	44.4	47.7%	28.0	30.1%	－	－	－	－
ヘーゼルナッツ	カバノキ科ハシバミ属	628	92.5	15.0	16.2%	60.8	65.7%	16.7	18.1%	－	－	－	－
ひまわりの種	キク科ヒマワリ属	611	93.6	20.1	21.5%	56.3	60.1%	17.2	18.4%	－	－	－	－
クルミ	クルミ科クルミ属	654	94.1	15.2	16.2%	65.2	69.3%	13.7	14.6%	－	－	－	－
ピーカンナッツ	クルミ科ペカン属	691	94.97	9.2	9.7%	71.9	75.7%	13.9	14.6%	－	－	－	－
アーモンド	バラ科サクラ属	587	92.3	19.6	21.2%	51.8	56.1%	20.9	22.6%	－	－	－	－
マカダミアナッツ	ヤマモガシ科マカダミア属	718	97.6	7.9	8.1%	75.8	77.7%	13.9	14.2%	○	－	－	－
（参考）													
牛乳		69	12.3	3.4	27.6%	3.9	31.7%	5.0	40.7%				

（日本食品標準成分表2015年版（七訂），商品のパッケージより）

第15回 小学生の部

水辺のくらしに適応した謎のカメムシの研究

渡邉智也（わたなべ ともや）［恩納村立恩納小学校 5年生］

図鑑では草原に住んでいるとされるヒメトビサシガメと思われるカメムシを池で見つけました。そのくらしを調べたら、実は水辺のくらしにずいぶん適応していることがわかりました。この研究で、本にのっていないことを調べることの大変さと、その楽しさがわかりました。
自然にはまだまだわかっていないことがたくさんあるので、いろんな研究をしたいです。

I 研究の概要

研究の動機・目的

これまで，水生昆虫(こんちゅう)を調べてきて，いろいろな種類の水生昆虫を調べ，ときには発表もしてきた。その中で，沖縄の北の森（ヤンバル）には，自然の池がたくさんあり，そのうちの一つにいたカメムシが水生昆虫の図鑑(ずかん)に載(の)っていないことから興味をもち，調べることにした。

実験方法

謎(なぞ)のカメムシが，自分が持っている水生昆虫図鑑に載っていなかったことから，別の図鑑に載っていないかを確かめた。

謎のカメムシが水生昆虫かを調べるために，飼育して，その生態について調べた。

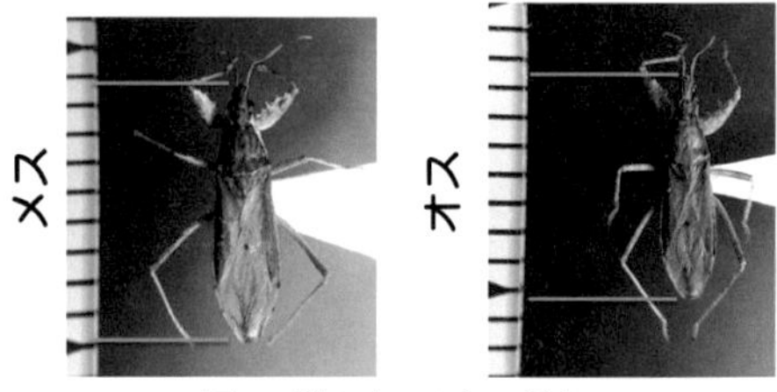

図１　謎のカメムシの標本

実験と結果

【実験１：謎のカメムシの名前を調べる】

まずは，謎のカメムシの名前を詳(くわ)しく調べられるようにするために，そのカメムシの標本を作製した（図1）。謎のカメムシが交尾(こうび)をしていたことから，オスとメスを判断した。

図鑑で調べてみると，「コゲヒメトビサシガメ」か「ヒメトビサシガメ」ではないかと判断した。その判断した根拠(こんきょ)については，表1の通りである。これらの結果から，ヒメトビサシガメではないかと考えた。

表１　謎のカメムシの特徴(とくちょう)

	コゲヒメトビサシガメ	ヒメトビサシガメ
とくちょう① 体の色	うす茶色 オス	頭とむねに濃い色のもよう メス
とくちょう② 頭の先の下に３対のトゲ	うら	うら
とくちょう③ むねの両側に大きいトゲ	?	
とくちょう④ 口の根元の節の内側にトゲ		
とくちょう⑤ 前足のトゲが１列か２列か		
とくちょう⑥ ロウ物質でおおわれる	ロウ物質あり	ロウ物質なし？
とくちょう⑦ すんでいる場所	草の多い湿地 でも沖縄で見つかっていない？	草の多い地面 沖縄にいる。

メス

オス

【実験２：水生昆虫かを調べるために飼ってみた】

謎のカメムシは水生昆虫といっしょにつかまえたが，つかまえた場所が水中から草がたくさん出ているところだったので，謎のカメムシがいたのが，水の上か水の中かが分からなかった。そこで，水そうを作って，謎のカメムシがどのような場所が好きなのかを観察することにした。すると，次のような結果が見られた。

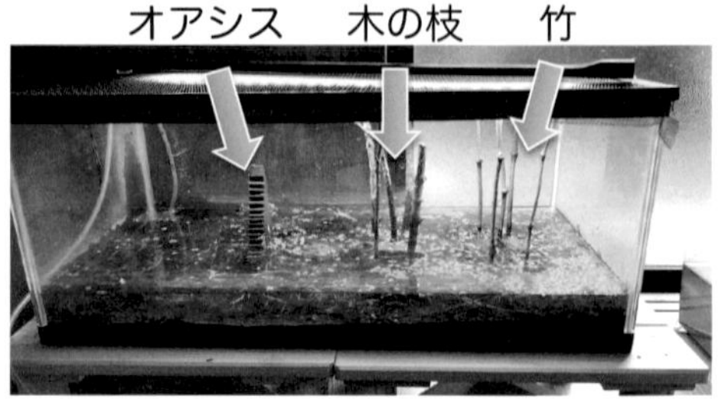

図２　実験２の様子

- 昼間は，ほとんど水に入らずに，水面から出た木の枝にじっとしていることが多かった。オアシスや竹に比べて，木の枝にいることが一番多かった。
- 夜に水そうを暗くして観察すると，謎のカメムシが水に浮(う)いているのを見つけた。
- 謎のカメムシを水に浮かべると，むねから上を水面に出すことが分かった。ロウ物質（白い粉のようなもの）がたくさんついているので沈(しず)まないと考えられる（図3）。

図３　水に浮く謎のカメムシの様子

- 謎のカメムシがどのように泳ぐのかを調べてみたところ，平泳ぎのように，水をうまくけって進んでいた（図4）。他のカメムシと比べると泳ぎがうまいことが分かった。

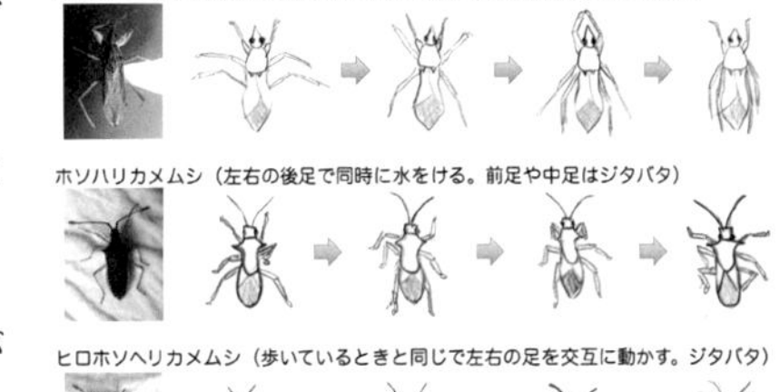

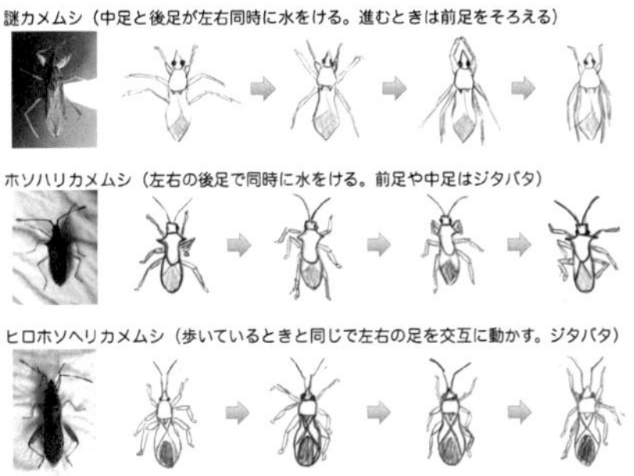

図４　謎のカメムシと他のカメムシの泳ぎ方の比較

- 謎のカメムシは，水の中の生物や，草の上にいた昆虫は食べなかった。しかし，ある日，水面に落ちたイトトンボをすすっている姿が見られた。
- 謎のカメムシは，暗くすると水面に浮かんでいる昆虫を探し始めた。そして，見つけると，水の上に運んでから，体液を吸っていた。
- 謎のカメムシは，水面から数 cm 離(はな)れたしめったくぼみに卵を産んでいるのを見つけた。タイコウチの卵に似ているが，呼吸管が束になっていた。卵を産む場所は，水面から３～５cm のしめった所だった。

謎カメムシの卵
水面から数センチ上の湿ったくぼみに産む。
形はタイコウチの卵に似ていて呼吸管はたばになっている。

図５　謎のカメムシの卵の様子

考察

① 沖縄のヤンバルの池のカメムシは，ヒメトビサシガメかもしれないということが分かった。

② ただ，これは新種のカメムシではないかとも考えられる。

③ 昼間に泳がず，夜に泳いでいるのは，天敵が多いためということと，夜は虫がたくさん飛んでおり，池に落ちる虫（エサ）も多いためではないかと考えられる。

さらに研究したいこと

今年は，新型コロナウイルス感染症が流行したので，あまり池に行けなかった。自由に外出できるようになったら，ヤンバルの池に行って，謎のカメムシについて，もっと調べたいと思った。

作品について

この研究では，森の池で見つけたカメムシについて，その生態を明らかにしながら，どんなカメムシなのかについて，調べようとしています。このように，カメムシに注目し，図鑑に載っていない生物が一体何なのかを明らかにしようとしているところに，研究の独自性を感じます。

さらに，研究では，謎のカメムシを飼育して，その生態を明らかにしようとしています。これだけなら，いろいろな研究で見られる方法ですが，その生態を明らかにしようとする着眼点が非常に優れており，探究力の高さがうかがえます。例えば，謎のカメムシの泳ぎ方を調べるときに，謎のカメムシの足の動かし方をつぶさに観察しており，それをとても分かりやすい図にして表現しています。さらに，その泳ぎ方を他のカメムシと比較させることで，より泳ぎが上手であることを明らかにしています。また，エサを食べるときに，陸に上げて体液を吸っていることを発見していることや，昼間はじっとしていて動かないが，夜になるとエサを求めて動き出していることなど，食性をはじめとした様々な習性に着目して調べることができています。

そして，卵を産むところまで育てていることから，根気強く，そして継続的に大切に育ててきたことがうかがえます。自然を大切にしながら，自分の見つけた問題について一生懸命研究に取り組む姿が容易に想像できる研究です。

最後には，ヒメトビサシガメ「かもしれない」という結論を導き出しています。これだけ謎のカメムシを飼育して，データをとり，様々な生態を調べたにもかかわらず，その種類が確定しないということは，非常に興味深い結果となりました。これからの研究で新種なのか，それとも予想したようにヒメトビサシガメなのか，明らかにしてほしいですね。

この研究は，謎のカメムシという未知の生物と出会えたことにより成しえた，大変優れた研究です。きっと，これからもっともっとこの謎のカメムシについて調べていくと思いますが，新種であるかどうかを判断する際には，ぜひとも専門家の知見もいただきながら，研究を進めていってほしいと思いました。この研究が新種の発見につながるものとなり，生物学に新たな１ページが刻まれる研究となることを願っています。

第16回 小学生の部

オオカミは井戸に落ちるのか?

大友(おおとも) さやか [筑波大学附属小学校 3年生]

昔話のようにオオカミのお腹に石をたくさんつめると逆に井戸に落ちにくくなってしまう。実験を通して意外なことがはっきりと分かりました。

ダミーオオカミのぬいぐるみを探したり、井戸を作ったり、お腹を切る代わりにネットとビー玉を使ったり工夫しました。オオカミが落ちるか何度も繰り返し実験するのは大変でした。

I 研究の概要

研究の動機・目的

童話「赤ずきんちゃん」や「7匹（ひき）の小ヤギ」では，悪いオオカミは最後，お腹に石をつめられて井戸に落ちる。お腹が石でふくれて重かったから落ちたのか疑問に思ったので，落ちる条件を調べることにした。

図1　想像されるオオカミの様子

実験方法

次のようなモデル実験で調べることにした（図2）。

オオカミ…ぬいぐるみのオオカミ（本物と同じ頭胴長（とうどうちょう）：体高の比，4本足で自立する）

井戸（池）…段ボールの板に1辺9 cmの正五角形の穴を空け，そのまわりに9 cm × 3 cm ×高さ1.5 cmの木のブロックを積み重ね，井戸のふちを作る

お腹の石…直径1.5 cm，重さ5 gのビー玉（水切りネットを胴体にくくりつけ，できるだけビー玉同士が重ならないようにする）

オオカミの2本の前足をふちからぎりぎりのところではなし，穴に全身が落ちるか見る。同じふちの高さ，おもりの重さで10回中何回落ちるか数える。落ちたときを2点，後ろ足が引っかかって宙づりのときを1点，落ちなかったときを0点として，10回分を合計し，「落ちるひっかかるスコア」とした。

図2　モデル実験の様子

実験と結果

【実験1：ふちの高さによって，落ちやすさは変わるのか】

お腹のおもりを同じ（25 g）にして，ふちの高さだけを変えた。

図3の結果から，次のことが分かった。

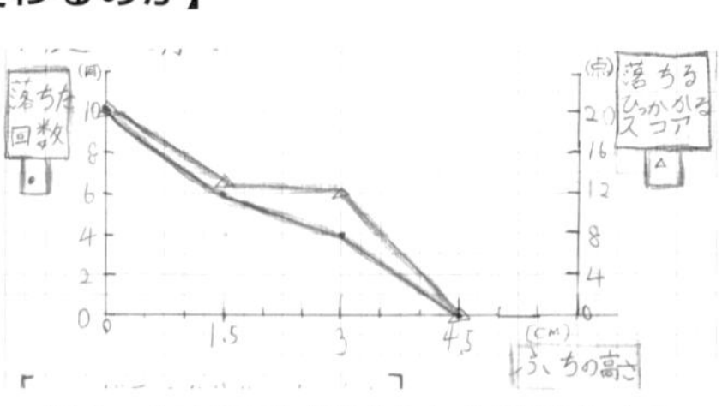

図3　ふちの高さを変えたときの落ちやすさ

・ふちの高さが高いほど落ちにくく，低いほど落ちやすい。

・高さ4.5 cmのふちでは一度も落ちなかった。4.5 cmは，オオカミの後ろ足の長さ（5 cm）や体高の半分（4.25 cm）を越（こ）える高さである。

・高さ0 cmでは，前足が地面からはなれると必ず落ちた。

【実験2：お腹の石の重さによって，落ちやすさは変わるのか】

ふちの高さを同じ（3 cm，1.5 cm）にして，おもりだけを変えた。

図4の結果から，次のことが分かった。

・おもりの重さが重くなるほど，落ちにくい（お腹が井戸のふちにつかえてしまう）。重いほど落ちやすいと思っていたけれど，違(ちが)っていた。

・ふちの高さが高いほどお腹のおもりがつっかえやすくなり，落ちにくい。

2つの実験結果から，次のことを考えた。

図4　石の重さを変えたときの落ちやすさ

・落ちやすさには「重心」が関係あり，お腹におもりを付けたら重心の位置は後ろに移動するのではないか。

・ふちに高さがあるときは，頭におもりを付けた方が落ちやすいのではないだろうか。

【実験3：頭におもりを付けた方が落ちやすいのか】

図5の結果から，予想通り，頭におもりを付けた方が落ちやすいことが分かった。

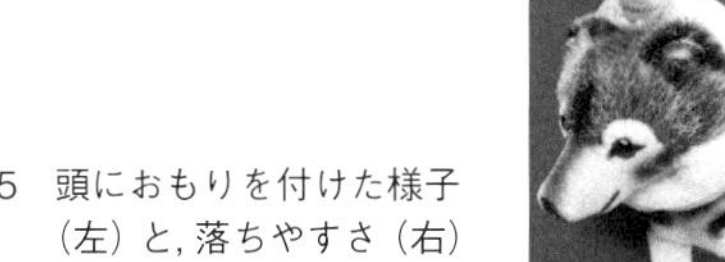

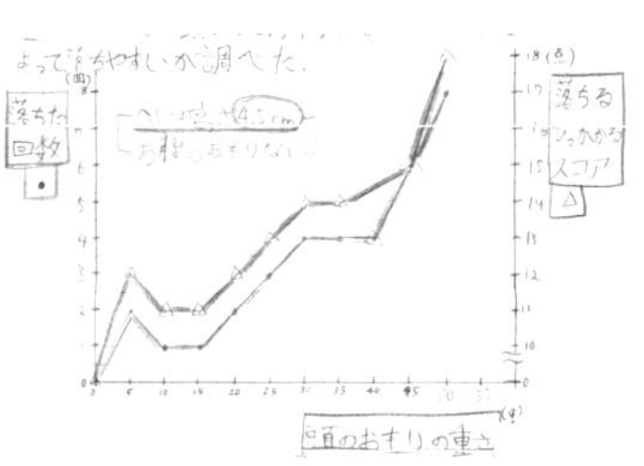

図5　頭におもりを付けた様子（左）と，落ちやすさ（右）

【実験4：お腹におもりを付けたら，重心の位置は変わるのか】

幅(はば)5 mmのゴムひもをぬいぐるみの胴にかけて宙に浮(う)かせ，傾(かたむ)かない位置（重心）を探す。前足の付け根から傾かないときのゴムひもの位置の距離(きょり)を測る（「重心の距離」とする）。お腹のおもりの重さを変えて，距離を測っていった。

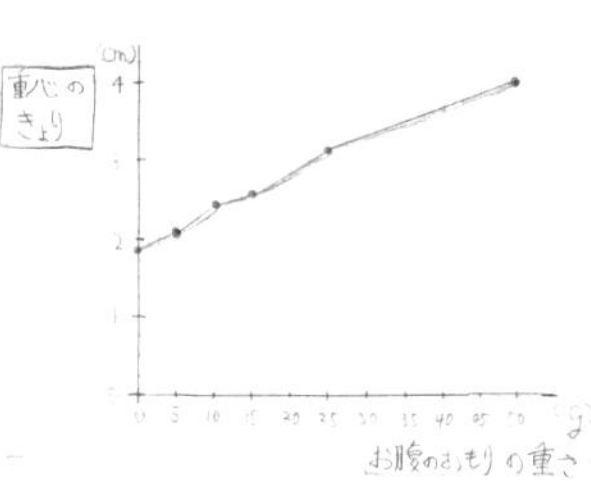

図6　お腹におもりをつけたときの重心までの距離

図6の結果から，おもりが重くなるほど重心の位置が後ろにずれることが分かった。

考察

① 童話のように，オオカミのお腹に石をたくさん付けると，井戸に落ちやすくなるのではなかった。お腹に石をたくさんつめると，お腹が厚くなり，井戸のふちにひっかかるため，井戸の落ちにくくなる。

② お腹が重くなると，重心が後ろに移動して頭から井戸には落ちにくくなる。もしも確実にオオカミを井戸に落としたいのならば，次のようにするとよい。

・井戸のふちを低くする　・お腹に石は入れない　・頭におもりを付ける

小学生の部

作品について

童話での疑問をきっかけに，実際に調べてみようと考えたところの着眼点が面白いです。本物のオオカミでは調べられないので，本物のオオカミの体のつくりに近いぬいぐるみをダミーオオカミとし，それに合わせて井戸の高さや幅などを調整しながらモデル実験を作り上げていました。よく考え，本物のオオカミが井戸のそばにいる様子をイメージしながら道具を準備していったことが素晴らしいです。

実験を 10 回繰（く）り返しているところ，落ちた様子について点数化しているところ，点数を基に結果をグラフに表しているところなど，再現性や客観性を求める探究の姿が見てとれます。

童話のお話とは異なり，お腹の石は重いほど井戸には落ちにくくなるのですね。これだけで大発見のように思いましたが，さらに「重心」について調べ，頭におもりを付けたら落ちやすくなるのではないか，と予想を基に調べているところに奥深さを感じました。

はじめの予想を確かめるだけで終わらずに，調べた結果から新たな疑問を見つけ，さらに考えて実際に調べていく。このようにすることで，オオカミが井戸に落ちるときには「重心」が関わることを見出していきました。

本文には載（の）せきれませんでしたが，大友さんはさらにもう一つの予想を立てて実験をしています。それは，「お腹の石がふちにつっかえて落ちるのを防いでいたのだから，重いものではなく軽いものでも，同じ結果になるのではないか」ということです。それまでビー玉を使っていましたが，毛糸を巻き付けるという方法をとっています。結果は予想した通りとなりました。

まとめとして，オオカミを井戸に落とす条件を 3 つ挙げています。これを知っていたら，科学的根拠（こんきょ）に基づいた「赤ずきんちゃん」の新しいお話ができるかもしれません。ただし，井戸に落ちたくないオオカミは，分厚い毛糸の腹巻きをしているのでしょうね。

第16回 小学生の部

「しずく」から見えた！ はっ水の力

土倉(つちくら) 歩美(あゆみ)［筑波大学附属小学校 4年生］

私は、植物のはっ水性に興味をもち調べることにしました。スポイトでしずくをたらし、どのような形になるかを観察したり、水を全体につけた時とつけていない時では、重さがどのくらい変わるかを調べたり、虫メガネや顕微鏡を使って表面をよく観察したりしました。53種類について研究をした結果、特にはっ水性が高かったものは!?

研究の概要

研究の動機・目的

父から買ってもらった防水の時計から，防水とはっ水の違い（ちがい）について調べ，はっ水に興味をもち，身近なものではっ水する物を探してみると，様々な物があることが分かった。その中で，アジサイの葉に雨のつぶがたくさんのっていることを思い出し，植物にもはっ水の性質があるのではないかと考え，調べてみようと思った。

実験方法

いろいろな物について，次のように調べた。

①調べたい物にしずくをたらして，どんな形になるか観察する。

②調べたい物がかわいた状態で重さを量り，水につけてもう一度重さを量る。

③表面の様子を虫めがねで観察する。

④表面の様子をもっとよく調べるため，顕微鏡（けんびきょう）でも観察をする。

以上の方法で,「葉っぱ」を 24 種類,「花びら」を 6 種類,「果物」を 7 種類,「野菜」を 11 種類,「その他」を 5 種類の合計 53 種類について調べた。

実験と結果

【実験１：葉っぱグループのはっ水について】

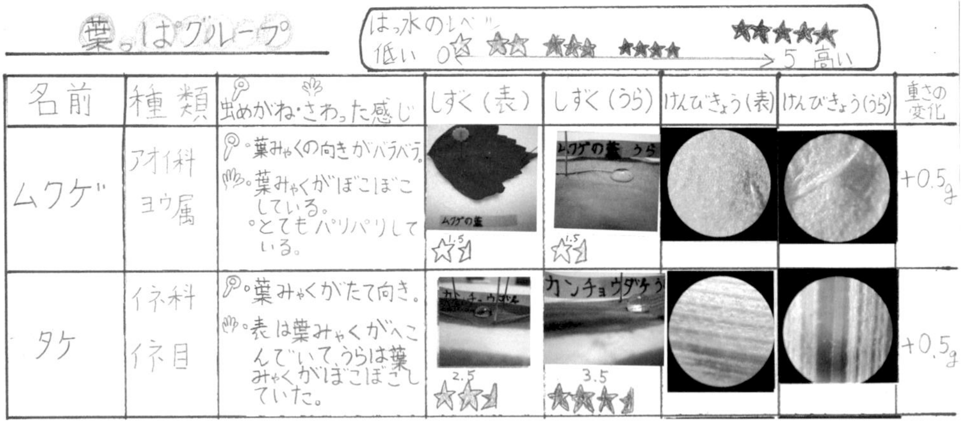

葉っぱグループ

はっ水のレベル　低い 0☆ ☆☆ ☆☆☆ ☆☆☆☆ ☆☆☆☆☆ 5 高い

名前	種類	虫めがね・さわった感じ	しずく（表）	しずく（うら）	けんびきょう（表）	けんびきょう（うら）	重さの変化
ムクゲ	アオイ科 ヨウ属	虫めがね：・葉みゃくの向きがバラバラ。 さわった感じ：・葉みゃくがぼこぼこしている。 ・とてもパリパリしている。	1.5	1.5			+0.5g
タケ	イネ科 イネ目	虫めがね：・葉みゃくがたて向き。 さわった感じ：・表は葉みゃくがへこんでいて，うらは葉みゃくがぼこぼこしていた。	2.5	3.5			+0.5g

図１　葉っぱグループの実験結果の一部

【実験２：花びらグループのはっ水について】

名前	種類	虫めがね・さわった感じ	しずく	けんびきょう	重さの変化
ムクゲ	アオイ科 ヨウ属	虫めがね：・葉みゃくがたて向き。 さわった感じ：・うすい。 ・葉みゃくがぼこぼこしている。	1.5 表　うら 1	写真のデータがなくなってしまった	+0.2g

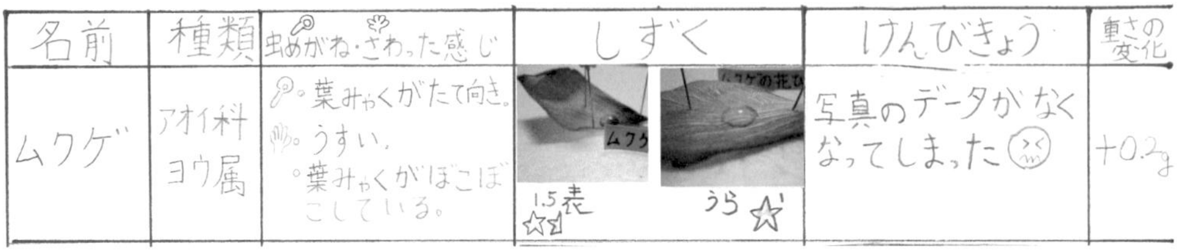

図２　花びらグループの実験結果の一部

【実験３：果物グループのはっ水について】

モモ	バラ科 モモ属	・つぶつぶした木王もようがある。 つるつる。 ・うらは少しぬるぬるしている。	2.5		+0.2g

図３　果物グループの実験結果の一部

【実験４：野菜グループのはっ水について】

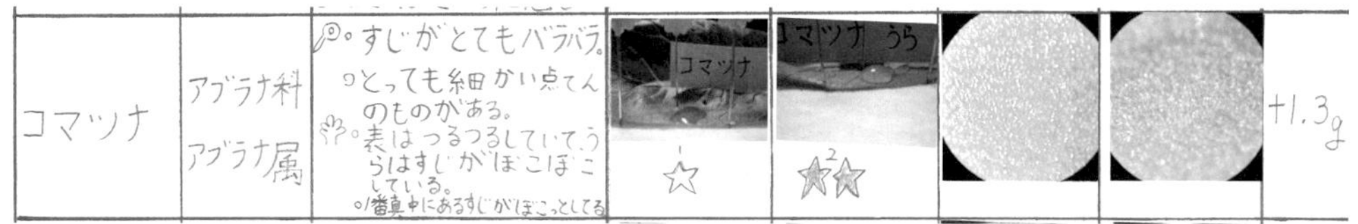

図４　野菜グループの実験結果の一部

【実験５：その他グループのはっ水について】

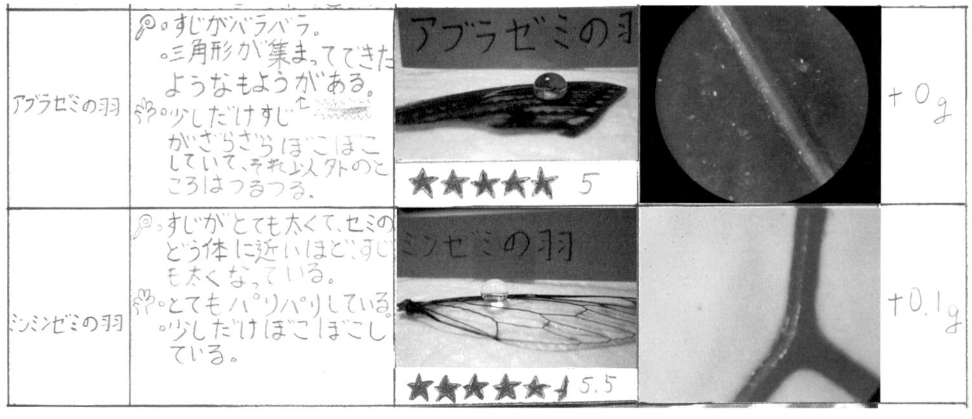

図５　その他グループの実験結果の一部

考察とまとめ

今回の研究で，しずくで見るはっ水性の高さベスト５を決めるとすると，第１位「ミンミンゼミの羽」，第２位「アブラゼミの羽・鳥の羽」，第３位「ケイトウの花びら」，第４位「マツバボタンの葉」，第５位「タケの葉の裏側・ツツジの葉の表側・カタバミの葉・トウモロコシの皮の裏側」となった。

この実験をしてみて，セミの羽と鳥の羽に落としたしずくが今までやった物とは全然違うきれいな丸い形をしていて，すごく驚（おどろ）いた。顕微鏡で見たときも，すごく透（す）き通っていたり，きらきらしたりしていて，「こんなきれいな物は見たことがない！」と思った。きっと，意外と近くにまだまだはっ水性の高い物があると思う。これからも感動する驚きを探したい。

作品について

植物や動物のはっ水性に注目した研究です。はっ水性に注目した研究なら他にもありますが，この研究では，植物や動物など，全部で53種類の物について調べています。ここではページ数の都合ですべてを紹介することはできませんでしたが，「科学の芽」賞のホームページで実際のデータをぜひ見てみてください。このように，実に多くの物について調べているというところに，はっ水性にこだわった研究の独自性，そして探究力の高さがうかがえます。

実験結果を見てみると，一つひとつの物について，実に細かくデータをとっていることが分かります。その際に，虫めがねで見たことと，手で触ったことを分けて書いていることは，結果を見やすくするための工夫ですね。また，これらの文章で書かれたものとは別に，しずくを落としたときの写真や顕微鏡で見たときの写真が，表の中に見やすくまとめられています。こういったことには，パソコン等で記録をしがちかもしれませんが，この研究では，手書きで丁寧に見やすく整理して記録されています。このように観察・実験のデータを後で確認したり，他の人が見やすくしたりするために整理するという点でも優れており，表現力の高さも突出した研究であるといえるでしょう。

そして，これだけたくさんのデータをとったからこそ，他の物と比べることができたために，アブラゼミの羽などに見られた球体の美しい水滴に感動することができたのだと思います。単にはっ水性について調べてみたというだけでなく，そうした感動を得られたということが研究のまとめの中で素直な表現で書かれていて，自然を楽しむことができている研究となっていることがよく伝わってきます。

この研究は，単なる小学生の研究にとどまらず，昨今話題となっている，自然の模型や構造，要素をまねて，新しい技術開発をしていこうとする「バイオミメティクス（生物模倣技術）」にもつながる研究となっているように感じます。こうした高いはっ水性をもつ生物の秘密を解き明かすことで，はっ水に関わる新しい技術が生まれるのではないかとワクワクしてくる研究でもありますね。

第16回 小学生の部

どうして、パプリカは実の中では発芽しないの？

本藏（ほんくら） 暖香（はるか）［気仙沼市立松岩小学校 5年生］

「水、空気、適当な温度」がそろうと、種が発芽することを習いました。しかし、パプリカの中には水分も空気も適当な温度もあるのに発芽しないのはなぜだろう？ 実験してみると、パプリカの汁には発芽を邪魔する働きがあるようです。

毎日、芽が出ているか観察するのが楽しかったです。実験の結果をもとに次の実験を計画して、予想通りの結果が出るとワクワクしました。

研究の概要

研究の動機・目的

学校の理科の授業で,「水, 空気, 適当な温度」がそろうと, 種子が発芽することを学んだ。しかし, 私はパプリカが好きでよく食べているが, これまでに一度もパプリカの実の中で発芽しているのを見つけたことがない。パプリカの中には水分も空気も適当な温度もあるのに発芽しないのはなぜだろうと考えた。

実験方法

そもそも食べ物として売られているパプリカの種子は発芽しないのではないか, もしくは, パプリカの実に何か発芽を邪魔する秘密があるのではないかという予想のもと, 以下の実験を行った。

【実験 1】

パプリカや他の食べ物として売られている実の種子も発芽するのかを検証する。

【実験 2】

パプリカの実に何か発芽の邪魔をする秘密があるのではと考え, 実を切ってみたり, 芯を取ったりと, 条件を変えて育ててみる。

【実験 3】

【実験 2】より分かったことから, パプリカの汁がパプリカの発芽の邪魔をするものではないかと考え, 検証した。

実験と結果

【実験 1：パプリカや他の食べ物として売られている実の種子も発芽するかを検証】

パプリカやそれ以外の売られている実の種子（インゲンマメ, リンゴ, トマト, スイカ）も, 水, 空気, 適当な温度の条件がそろえば, 発芽するのかを調べたところ, 右のような結果になった。

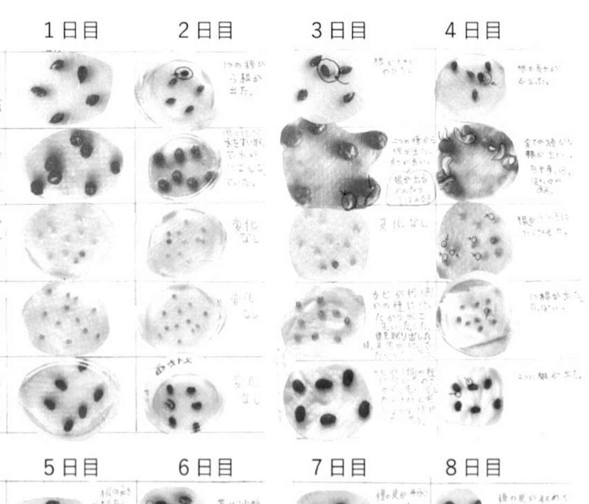

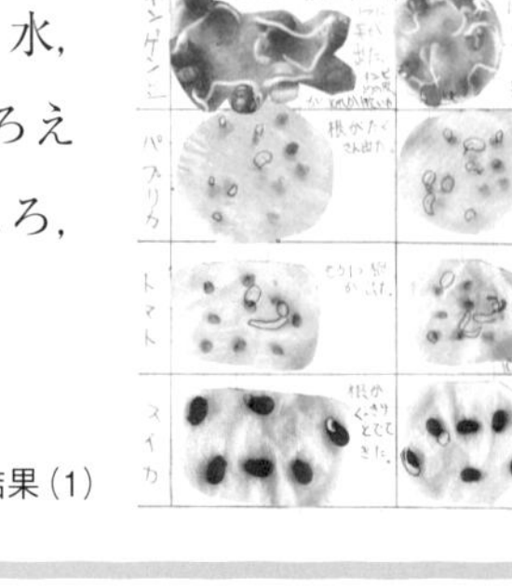

図 1　実験 1 の結果 (1)

この結果から，種として売っている植物（インゲンマメ）はもちろん，食べ物として売っている実の種子（リンゴ，パプリカ，トマト，スイカ）も根や芽が出ることが分かった。実際，パプリカの種子はほんの３日で根が出た。

しかし，これまで食べたパプリカは，中で発芽していなかった。パプリカの中は条件もそろっているはずなのに，なぜ発芽しないのかと考え，次の実験を行った。

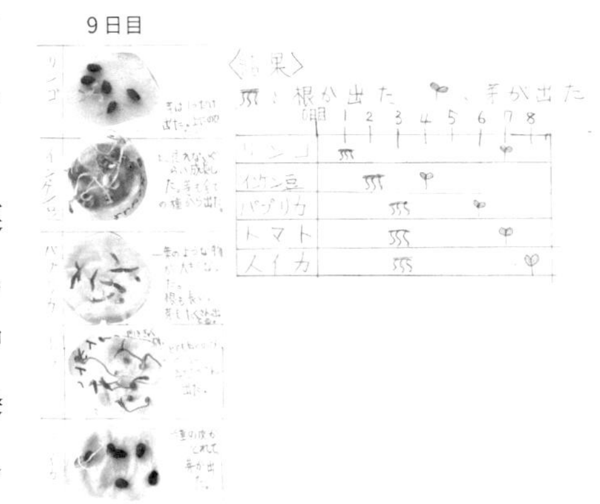

図２　実験１の結果（2）

【実験２：パプリカの実に，発芽を邪魔する秘密があるのかを調べる実験】

パプリカを，「①丸ごと１個，②半分に切った物，③半分に切って芯を外したもの，④芯だけ取り出したもの，⑤種子を取り出し，水洗いしないもの，⑥種子を取り出し，水洗いしたもの」の６つの条件で育てた。

その結果，①は全く発芽しなかったが，②～⑥は発芽した。また，②，③，④の種子が芯についた状態と⑤，⑥の種子だけにした状態とでは，明らかに違っていた。水洗いをした⑥としなかった⑤とでは，⑥の種子が多くの発芽が見られた。以上のことから，パプリカの実や芯にある何かが，種子につくと発芽しないのではと考えた。

【実験３：パプリカの汁を種子にかけて育ててみる実験】

パプリカの汁がパプリカの種子の発芽を邪魔するのではと考え，パプリカの汁をかけた種子とかけない種子を準備し，育てた。

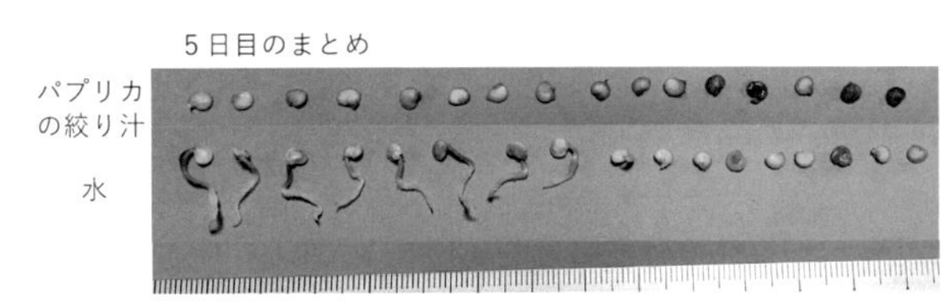

図３　実験３の５日目の様子

実験の結果，パプリカの汁をかけた方はほとんど発芽していなかった。

考察とまとめとこれから調べてみたいこと

これらの実験から，食べ物として売っている実の種子も，条件がそろえば，発芽することが分かった。また，パプリカの芯や成分が発芽を邪魔するようだった。特に，パプリカの汁には，発芽を邪魔する働きがあるようだった。

丸ごと育てたパプリカからは全く発芽しなかったが，この理由がはっきりしなかった。これは空気が足りないからかもしれないし，実が腐ることで発芽するのかもしれない。また調べてみたいと思った。

作品について

5年生で学習する発芽の条件を，自分の生活にうまく適用させて問題を見つけ，探究を重ねた研究です。発芽に必要な条件は多くの植物に共通して見られることですが，パプリカに注目してみると，発芽に必要な条件を満たしているのに，発芽していないということ気付きました。こういうことに気付くことができたのは，きっと，たくさんの植物を比較するだけでなく，その際に，多くの植物に同じように見られること（共通性）と，ある植物固有に見られること（多様性）という見方を働かせたからこそだと思います。このような自然へのアプローチの方法は，自分で研究テーマや探究していく問題を見つけるために，とても有効なものといえるでしょう。そして，このようなパプリカにこだわった発芽の条件の研究は，なかなか他にはない，独特の研究であることから，独自性の高い研究といえます。

この研究では，3つの実験が行われていますが，それぞれの実験につながりがあり，最後にパプリカの発芽の謎が鮮やかに解決されていました。一連の流れをとてもスムーズに読めたことから，表現力・活用力の高い研究といえるでしょう。では，どうやったら，このような表現力・活用力の高い研究になるのでしょうか。それは，「見通し」を持てているためだと考えられます。この研究では，実験2の段階で，すでにパプリカの成分に注目できており，実験2をする前の段階の条件を設定するときに，得られた結果から，パプリカの汁に帰着できるような条件設定がなされていると感じました。そして，その「見通し」の通りに実験の結果が出て，パプリカの汁の実験へとつながっていきました。このように，自分の「見通し」に基づいて実験を行うことで，自分の考えも整理しながら実験できるうえに，この研究のように，研究自体もスムーズに流れていくことでしょう。

概要では紹介できませんでしたが，作品の最後には，パプリカの汁の社会への有用性について触れられています。雑草を生えさせない薬への応用というのはとても面白いですね。さらに，新しく調べていきたいことについても明らかにしています。発芽にこだわったとても面白い視点のテーマだと思います。これからも研究を続け，植物の多様性を楽しんでほしいと思います。

第16回 小学生の部

ランドセルでおじぎ実験

～ランドセルの中身はどうしたら落ちるのか～

髙橋 実姫（たかはし みつき）［鎌ケ谷市立鎌ケ谷小学校 5年生］

アニメ等で、おじぎをする時に、ランドセルの中身が落ちるシーンがよくあるが、それは本当に起こるのか疑問に思った。そこで、中身の重さやおじぎのスピードを変えて実験をした。調べるためにおじぎをした回数、なんと250回以上！ 鼻に金具が当たったり、筋肉痛になったりしながら頑張って実験をした。

研究の概要

研究の動機・目的

アニメやマンガであいさつをするときやおじぎをするときに，ランドセルの中身が落ちるシーンがよくあるが，それは現実に起こり得るのか気になったため，この実験を行った。

実験方法および結果

【使用した物】ランドセル，角度計（自作），メトロノーム，撮影用の三脚（さつえい／さんきゃく），iPhone 7，教科書やノート（3,000 g）

使用する教科書やノートの組み合わせを以下の表のように変えて実験を行った。

約500 g	⑤+⑨	498 g
約1000 g	①+④+⑧+⑨	997 g
約1500 g	④+⑤+⑥+⑦+⑧+⑩+⑫+⑬	1501 g
約2000 g	②+③+⑤+⑥+⑦+⑩+⑪+⑫+⑬	1998 g
約2500 g	①+②+③+④+⑥+⑦+⑧+⑩+⑪+⑫+⑬	2497 g
約3000 g	①から⑬	2995 g

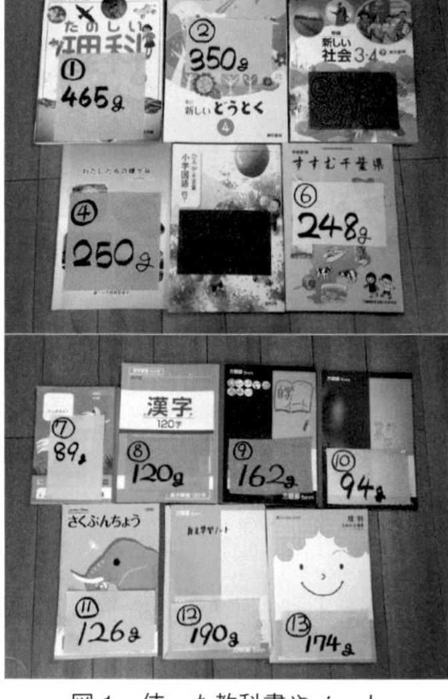

図１　使った教科書やノート

(1) 予備実験「おじぎしやすい体勢を見つける」

【方法】様々な条件でおじぎをしてその様子を連写機能で撮影した。ランドセルの中身は約 1,000 g。

条件①　ランドセルを背中に固定し，ひざをのばし，足を閉じる。

条件②　ランドセルを背中に固定し，ひざを曲げ，足を開く。

条件③　ランドセルを背中に固定しない，ひざをのばし，足を閉じる。

条件④　ランドセルを背中に固定し，ひざをのばし，足を開く。

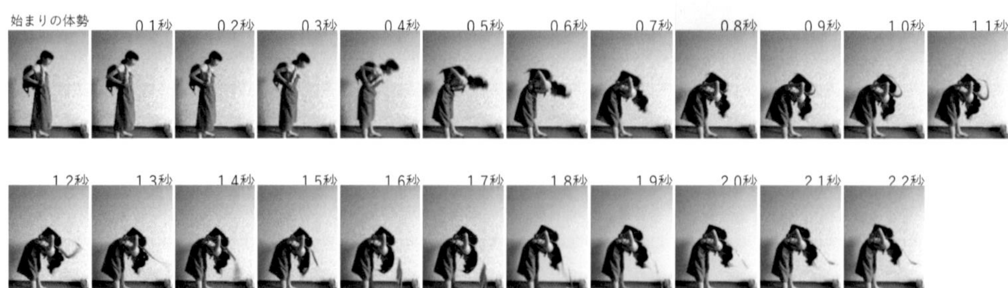

図２　iPhone の連写機能で撮影した写真

カメラの連写機能は，1 秒間に 10 枚撮影できる。写真からおじぎにかかる時間，ふたが開くまでの時間を表にまとめてみた。

予備実験の結果，条件④のおじぎを使って実験を行うことが決まった。

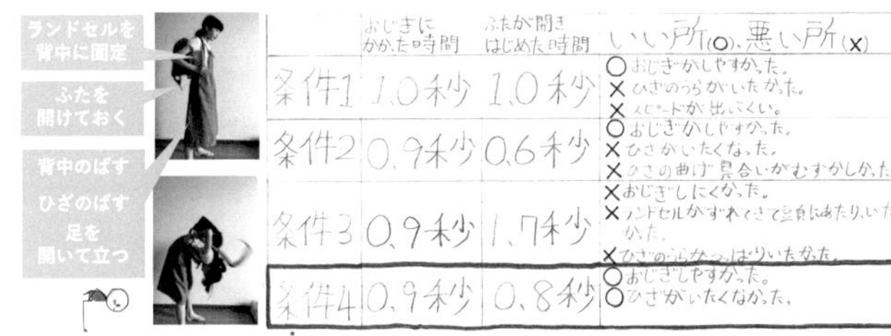

	おじぎにかかた時間	ふたが開きはじめた時間	いい所(○)，悪い所(×)
条件1	1.0秒	1.0秒	○おじぎがしやすかった。 ×ひざのうらがいたかった。 ×スピードが出にくい。
条件2	0.9秒	0.6秒	○おじぎがしやすかった。 ×ひざがいたくなった。 ×ひざの曲げ具合いがむずかしかった。
条件3	0.9秒	1.7秒	×おじぎしにくかった。 ×ランドセルがずれてきて頭にあたりいたかった。 ×ひざのうらがつっぱりいたかった。
条件4	0.9秒	0.8秒	○おじぎしやすかった。 ○ひざがいたくなかった。

図３　予備実験の結果とおじぎしやすい体勢

(2)　中身の重さとおじぎのスピードを変化させるとランドセルの中身が落ちる回数はどのように変わるのだろうか。

【方法】予備実験で見つけたおじぎの体勢で，中身の重さやおじぎのスピードを変えてランドセルの中身が落ちる回数を調べる。

【スピードの変え方】

メトロノーム 120 回／分のテンポでの① 4 拍（はく）分（2 秒でおじぎ）② 3 拍分（1.5 秒でおじぎ）③ 2 拍分（1 秒でおじぎ）④ 1 拍分（0.5 秒でおじぎ）というようにスピードを変えて実験した。

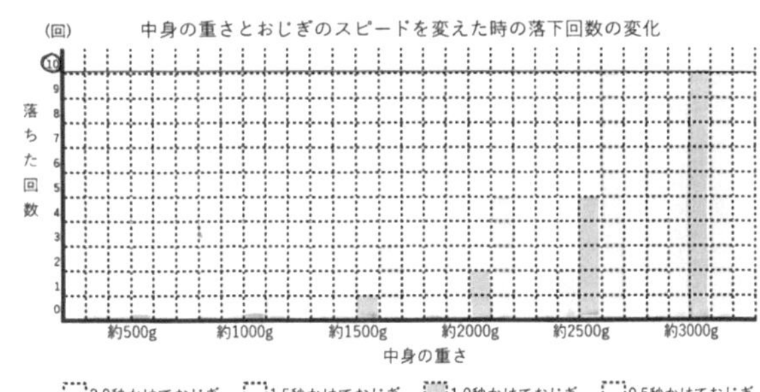

図４　実験の結果

【結果】ランドセルの中身が重くなるにつれて，またおじぎのスピードが速くなるにつれて，落下回数は増えた。

【考察】今回の実験で，どのような「力」が働いているかを以下のように考えた。

①ランドセルの中身の重さについて

おじぎの角度が 90 度以上になると，教科書の重さがすべり落ちる力となる。

すべり落ちる力＞ふたの重さ→中身が落ちる

すべり落ちる力＜ふたの重さ→中身が落ちない

（これは，おじぎのスピードがないとき）

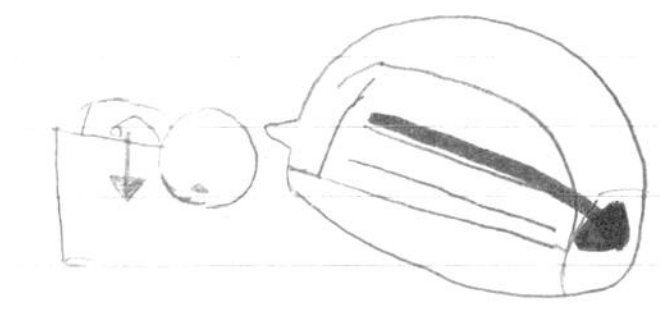

図５　すべり落ちる力のイメージ

②おじぎのスピードについて

1 秒や 1.5 秒と比べると 0.5 秒のときは中身の重さ以上にふたをおす力が大きくなっていることが分かる。

図６　おじぎのスピードが与える影響について

作品について

アニメやマンガで，誰もが一度は目にしたことがあるシーンを実際にやってみるとどうなるのか……重さを変えたり，おじぎのスピードを変えたりしながら，何度も実験を繰り返したこの作品。とってもユニークで素晴らしい作品です。

この作品の優れているところは，たくさんありますが，ここでは特に2つを取り上げます。

まずは「予備実験」をしっかりと行っていることです。実験を始める前に，どのような姿勢で実験を行うと良いかを「予備実験」を行って決めています。

おじぎのしやすさとひざへの負担の少なさから「条件4」となりました。おじぎの仕方を「予備実験」で決めようとするその姿勢も素晴らしいですが，これによって毎回のおじぎの仕方を意識できるため，実験の精度が上がるという良さもあります。背中の伸ばし方，ひざの曲げ方，足の開き方など，条件1から4まで細かく設定されて検討がなされていました（図7参照）。

条件1. ①ランドセルのふたをあけておく。
②ランドセルがせなかからすれないようにつぱるように持っておく。(ランドセルをせなかに固定)
③せなかをのばす。
④ひざをのばす。
⑤足を閉じて立つ。

条件2 ①ランドセルのふたをあけておく。
②ランドセルをせなかに固定。
③せなかをのばす。
④ひざを曲げて立つ。
⑤足をかたはば開いて立つ。

条件3 ①ランドセルのふたをあけておく。
②ランドセルをせなかに固定しない。
③せなかをのばす。
④ひざをのばす。
⑤足を閉じて立つ。

条件4 ①ランドセルのふたをあけておく。
②ランドセルをせなかに固定。
③せなかをのばす。
④ひざをのばして立つ。
⑤足を開いて立つ。

図7　予備実験の際の条件

次に，中身の重さとおじぎのスピードを細かく変えながら，実験を丁寧に行っているところです。特におじぎのスピードについては，メトロノームを使って何拍でおじぎをするのかを決め，実験を繰り返していました。より確かなデータをとろうと，条件をしっかりと整えながらコントロールしていることがよく分かりました。

実験はスマートフォンのカメラの連写機能をつかって記録をしていましたので，いつ，どのようにランドセルの中身がすべり落ちたのか等，見たいと思うその瞬間を捉えることもできました。ICT機器の優れた使い方です。

最後に，髙橋さんが作品のまとめに書いた文章を紹介します。「今回この実験をして大変だったことはランドセルの金具が当たって痛かったこと。あまり外にも出られないため，運動がてらにこの実験を始めた。どんな力が働いているのかを考えるのは大変だったが楽しかった」。このまとめにも書かれていますが，一つの結論を得るために，250回を超えるおじぎをし，すべり落ちた数だけ中身を拾うのは大変だったろうと思います。同じ実験を何度も積み重ねて結果を得ていく。そこにも楽しさを見つけていくことができた髙橋さんの作品，これからの研究にも期待したいです。

第16回 小学生の部

パスタソースの旅路

今野 柚希（こんの ゆずき） ［筑波大学附属小学校 5年生］

大満足でパスタを食べ終わった後、ソースが服に飛んでいて、とても残念な気持ちに……

これが実験のきっかけでした。

「パスタソースはどうして飛ぶんだろう?」オリジナルのゲージを作って調べてみました。パスタを食べるときに気を付けるべきことを、沢山見つけました！

お気に入りの服でパスタを食べても、これで安心!!

 研究の概要

研究の動機・目的

トマトソースのパスタが好きだが，服にソースが飛んで跡が付く。もしもソースが飛びにくいパスタの条件を知ることができたら，もしくは飛びにくい食べ方を知ることができたら，お気に入りの服でも気にせずパスタを食べられると思った。

仮説

ソースが飛びやすい原因を考えると，大きく3つが思い浮かんだ。

(1) パスタソースの性状　(2) 食べ方　(3) パスタの状態

3つが組み合わさることでソースの飛び方に違いが出るのではないだろうか。

実験と結果

(1) パスタソースの性状 → 粘度ゲージ（図1），落下ゲージ（図2）を使用

① 3種類の粘度の違う液体を直径1 cm^2 の円になるように下敷きに乗せた後，下敷きを垂直に立たせて，流れる様子を10秒間観察する。

〈結果〉2倍希釈の液体は4.25 cm，1.5倍希釈の液体は0.5 cm，原液はほとんど流れなかった。

図1　粘度ゲージ

② ①の3種類の液体に1本のパスタを十分に浸した後，ソースが落下するまでの時間を計る。

〈結果〉2倍希釈の液体は6分10秒後に落下。10分まで計ったが，残り2つの液体は落下しなかった。

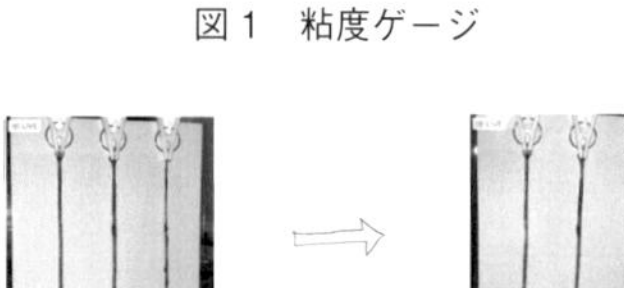

図2　落下ゲージ

(2) 食べ方 → ゆれ幅ゲージと角度ゲージを使用

① パスタをくわえた後で静止した状態で，どの程度ゆれるか5秒間，動画で調べる。

〈結果〉パスタ15 cm 7本で調べたところ，最大4.5 cm，最小1.0 cm，平均2.4 cm であった（図3）。

図3　静止したときのゆれ方

② 食べるときの頭の角度によるゆれ方の違いを観察する。

カチューシャを頭頂部を通るように着け，テーブルに対する角度で調べた。パスタは15 cm を7本（図4）。

〈結果〉

表1　食べ方②の結果

	最大	最小	平均
180度	5.0 cm	1.25 cm	2.48 cm
45度	4.5 cm	1.75 cm	2.96 cm
90度	6.0 cm	2.5 cm	4.22 cm

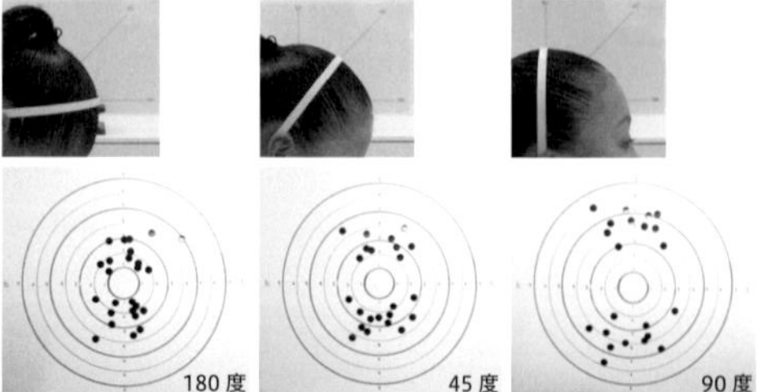

図4　頭の角度とゆれ方（角度ゲージも使用）

③ パスタの本数によるゆれ方の違いを観察する（図5）。

〈結果〉

表2 食べ方③の結果

	最大	最小	平均
3本	6.5 cm	2.0 cm	4.7 cm
7本	5.0 cm	1.75 cm	3.0 cm
10本	4.5 cm	1.5 cm	2.8 cm

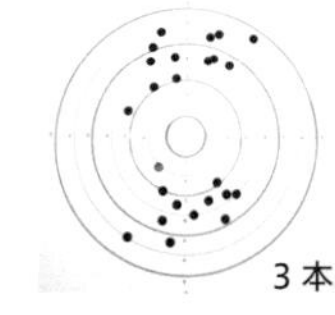

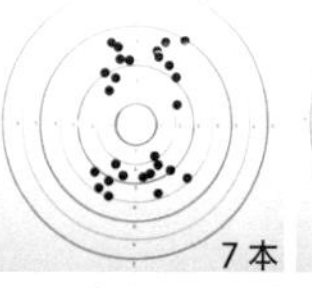

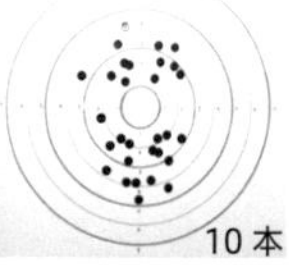

図5 本数とゆれ方

④ パスタを口でずする場合とたぐりよせる場合でゆれ方の違いを観察する（図6）。

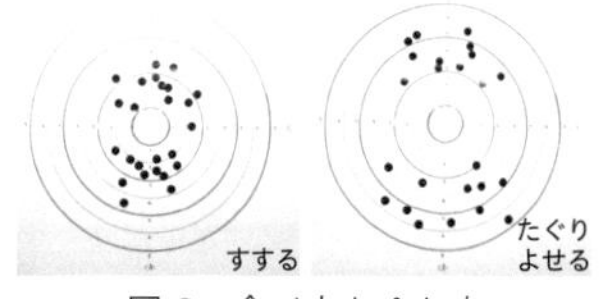

図6 食べ方とゆれ方

(3) パスタの状態 → しなりゲージを使用

パスタ1本を持ち上げ，ふりこのように自然に落下させ，縦と横それぞれのしなりを調べた。次の3つについて実験している。

①太さの違い ②長さの違い ③ゆで時間による固さの違い

図7は長さの違いでの結果。5回実験した平均をとると表3のようになる（図7）。

表3 パスタの状態の平均

	横	縦
11 cm	5.0 cm	5.0 cm
15 cm	9.0 cm	8.5 cm

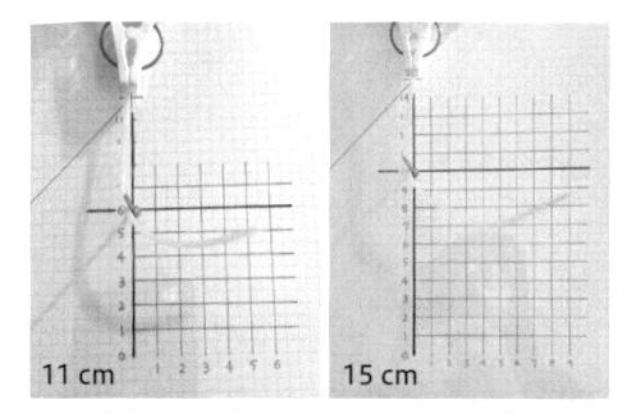

図7 長さによるしなり方

考察

・(1) の実験より，トマトソースは自然には落下しにくいことが分かり，本実験ではパスタのゆれがソースを飛ばす原因ということを前提とした。

・パスタのゆれは皿から口へ運ぶときと，口へ運んだ後の2つの動作から生まれる。

・口へ運んだ後，食べるときの，頭の角度はお皿に平行に，パスタの本数は多く，最後まで口の中に入れる動作はすするとゆれは少ない。

・カッペリーニのような細いパスタはしなりやすい。これはパスタの本数が多いときにしなりにくい仕組みと同じ。また，長さが短いとしなりにくい。

・ゆで時間は長い方がしなりやすい。

・ゆれ幅ゲージの位置関係を見ると，体に対して縦方向に集まっているように見える。そもそも口の形は横長で口に入れたときのパスタも横長になるため，横ゆれよりも縦ゆれになりやすいと考えられる。

・食べる姿勢についても，皿と顔が平行の時には口の形は円に近く，垂直になるに従い横長になっていった。すするときも口の形は丸く，唇（くちびる）でたぐりよせるときは横長であった。横長の口はパスタの束を縦ゆれへと誘導（ゆうどう）し，ソースが飛ぶ原因になると考えた。

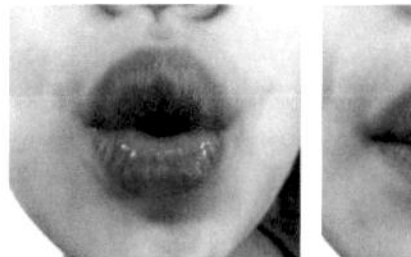

図8 唇の形の違い

作品について

パスタソースが飛びやすい３つの原因から，５種類のゲージ（粘度ゲージ，落下ゲージ，ゆれ幅ゲージ，角度ゲージ，しなりゲージ）を自分で考えて作り，調べていったところにオリジナリティーがあり，工夫を感じました。ゲージにすることで，一見，見えにくい事実を数値化して捉えることができています。これだけいくつもの方法があれば，パスタソースが飛ぶ原因が明らかになっていきそうだと，わくわくするものでした。

とくにゆれ幅ゲージでは，動画も活用してゲージに表していました。最大値，最小値，平均値を調べ，表にまとめています。結果をゲージへの記録にとどめず，いくつかの観点を基に考えようという，探究の姿勢を感じます。

また，しなりゲージを活用した，パスタの長さの違いを調べるにあたり，前もって調べていたことがありました。

・１回で口の中に運ぶパスタの本数
・１口目を入れた直後の口から出ている残りのパスタの長さ
・口から出ている残りのパスタをすべて口の中に入れた直後のパスタの長さ

根拠立てて実験を進めるにあたり，本文には載せきれないほどの多くの実験をしていたということです。

多くの実験の結果から考えられたことを考察で表していますが，ここでパスタを食べるときの口の形が関わるのではないかと今野さんは考えています。食べるときの口の形が関わることは，はじめの予想の中にはありませんでした。実験の結果を集めていくうちに，きまりを見つけ，新たな視点が生まれていました。考察の中での説明を読んで分かる通り，根拠に基づいたものです。５種類の方法を活用しながら多くの実験をしたことにより，新しい発見につながったのでしょう。

パスタを食べるときのソースの飛びはねで困ったことがある人は，少なくないと思います。この実験結果を基に，いくつかの観点，とくに口の形は丸くする，に配慮しながら食べてみるのもよいのかもしれませんね。

第16回　小学生の部

メンマの科学

［磐田市立磐田西小学校］

佐藤（さとう） 迪洋（みちひろ） 5年／佐藤（さとう） 知海（ともみ） 3年

ひいおじいちゃんが裏山の竹で困っているのを解決してあげたくて、研究を始めました。発酵がなかなかうまくいかず、納得がいく結果が出るまでに５年かかりました。研究に使ったタケノコは何千本にもなると思います。研究中は、カやハエ、竹やぶに不法投棄されるゴミや犬のフンにも悩まされました。研究でも研究以外でも大変な事は色々ありましたが、この研究で、日本中の農家の人たちが笑顔になればうれしいです。

研究の概要

研究の動機・目的

ひいおじいちゃんが「裏山のタケノコが畑にも生えてくる。切っても切っても根がのびて，たがやす時に邪魔になる」と困っていた。自由研究でラーメンを作ってから，竹をメンマにすればひいおじいちゃんの畑を救えるのではないかと思い，新しく科学の面からメンマを研究することにした。

実験方法

電話やメールで，農林水産省やメンマメーカーにメンマの作り方を教えてもらい，ハチクを採取してメンマづくりを行った。なかなかうまくいかないことから，以下の条件に注目し，様々な材料を用いながら実験を行った。

条件① 添加物による発酵の違い。

条件② メンマを作る際，干すか干さないか。

条件③ メンマを作る際，ゆでるかゆでないか。

また，この他にもタケノコは何 cm までメンマに利用できるのか，そして，ハチクの硬い繊維をやわらかくするための方法や，メンマにできなかった硬い部分の利用法についても考えた。

実験と結果

【実験１：メンマ作りを参考に，ハチクでメンマを作る】

メンマの作り方を調べ，ハチクを採取し，メンマを作ってみたが，3 年間行ってもウジがわいたりカビが生えたり，タイヤのようなにおいがしたこともあって，うまく発酵しなかった。本場のメンマがマチクを使っているのに対し，実験ではハチクを使っていることから，ハチクをうまく発酵させるための添加物を探すことにした。

図１　カビがはえた（左）とけた（右）タケノコ

【実験２：添加物による発酵の違いを調べる】

タケノコ（ハチク）がうまく発酵するように，添加物を入れて実験した。添加物には，過去の実験結果から導き出した 3 種類（塩，米ぬか，砂糖）を使用し，比較できるように何も入れないものも準備した。また，実験の際には，これまで溶けてしまった経験からハチクをゆでる場合とゆでない場合とで分けて行った。

実験の結果から，ゆでた場合もゆでない場合も，米ぬかや砂糖は乳酸発酵したようだが，そのままと塩は別の発酵をしたようだった。

【実験３：メンマを干すのか，干さないのかを調べる】

メンマメーカーでは，干すまでを海外で行い，日本に輸出する。干せば楽に運べるが，国内で作るのならば，海外輸送をしなくてもいいので，干さずに作れるのではないかと考えた。実験を行い，その結果から，ゆでるなら，干さずにそのまま味をつける方がよく，ゆでないなら，干してから味をつけるとよいことが分かった。

【実験４：ハチクの何 cm までがメンマとして利用できるのか】

畑では，のびすぎたタケノコがたくさん生えてきてしまう。発酵の力で，長いタケノコも食べることができないかを検証した。実験には，3 m 以上の伸びすぎたハチクを採取して来て，0 ～ 300 cm まで，10 cm ごと 30 種類に分けた。マチクの使用部位から計算して，ハチクでは 20 cm までは食べることができると予想した。

表１　実験４の結果

300 cm	250 cm	200 cm	150 cm	100 cm	50 cm	40 cm	30 cm
うまみはあるが、せんいはまるで、せんすのほねぐみ	うまみはあるが、竹をかんでいるよう	うまみはあるが、せんいがあり、つまようじのよう	かむとうまみがあるが、すじがありかみきれない	とてもおいしいが、すじがある	とてもおいしいが少しすじがある	売っているメンマでも少しかたい	売っているメンマそのもの味もはごたえもバツグン！

発酵の力で，30 cm までおいしく食べることができた。

さらに，硬いと感じた部分の繊維をたつよう横に刻めば何 cm まで食べられるか検証したところ，130 cm まで食べることができた。また 140 cm 以上の部分を食品ロスにしないよう，肥料にする実験を現在実行中である。

考察とまとめ

これまでの実験の結果から，温度や添加物，発酵期間など様々な条件を整えることで，ハチクによるメンマが完成した。これをめんの上にのせるハチクということで，「メンハ」と名付けた。「メンハ」によって，日本中の荒れた竹林がメンマに利用されれば，竹林整備が進められ，輸入メンマが国産メンハに代わる事で，食料自給率も上がるはずだ。

来年は，塩と砂糖の配合を変えてみたり，発酵温度や発酵期間で風味や歯ごたえがどのように変わったりするのかなどを実験してみたい。

図２　ハチクで作った「メンハ」

作品について

5年間。この研究に費やした期間です。これだけの長い期間，メンマにこだわって研究を続けられるその探究力の高さは，群を抜いて素晴らしいと言えるでしょう。しかし，最初の3年間は，作ったものの，カビが生えてしまったり，溶けてしまったり，タイヤのようなにおいがしたりと，まったくうまくいかなかったということでした。多くの場合は，これであきらめてしまうことでしょう。ただ，もしかすると，「このうまくいかなかった」という経験が研究の本当のスタートだったのかもしれません。なぜなら，この3年間の経験を経たからこそ，発酵の際の添加物や，ゆでる・ゆでない，干す・干さないといった条件に注目することができたと考えられるからです。科学が発展するその背景には，ここにみられたように，「うまくいかなかった」という経験がごまんとあります。この「うまくいかなかった」という経験をそのままにせず，「何とかしよう」とか「何とかなるはずだ」と探究をし続けた結果，新たな発見につながっていくということが科学においてはよく見られます。この研究はまさにそのような科学の本質を体現した研究といえるでしょう。

研究の中身についても，詳しく触れていきましょう。まずはメンマという特定の食料品に注目して，日本の竹で実際に作成を試みるという研究は小学生ではなかなか見られません。ここに，研究の独自性の高さがうかがえます。そして，作成の過程で，時間の経過によってどのような変化が起きているかを細かくデータをとり，表にまとめており，表現力の高さが垣間見えます。

上記に示した，メンマ作成の際の，発酵させるための添加物や，ゆでる・ゆでない，干す・干さないといった条件以外にも，長い竹も発酵の力で食べられないかといったことや，竹の繊維を何とかやわらかくできないかといったことも調べられており，研究に広がりが見られます。そして，これらの研究の集大成として，ハチクによる「メンハ」が完成しました。

5年間という長い期間の中で紡ぎだされてきたストーリーが完結する様子は感動さえ覚えるものでした。この研究が，多くの人の目に止まり，社会問題解決の一手となることを期待せずにはいられません。

第16回 小学生の部

「炭」パワーのひみつを見つけよう！パート3

～環境に優しい「竹炭」燃料電池を作りたい！～

江﨑 凜太（えさき りんた）［多治見市立根本小学校 6年生］

環境に優しく日本の自然エネルギーとなる竹炭燃料電池を作り出したいと思いました。苦労した点はどうしたら長く作動するか色々な観点からの観察です。

水溶液・温度・時間と様々な実験をし、最強の竹炭燃料電池を発見した時は達成感があり研究の楽しさを感じました。皆さんの支えがあってこその研究ができうれしかったです。

 研究の概要

研究の動機・目的

4年生から「炭」の研究を続けている。5年生では「炭」発電を実現したい！というテーマで備長炭・竹炭の発電パワーを研究した。備長炭と竹炭には差があり，炭発電には備長炭の方が向いていた。それでも，竹炭は直列つなぎで4本以上つなげば炭パワーを最大限に引き出せた。「竹炭」のよさをさらに引き出せる方法を見つけたいと思った。

実験と結果

(1) 身の回りにある水溶液（すいようえき）と「竹炭」で燃料電池を作り基本の実験をする

竹炭作りは，何度も挑戦したが難しかった。9種類の水溶液（水道水，麦茶，緑茶，ウーロン茶，リンゴジュース，アイスコーヒー，アイスティ，砂糖水，牛乳［塩分があると塩素が出て危険ということで，スポーツドリンクなどは実験から省く］）を使った実験では，ウーロン茶とアイスティがオルゴールを鳴らす時間が長いことが分かった。

(2)「竹炭」燃料電池でオルゴールを鳴らそう

① 「竹炭」を水溶液にひたす時間を変えてみる

〈方法〉1～5分までの時間を変え，(1) の実験と同じ9種類の水溶液で実験をする。

〈結果〉どの水溶液も5分ひたした場合の記録がのびた。1分ごとにオルゴールが鳴る時間が増えた。

② 「竹炭」をひたす水溶液の濃度を変えてみよう

〈方法〉茶葉を2g，4g，6g，8gと変え①麦茶②緑茶③コーヒー④紅茶の4種類の水溶液で実験をする。

〈結果〉水溶液の濃度を濃くすればするほど，オルゴールが長く鳴った。茶葉の量を増やせば水溶液の色も濃くなり，「竹炭」燃料電池のパワーも大きくなった。

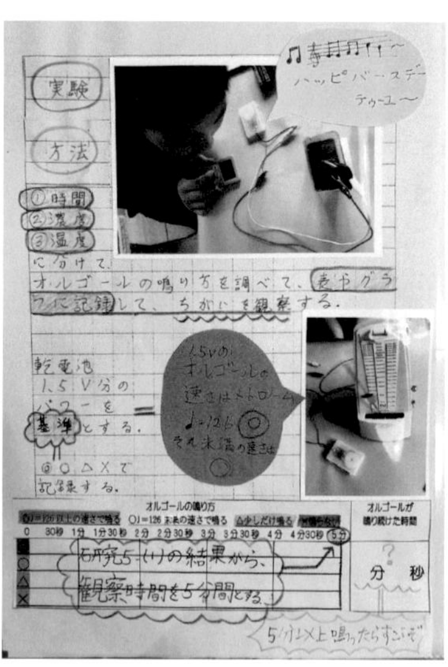

図1 「竹炭」燃料電池実験の様子

③ 「竹炭」をひたす水溶液の温度を変えてみよう

〈方法〉水溶液の温度を0℃，20℃，40℃，60℃と変え，①水②緑茶③コーヒー④紅茶の4種類の水溶液で実験をする。

〈結果〉20℃より温度が上がるとオルゴールが鳴る時間がのびるが，0℃は20℃の5～6倍長くなる。

(3)「竹炭」燃料電池をパワーアップさせよう

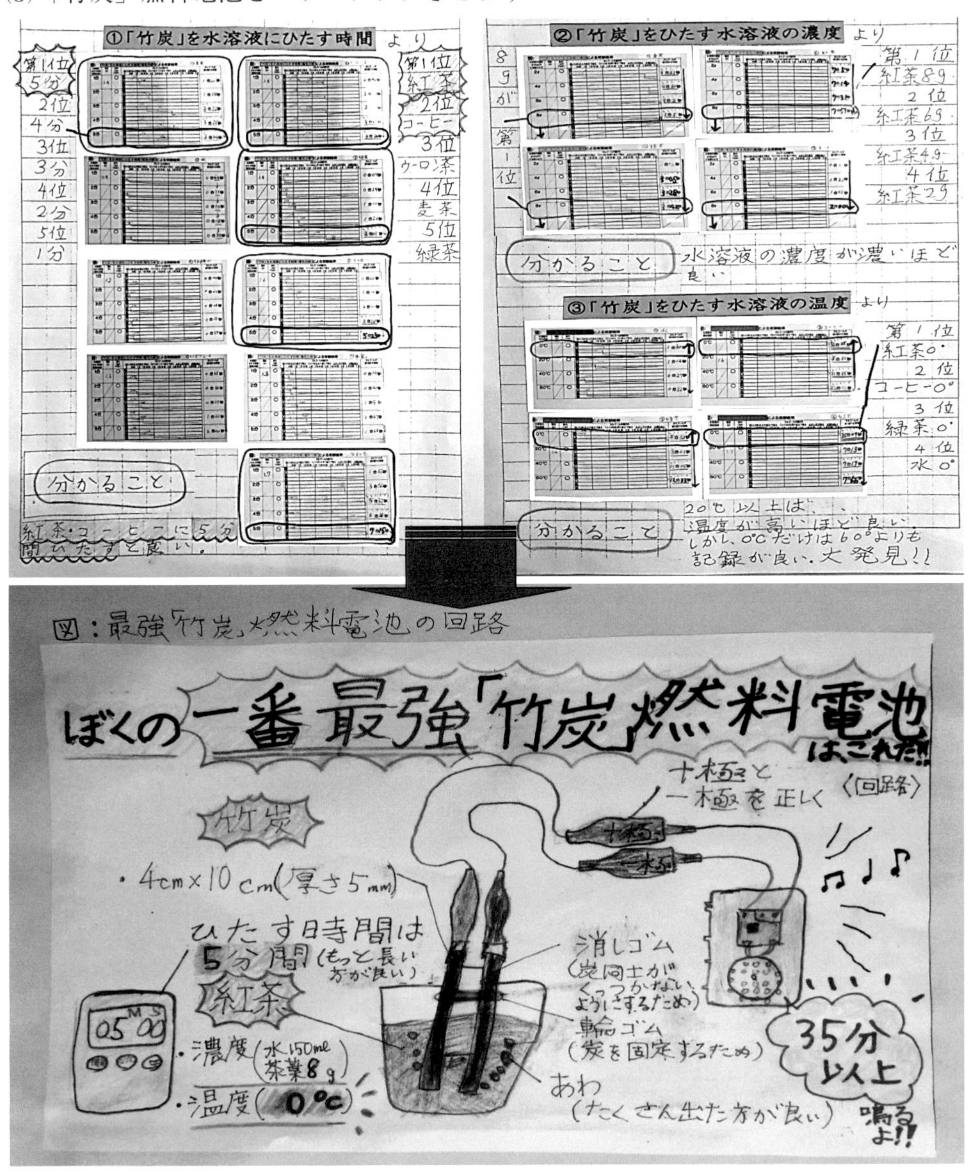

図２　実験の結果(上)と最強の「竹炭」燃料電池の図(下)

これからに向けて

ぼくが，環境(かんきょう)に優しい「竹炭」を研究テーマにいれたのには理由がある。それは，環境によい物を見つけていきたいという思いを常にもっているからである。１年生の頃からずっと環境に関わる研究を続けてきた。小学校６年間の研究を通して，植物のタネや野菜の皮から，土づくりをする中で，微生物(びせいぶつ)などの見えない力を感じたり，自然の中に含まれるエネルギーの可能性を感じたりした。これからも身近な物に疑問をもち，それを解明していこうとする気持ちをもって研究を続けたい。

作品について

図３　実験中の様子

江﨑さんの研究は愛情があふれています。地球に対して，家族に対しての思いが研究の原動力の一つになっているようです。

本人の希望があったのですが，スペースの関係で入れることができなかったのが右の写真です。妹さんと一緒に楽しく研究した思い出をぜひ残したかったのだと思います。探究を進めることで，新たな世界が見えてくる楽しさが研究にはあります。それだけではなく，誰かと一緒に行う楽しさや，他の人の影響で新たな発想を得られる楽しさを味わうことができることもあります。家族で楽しく取り組む場面があるのもよいことだと思います。

この研究では，最強の「竹炭」燃料電池を目指して，地道な努力の積み重ねをしています。最初の竹炭づくりから大きな壁にぶつかってしまいますが，あきらめることなく探究を続けました。その成果として，意外にも０℃の水溶液が効果的だという発見があり，地道な努力の先にある発見の喜びを味わうことができたのではないでしょうか。

また，ここでは十分に紹介することはできませんでしたが，実験した結果をとても分かりやすくグラフにまとめていました。そのことで，実験結果を活用した最強電池を考えやすくなったと思います。

そして，現段階で作ることができる最高の「竹炭」燃料電池を実現させています。それが図４の作品になります。探究の深まりによる発見は研究の醍醐味ですが，探究によって生み出されるものがあることも研究の大きな魅力です。

いくつかの困難を乗り越え，探究し続けることで新たな発見があり，夢の実現に一歩近づく作品が生み出された研究です。「これからに向けて」で書かれている思いに期待しています。

図４　作成した最高の「竹炭」燃料電池を使ったオルゴール

CHAPTER 2 Cultivation of "KAGAKUNOME"

第２章「科学の芽」を育てる

～発明・発見は失敗から～（中学生の部）

「科学の芽」賞

中学生の部について

「科学の芽」賞の中学生部門に対して，第 15 回（2020 年度）には 934 件（海外からの 27 件を含む），第 16 回（2021 年度）には 1,055 件（海外からの 45 件を含む）の作品が寄せられました。残念ながらここ 2 年の応募件数は，第 14 回（2018 年度）までと比べるとかなり減少しました。世界中に広がった新型コロナウイルス感染症の影響がその大きな原因であることは否めません。ただ，不安を抱え不自由な生活を送りながらも精一杯取り組んだ成果が詰まった作品を目の当たりにして，審査する我々も元気をもらうことができました。応募してくれた生徒のみなさんに惜しみない称賛を送るとともに，お礼を申し添えたいと思います。ありがとうございました。

さて，以下に示す「審査の観点」は，「科学の芽」賞の発足当時から引き継がれているものです。身近なものに疑問を抱き，それを解明しようと工夫や努力を積み重ね，成果を周りの人たちと共有する過程こそが，科学の発展を支えてきたと考えているからです。それでは，第 15 回に受賞した 7 作品と第 16 回に受賞した 6 作品，計 13 作品について，その特徴と傾向を振り返ってみたいと思います。

【審査の観点】

① 着眼点：ふしぎだと思っているテーマや解決したいテーマが明確であり，さらに魅力的であるか。

② 洞察力：自分の力で，観察・観測・実験・資料調査などを行っているか。

③ 創造力：自分の力で，テーマを解決するための工夫や考察を行っているか。

④ 発表力：自分なりの結果をまとめ，それを的確に人に伝えているか。

⑤ 独創性：今までにない着想・探究・アプローチがあるか。

⑥ 仲間とのチームワーク：共同研究の場合，仲間との協力体制がうまく作られているか。

ニホンヤモリ，トンボ，カタツムリを対象とした３作品は，動物と自然環境の関わりがテーマになっています。いずれもこれまで取り組んできた自身の研究が背景にありますが，新たな着眼点と解明までの道筋は，とてもユニークなものでした。また，視覚的なデータを分析する手法が用いられているという共通点もあり，採取・飼育した生き物をカメラや顕微鏡を用いて撮影し，その整理にも根気よく取り組んだ様子が強く印象に残りました。

シロツメクサ，トウモロコシを対象とした２作品は，植物の生育がテーマになっています。どちらの作品も明確な目的を掲げ，その達成のために綿密な実験計画を立てている点，実験結果から明らかになった課題を次の目的として研究を深めていった点が成果につながりました。

これら生き物を対象とした研究には観察が不可欠であり，長く時間のかかる場合がほとんどです。どの作品も，長期的な視野で研究計画を立て，生き物と粘り強く向き合い，膨大なデータを丁寧にまとめるなど，鋭い洞察力が存分に発揮されています。また，生き物に対する愛情もよく伝わってきました。

ヨウ素の反応，β-カロテンの抽出，紫外線の性質，地磁気の測定について研究した４作品は，自然現象を定量的に捉えようと工夫したという共通点があります。ヨウ素の呈色反応に関心を持ち，色に影響を与える物質とその量による違いに迫ったこと。β-カロテンの抽出量を左右する条件について，ニンジンの加工状態とそれがおかれる環境の両面から追求したこと。手に入りやすい「UV CHECKER」を利用した簡易な紫外線量測定ではあったものの，色の変化を定量的に示す独自の指標を新たに導入したこと。目には見えない地磁気に影響を与える要因を数え上げ，それを身近にある方位磁針で測定する方法を開発したこと。どの作品も実験の条件を操作する手法に独創性があり，高く評価されました。

よく飛ぶ紙飛行機，シングルリード楽器の吹奏音，火口・カルデラと隕石クレーター，蜘蛛の巣の４作品は，対象とした“もの”の特徴を精査・抽出し，“モデル化”によって本質に迫るという点で共通しています。対象とした“もの”自体の構造が複雑な場合はその構造を単純化し，複数の要因がからみあって起こる現象の場合はその要因をしぼりこんで調べることによって，因果関係を見出そうとした科学的手法は高く評価できます。また，紙の上だけの“モデル化”ではなく，創造力が活かされた実物（模型）を用いて検証したという点でも共通しています。その製作には様々な苦労があったことも伺われ，強い意志でこれを乗り越えようと取り組んだ様子が伝わってきました。

それでは，限られた紙面ですが，受賞した13作品すべてについて概略を紹介しましょう。

第15回 中学生の部

よく飛ぶ紙飛行機 Ⅶ

～飛ぶ力と尾翼の形～

三宅 遼空（みやけ はるく）［静岡大学教育学部附属浜松中学校 1年生］

紙飛行機をよく飛ばすには、どうしたらいいのか？ という研究を小1から続けてきました。
この研究では、鳥の尾羽の形が飛行時と着地時では異なることに注目し、鳥、ムササビ、トビウオなどの飛行生物の尾羽を模倣した紙飛行機を作り、自作の風洞装置で空気の流れを可視化しながら尾翼の役割、性能の違いについて調査しました。

Ⅰ 研究の概要

研究の動機・目的

小１から６年間，紙飛行機について研究を続けてきた。今年は，図鑑の写真を見て，鳥の尾翼の形が飛んでいるときと着地するときで違うことを不思議に思い，尾翼の形の違いがどのように関係しているか調査することにした。

研究の方法

揚力・抗力が測定でき，スモークマシンも備えた風洞実験装置を自作し（図１），尾翼の形の違いを調べる。

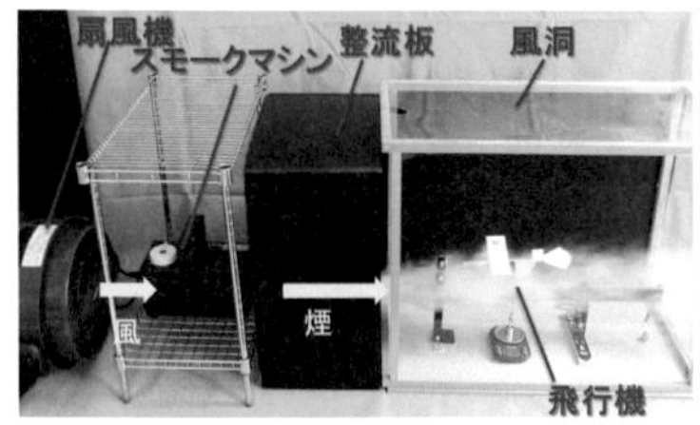

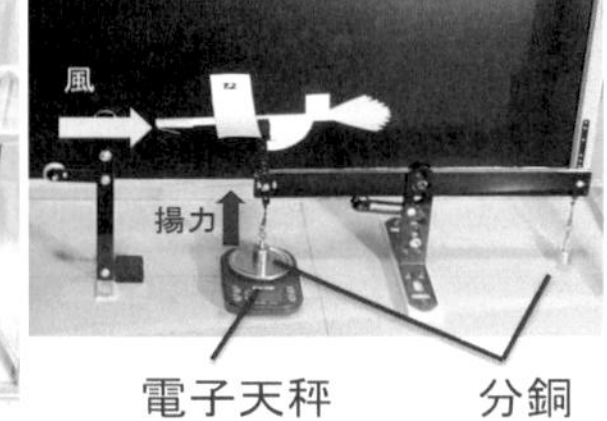

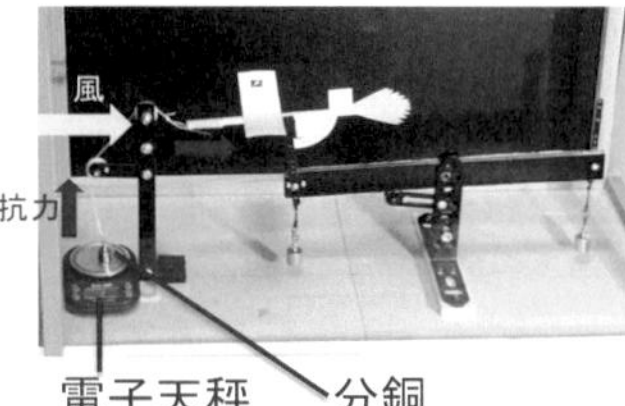

図１　揚力・抗力測定の実験装置

【実験１：尾翼の形の違いによる揚力，抗力を調べる】

尾翼の形：飛行生物の尾翼の形をまねて作成した（図２）。長方形（基本）に対し，尾翼の幅が同じになるようにした。

長方形（基本）　タカ　ツバメ　トビウオ　ムササビ

図２　尾翼の形

尾翼の大きさ：長方形の翼面積（24 cm^2）に対する尾翼面積比を基本にして，大，中（基本），小の３種類を比較した。

尾翼の角度：機体の角度を0°から30°まで5°おきに変化させた。

結果，尾翼が大きい方が揚力・抗力ともに大きくなったが，抗力は揚力に比べ形や大きさによる差が小さかった。また，値が大きいほど翼の性能がよいとされている揚抗比（揚力／抗力）と尾翼の角度の関係をまとめたグラフ（図３）から，タカ＞長方形＞ツバメ＞トビウオ＞ムササビの順で結果が良いこと，また，角度20°以上では，揚抗比の差が小さくなることが分かった。

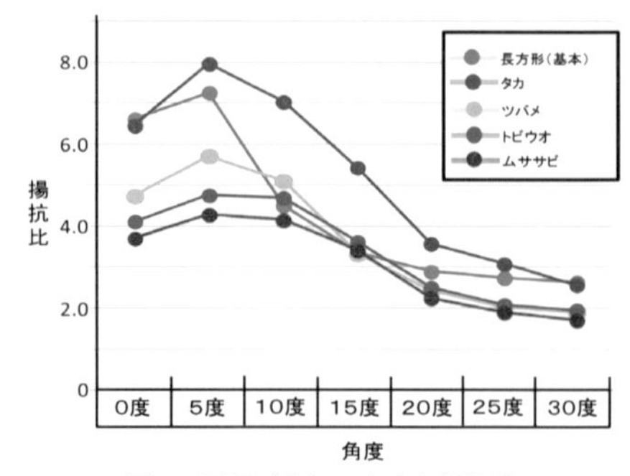

図３　尾翼（大）の角度と揚抗比

【実験２：尾翼の形の違いによる空気の流れ方を見る】

機体の角度を 0°, 20°にしたときの風の流れを機体の側面と上面方向から高速カメラで撮影した。結果,「尾翼の形の違いで煙の流れ方や速さが変わること」,「ある程度面積のある扇形状の後退翼形状のほうがスムーズに流れること」などが分かった（図 4）。

タカ：角度 20°

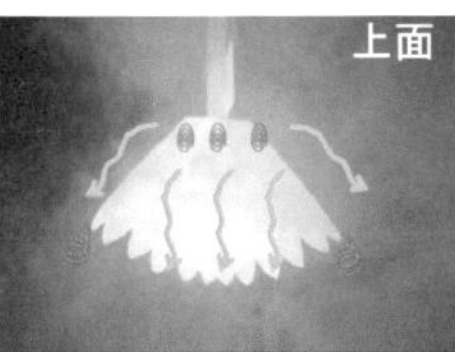

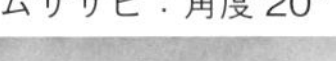

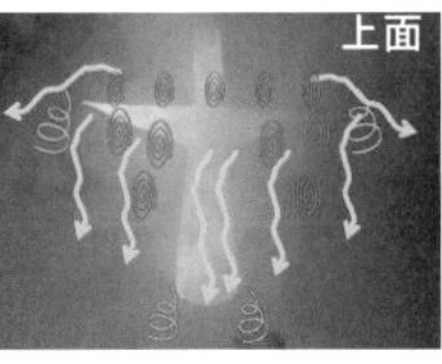

図４　空気の流れ（写真中の矢印は煙の流れのイメージを描いた）

【実験３：対決（検証)】

発射台を作って飛ばし方を一定にし（図 5）, 風のない体育館で, 10 回ずつ飛んだ距離を測ると, 結果は揚抗比の良い順位と同じになった。タカの尾翼大が最大飛距離, 平均値ともに高く一番よく飛び, ムササビは安定して飛ばなかった（図 6）。

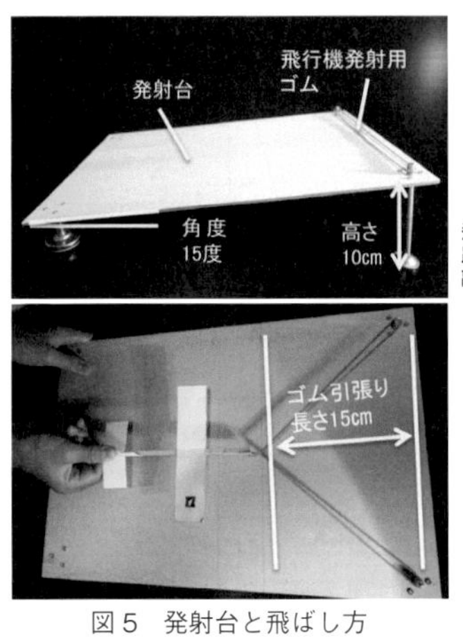

図５　発射台と飛ばし方

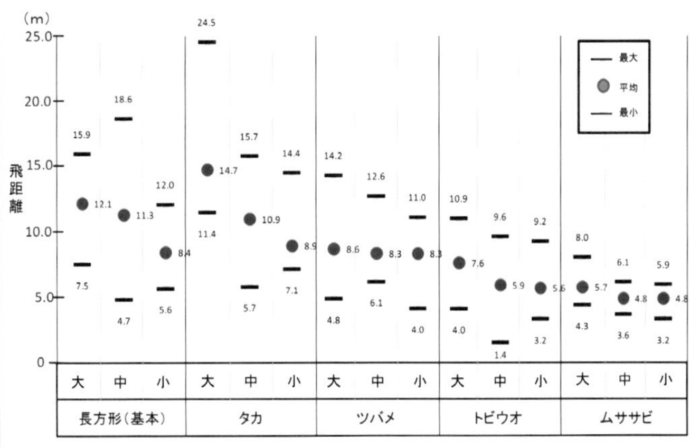

図６　飛距離対決結果

考察・まとめ

① 尾翼形状の違いによって空気の流れが変わり, 揚力と抗力に影響がでる。

② 尾翼の形はある程度面積があるタカのような扇形状の後退翼形状がよい。

③ 鳥が着地するときに尾翼を広げ面積を大きくしているのは, より大きな揚力を得て, スピードを抑えながら安定して着地するために必要な動作である。

さらに研究したいこと

今回は, 尾翼の形, 大きさについての調査しかできなかったが, これまでの研究で翼の表面や断面形状も影響することが分かっているので, 今後は尾翼でもその考えを応用し, 飛行生物の知恵を利用した紙飛行機について研究を続けていきたい。

作品について

三宅さんの研究は，図鑑に載っていた鳥の写真がきっかけとなって始まりました。ただその背景には，小学１年生から「紙飛行機をよく飛ばすにはどうしたらいいのか？」というテーマで取り組んできた研究があります。紙飛行機の構造や飛行特性について強い関心を持ち続けたからこそ，朝永先生の言葉にある「ふしぎだと思うこと」につながったのでしょう。

重要なポイントは，写真に写る鳥のどこに注目したのかです。作品からは，翼だけでなく，尾羽の形状も飛行時と着地時で異なることに気がついたこと，そして尾羽の役割について興味を持ったことが分かります。確かに飛行機は，主翼を格納時に折りたたんだり飛行時に変形させたりする特殊な例や，フラップ・車輪等の出し入れを除けば，空の上でも飛行場でも形は変わりません。その尾翼だけを鳥の尾羽の形に変化させて機能を比較し，飛行機との違いを見出そうとした着眼点はとてもユニークです。

そこから三宅さんは，尾羽を模倣した尾翼を製作し，紙飛行機に装着してその役割や性能の違いについて調査を行いました。特に，タカ，ツバメに加え，ムササビやトビウオなど，鳥以外の動物もターゲットにした発想は独創性があり，高く評価できます。「作品の概要」では実験結果も一部しか掲載できませんでしたが，5 つの形・3 つの大きさ・2 つの取り付け角度の組み合わせ全てを丁寧にまとめてあり，根気よく取り組んだ様子もよく伝わってきます。また，自作した「風洞装置」を用いて紙飛行機にはたらく力の定量的なデータを収集した手法や，スモークマシンを追加して空気の流れを可視化した工夫も優れた点として挙げられます。

さて，生物の体の構造や行動などを研究し，その成果を活かす技術のことを「バイオミメティクス（生物模倣技術）」と呼んでいます。トンボの羽を研究して得られた成果を風力発電の風車の開発に活かした例は，知っている人も多いのではないでしょうか。三宅さんの研究成果も，もしかしたら飛行機の尾翼以外の何かに応用するアイデアへとつながるかもしれません。さらに新しい発想が生まれることも期待したいと思います。

第15回 中学生の部

植物の発根の観察実験 PART5

シロツメクサの茎と発根の関係

石川（いしかわ） 春果（はるか）［豊橋市立二川中学校 1年生］

シロツメクサの研究を始めて５年目になります。
前回の研究では、発根は花にある物体と地下茎にある物体によって制御されていると考えられました。
今回は、地下茎にある物体が発根だけでなく成長そのものに影響を与えていると思われる結果がでました。
このことから、発根と茎と花の関係が少しでも解明出来たらと思います。

I 研究の概要

研究の動機・目的

過去4年間の研究から，シロツメクサは花が咲いている時期に発根しにくくなること，発根しにくい原因は花の有無が関係していることが分かった。さらに，花に存在する物体Xによって発根が阻害され，地下茎で作られる物体Yによって発根が促進されるという仮説を立てた。そこで今回の研究では，花だけでなく茎と発根の関係を調べることにした。

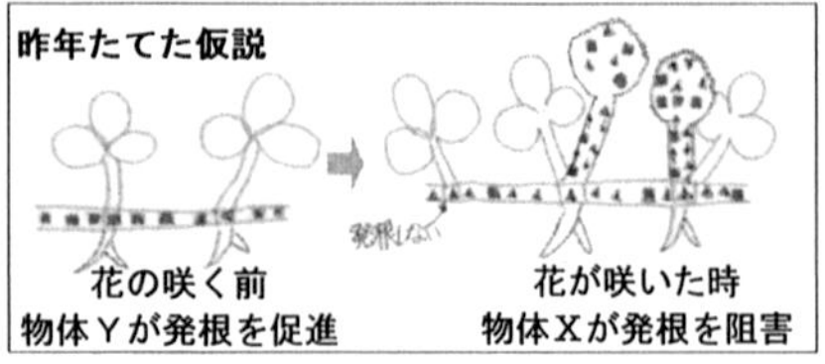

図1　これまでの研究で立てた仮説

実験方法

たくさんのシロツメクサの茎と，透明なカップまたは試験管を用意した。シロツメクサの茎をはさみで切り，水道水を入れたカップや試験管に切った茎を入れて直射日光の当たらない明るい場所に置き，毎日の発根の様子を観察し記録した。

実験と結果

【実験1～3：葉のついた茎から直接発根するか，発根した茎に物体Yは存在するか】

これまで節のある茎からしか発根しないと思っていたが，節のない茎から直接発根しているのを昨年見つけた。本当に直接発根するのか確かめたところ，節からの発根は1日目から観察できたのに対し，節なしの茎から直接の発根は14日目に初めて観察できた（表1）。実験1では1本発根すると別の茎も発根していたため，発根を促進する物体Yが根にも存在して別の茎の発根を促すのかどうかを確かめるため，実験2と3を行ったが，はっきりした結果は得られなかった（表2）。実験1～3で発根率に違いが出たのは，採取した茎が株の中心部と先端部と異なる位置だったことや，実験時期が3月上旬，4月上旬と異なり発根しにくい時期だったのではないかと考えられた。

表1　実験1（No.1～10節なし，No.11，12節あり）の結果

		発根数(本)												平均気温(℃)
		No. 1	No. 2	No. 3	No. 4	No. 5	No. 6	No. 7	No. 8	No. 9	No. 10	No. 11	No. 12	
1日目	3/14	0	0	0	0	0	0	0	0	0	0	3	1	8.2
2日目	3/15	0	0	0	0	0	0	0	0	0	0	4	1	8.1
3日目	3/16	0	0	0	0	0	0	0	0	0	0	4	1	6.7
4日目	3/17	0	0	0	0	0	0	0	0	0	0	4	1	7.2
5日目	3/18	0	0	0	0	0	0	0	0	0	0	4	1	10.5
6日目	3/19	0	0	0	0	0	0	0	0	0	0	5	2	13.4
7日目	3/20	0	0	0	0	0	0	0	0	0	0	5	4	11.8
8日目	3/21	0	0	0	0	0	0	0	0	0	0	5	4	12.3
9日目	3/22	0	0	0	0	0	0	0	0	0	0	6	6	13.3
10日目	3/23	0	0	0	0	0	0	0	0	0	0	7	6	12.3
11日目	3/24	0	0	0	0	0	0	0	0	0	0	9	8	8.9
12日目	3/25	0	0	0	0	0	0	0	0	0	0	10	10	9
13日目	3/26	0	0	0	0	0	0	0	0	0	0	10	10	11.6
14日目	3/27	0	1	0	1	0	0	0	0	0	0	10	10	14.8
15日目	3/28	0	1	1	2	1	0	0	0	0	0	10	10	14.5
16日目	3/29	1	1	2	2	1	0	0	0	0	0	10	10	10.5
17日目	3/30	2	1	5	2	2	0	0	0	0	1	10	10	10.4
18日目	3/31	4	3	7	3	4	0	0	0	0	4	10	10	13.5

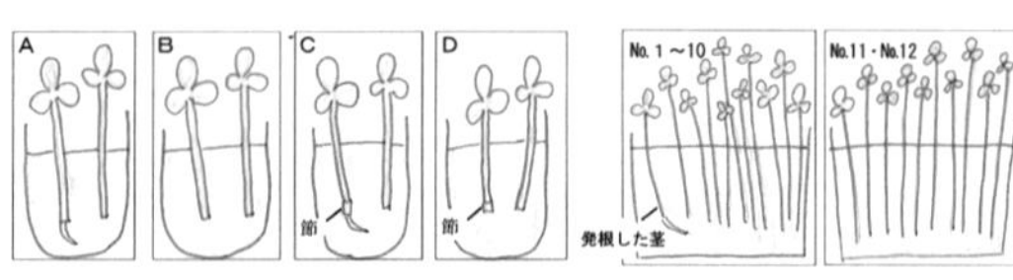

図2　実験2（左のA～D）と実験3（右のNo.1～10, No.11, 12）

表2　実験1～3の結果をまとめたもの

		一緒に入れた茎の状態		発根数（本）	発根率（%）
		節	発根		
実験1	No.1～No.10	−	−	25/100	25
実験2	A	なし	あり	2/15	13
	B	なし	なし	0/15	0
	C	あり	あり	1/15	7
	D	あり	なし	0/0	0
実験3	No.1～No.10	あり	あり	8/100	8
	No.11・No.12	−	−	2/20	10

【実験４～６：花と茎と発根の関係，物体Ｘと物体Ｙの発根への影響について】

物体Ｙは地下茎に存在して発根に影響を与えるのか，またこのとき，花に存在すると考えられる物体Ｘの影響はあるのかについて実験して調べた。花茎と葉のついた茎が１つの節から出ている茎と，それに地下茎もついた状態の茎を用意した（図３）。実験４～６では様々な条件（図４）で10本ずつ水につけ，５日間観察した。発根率は以下のグラフのようになった（図５）。

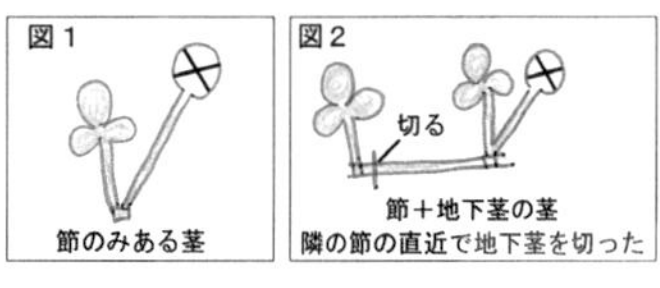

図３　実験４～６で使った地下茎の茎

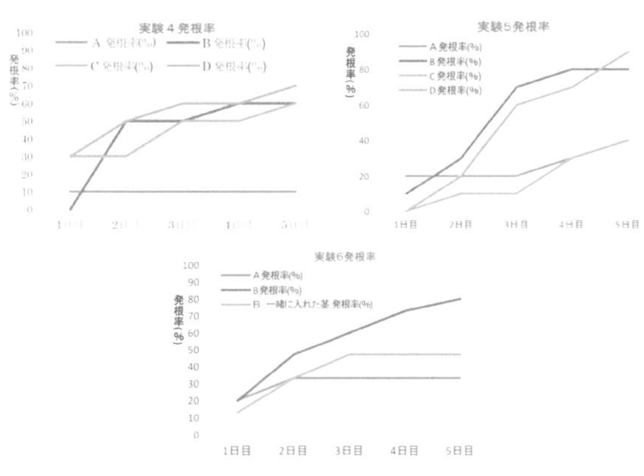

図５　実験４～６の各条件における発根率

図４　実験４～６の各条件における物体Ｘと物体Ｙについての予想
上段Ａ～Ｄ：実験４
中段Ａ～Ｄ：実験５
下段Ａ，Ｂ：実験６

考察・まとめ

花があると発根率が低くなったことから，物体Ｘは花に存在し，節に移動することで発根を阻害していると考えられる。ただし別の花茎１本の量では阻害できない。また地下茎のある茎と一緒に入れると発根率が上がったことから，物体Ｙは地下茎に存在し，発根を促進していると考えられる。地下茎は１本だけで発根を促進したので，少量で働くことも分かった（図６）。

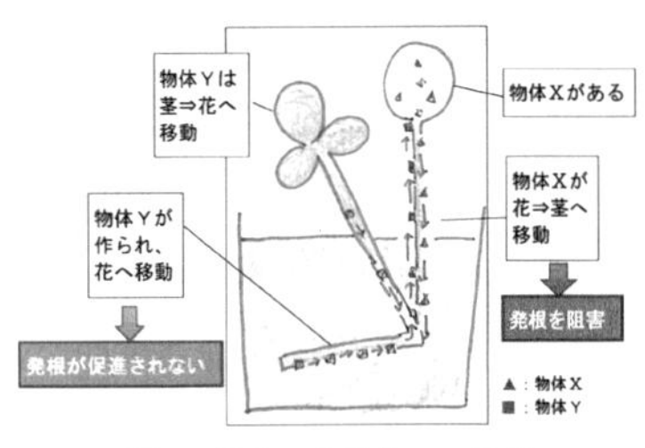

図６　物体Ｘと物体Ｙの特徴

実験４と６では葉が黄色く変色し枯れたものが多かった(図７)。葉で作られた養分がすべて花に移動したこと，葉の物体Ｙがなくなったことが原因であり，物体Ｙには葉の生命を維持する働きもあると考えられる。さらに実験4-C，5-A，6-Aは同じ条件だが発根率は60％，40％，33％と少し異なった（図８）。株が成長するにつれて発根や成長を促進する物体Ｙが作られなくなっていると思われる。

図７　花つきの方で葉が枯れている

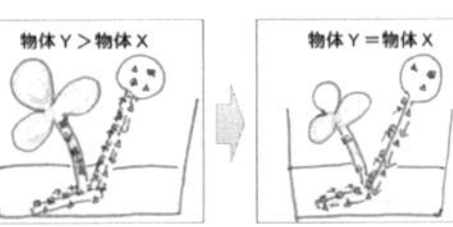

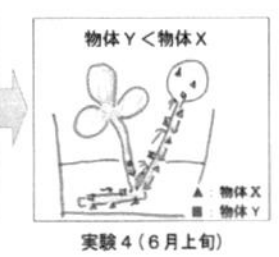

図８　同じ条件だが実験時期が遅いと発根率が下がった

中学生の部

作品について

今年で５年目となる本研究は，前年度も小学生の部で「科学の芽」賞を受賞しており，石川さんのライフワークとも言えるほどに粘り強く継続されています。石川さんは，シロツメクサの成長を制御している物体Ｘと物体Ｙの存在を仮定し，その存在と働き方を検証すべく，様々な条件での実験を繰り返して行い，得られた結果から２つの物体の特徴についての推論を得ました。とても中学１年とは思えない，まさに見事としか言いようのない高度な研究成果です。これらの物体は，植物の体内で合成されて様々な成長の制御をしている生理活性物質，いわゆる「植物ホルモン」であると考えられますが，すでに既知の植物ホルモンであったとしても本研究の成果には新たな科学的知見が含まれている可能性すらあります。「科学の芽」から「科学の茎・花」へと研究が成長していると言えるでしょう。

前年度から異なる点として今回の研究では，葉や花が枯れていく現象にも着目し，深い観察や考察をおこなっています。何度も登場するこのイラストに，これまでの物体Ｘと物体Ｙに加えて３つ目の記号「養分」まで出てきたときには本当に驚きました。石川さんは，前年の研究で花が枯れていった様子と今回の花の枯れていった様子も比較し，今回の枯れ方は集合花が下から徐々に茶色く変色していく自然な枯れ方であったことから，物体Ｙや養分が花を成長させていたことにも言及しています。このように，元となった実験結果の詳細な分析から新たな問題を発見し，解決すべき課題を設定して新たな仮説を立て，仮説を検証すべく実験計画を立てて遂行していくといった「探究のサイクル」をぐるぐる回していったことで，研究の視点が植物の発根から植物の成長全体へと広がっていった点が大変すばらしいと思います。これは世の研究者がおこなっている研究の営みそのものです。シロツメクサをたくさん栽培してくれたお父さんと実験を手伝ってくれたお母さんへの感謝の思いを胸に，これからも粘り強さを発揮して新たな探究のステージへと羽ばたいていってほしいと思います。

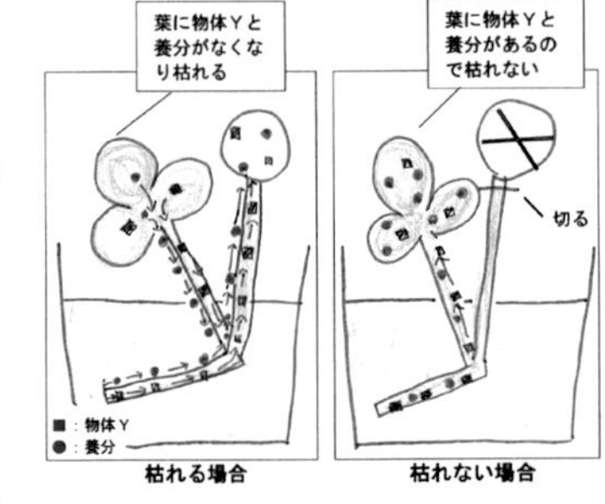

第15回 中学生の部

ニホンヤモリの体色変化 パート3

～ストレスと模様の関係～

大久保 惺（おおくぼ せい）［茨城県立並木中等教育学校 3年生］

私たちヒトはストレスを周囲に伝えることができます。しかし、ニホンヤモリ（爬虫類）の場合はどうでしょう。どのような環境でストレスを感じるのか私たちには分かりません。

そのため、ストレスの定義付けや、実験環境を整備するため予備実験を繰り返し、再現性や根拠づけに力を注ぎました。

I 研究の概要

研究の動機・目的

光の有無によりヤモリの模様の現れ方がどのように変化するのか調べた前回の実験で，視覚での認識が重要であることが明らかになった。実験を通して，視覚以外の条件ではどのような反応が出るのか疑問を持ち，環境の変化に対してストレスを感じた際に黒色素胞が活発に働きだし体色変化を起こすのではないかと考えた。そこで，いくつかの環境変化を与え，模様の発生とストレスの関係に着目し実験を行うことにした。

実験方法

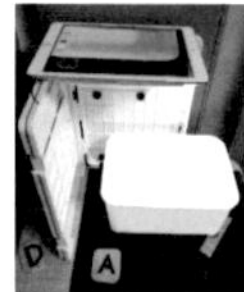

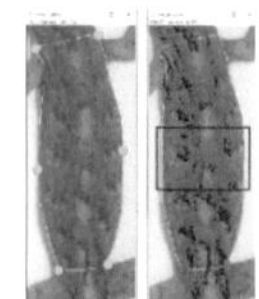

図１　撮影装置と画像解析

まず，ヤモリが皮膚から色を認識しているか確かめるために，医療用テープでニホンヤモリ３匹の背中に×印を貼り付け，ライトをつけた白いケースに入れ１時間後に体色変化を確認した。ケースに入れる前後に胴体を撮影し，胴部の模様をImageJで画像解析し模様の面積の測定することで（図１），実験前後で模様の割合の変化を確かめた（実験1）。

次にヤモリのストレスとは何かを検討し，寒冷，多湿，振動，臭い，騒音の５つをヤモリのストレスと定義し，表１のようにストレスを与えた。

表１　５種類のストレス　これらのストレスをニホンヤモリ６匹(メス４匹，オス２匹)に各５回ずつ与えた

寒冷ストレス(実験2)	湿度ストレス(実験3)	振動ストレス(実験4)	臭いストレス(実験5)	騒音ストレス(実験6)
保冷剤を用いて15℃前後の低温環境を作り１時間ストレスを与える。	部屋よりも湿度が20%近く高い風呂場で１時間ストレスを与える。	マッサージチェアを用いて，30分間ストレスを与える。	すり潰したマリーゴールドの花を入れ，１時間ストレスを与える。	70～80 dB程の騒音を発生させ，30分間ストレスを与える。
			マリーゴールドをすり潰したものを入れる	

〈再実験〉以下の操作を変更して再実験を行った。

図２　画用紙を貼った実験用具

・寒冷ストレスを与える実験（実験7）

保冷剤を置く場所を，発泡スチロールの箱の中から上へ変更して行った。

・湿度，振動，臭い，騒音ストレスを与える実験（実験8）

各実験で使用した実験用具の箱を黒いケースに変更して行った。

■ 実験と結果

【実験１：皮膚からの色の認識】

「×」の印をつけたことによりその部分で体色変化が起こった回数は表２のようになった。

表２　実験１の結果

	回数（回）
体色変化した（増加）	0
体色変化した（減少）	3
変化なし	11

【実験2～6：ストレスによる体色変化】

各ストレスによる模様の変化の割合は，表3のような結果となった。

表3 実験2～6の結果

模様の変化割合（%）	実験2（寒冷）	実験3（多湿）	実験4（振動）	実験5（臭い）	実験6（音）
増加	**60**	3	0	0	0
減少	3	33	30	7	**67**
変化なし	37	**64**	**70**	**93**	33

【実験7・8：再実験】

保冷材の置き場所を変えて寒冷ストレスを与えた再実験7の結果を表4に，実験器具の色を黒に変えて行った再実験8の結果を表5に示す。

表4 実験7の結果

	回数（回）
体色変化した（増加）	0
体色変化した（減少）	1
変化なし	17

表5 実験8の結果

	湿度（回）	振動（回）	臭い（回）	騒音（回）
体色変化した（増加）	9	5	8	10
体色変化した（減少）	1	2	1	0
変化なし	8	11	9	8

考察

① 実験1で模様面積の減少する個体がみられたのは，白ケースに1時間入れたことで，視覚情報で白を認識し模様が減少したからだと考える。この結果から，皮膚から黒い×印を認識していたとは考えられない。この実験により，視覚と体色変化の関係は強いと確信した。

② 実験2と実験7より，寒冷ストレスは模様の発生には関係しないと考えられる。また，実験2の結果は，氷を箱に直接入れたことでヤモリの体温が急激に下がってしまい，ヤモリの視覚機能が低下したことによって起きた体色変化だったとも考えられる。

③ 実験3～6では，模様の増加は起きなかったが，箱を黒に変更したことで模様の増加が見られた。このことから，ストレスの影響で模様が増加したのではなく，視覚からの情報により体色変化を起こしていると考えられる。また，模様の減少が数回見られた。これは，実験開始前の環境が小屋の巣の中であったことで，体色がより濃い状態がスタートだったためだと考えられる。

さらに研究したいこと

今後の課題として，目に見えないものの中でも，皮膚が認識する紫外線などについて調べてみたい。ヤモリもヒトと同じように皮膚の中にあるメラニン色素を作る色素細胞が刺激されて皮膚が黒くなるといった現象が起きるのだろうか？ 非常に興味を持っている。

中学生の部

作品について

大久保さんは，環境の変化とヤモリの体色について興味を持ち，継続的に研究しています。これまでの研究により，ヤモリの色覚は２色型第１色覚であり，黄色素胞・黒色素胞・虹色素胞の運動によって全ての壁色で体色変化が起きていることや，黒色素胞顆粒が真皮層のどこまで送り込まれてくるかにより，表皮に出る色が変わってくること，刺激を与えてから模様発生までにかかる時間は２分以上５分以内であることが分かりました。また前回の研究では，色を感じ取っているのは皮膚ではなく，光が壁に当たることによって明度の変化が起こった色を視覚で認識し，その情報によって体色を変え，模様を発生させているという考察に結び付き，今回の研究につながっています。

今回の研究では，視覚情報による体色変化の実証と，体色変化にストレスが影響するのではないかという仮説に基づいた実験を展開しています。この研究をまとめた大久保さんの作品は，前回と同様に，実験を通して生じた問いを解決していく探究のサイクルをすすめていることが伝わります。また，仮説を検証するための実験装置を日用品や身近な素材から自作しているだけでなく，その装置や検証方法が適切であるかを予備実験によって検証している点において，問いの解決に向けた強い意志と熱意を感じます。

研究の対象であるヤモリについては，新型コロナウイルスの影響により，前回の実験で対象とした八丈島のミナミヤモリは採集できず，ニホンヤモリとの比較実験はできなかったようです。採集に関して，大久保さんは研究の対象であるヤモリを生息地へ戻すことはせずに，自宅で通年飼育をすることを考え，自宅に百葉箱をモデルにした飼育小屋を設計・製作したそうです。ヤモリが自然に近い状況で１年を過ごすことができるよう環境を整えてからニホンヤモリの採集を行ったというエピソードからも，大久保さんのヤモリに対するリスペクトが感じられます。今回の実験を通して生じた新たな問いに対して，これまでとは異なった視座からアプローチしていくことを期待しています。

図３　ヤモリの飼育小屋

第15回 中学生の部

シングルリード楽器における吹奏音の研究 2

～管端形状による反射する振動の変化を解明する～

矢野 祐奈（やの ゆうな）［坂戸市立城山中学校 3年生］

アルトサックスをストローと紙筒を使って再現しました。自作の笛でみつけた「不安定な音」が実際の楽器でも見つかった時、一番驚きました。

多くの実験を行ってたどりついた結論は、楽器の構造はよい音を出すために考え抜かれているということです。

I 研究の概要

研究の動機・目的

アルトサックスが音を出す仕組みを理解し，演奏上達の手助けとしたく昨年よりこの研究を始めている。研究で，ストロー笛の形と吹奏音の関係性に疑問を持った。そこで，共鳴に着目し，管端等で反射する振動の性質を明らかにすることを目的とした。

研究1：管の広がり方と管端で反射する振動の関係

サックスは，先端ほど径が太く作られている。そこで，管の広がりと流速による吹奏音の変化を調べた。管の広がりの違いは紙で，流速の違いは風船を押す力の差で再現した（図1）。実験より，先端が広い笛ほど周波数が大きく，先端が管の直径の3倍を超す大きさに広がると，周波数の増加が止まることが分かった（図2）。これは，管の内部での振動が管端まで到達せずに途中で戻っているからだと考えられる。また，この傾向は，流速が変化しても変わらなかった。

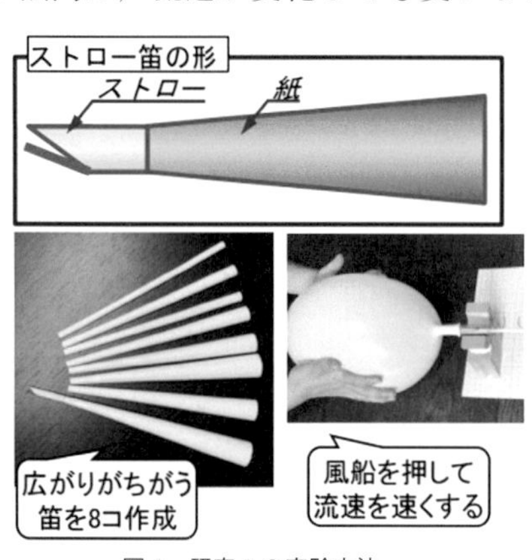

図1　研究1の実験方法

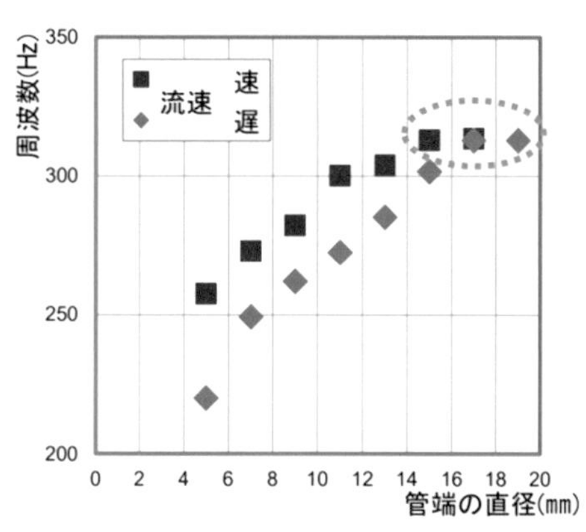

図2　管端の直径と周波数の関係性

研究2：トーンホール（音孔）と管端で反射する振動の関係

管楽器は管の途中に穴を開けることで，共鳴する管の長さを変え，発する音の周波数を変化させている。そこで，太さの異なる2種類のストロー笛に穴を開けて，管の太さと穴の大きさ，周波数に法則があるか周波数スペクトルで調べた（図3）。実験より，以下のことが分かった。

① 小さい穴を持つ笛は，穴がない笛の周波数と近い音が鳴る。つまり，穴の位置で振動の反射が起こらず管端でのみ反射していると考えられる。

② 大きい穴を持つ笛は，穴の位置で切り落とした長さの笛の周波数に近い音が鳴っている。つまり，穴の位置でのみ振動の反射が起きていると考えられる。

③ 穴の大きさが中くらいの笛は，2種類の基音（図3参照）が鳴った。つまり，振動の反射が穴と管端の両方で起きていると考えられる。

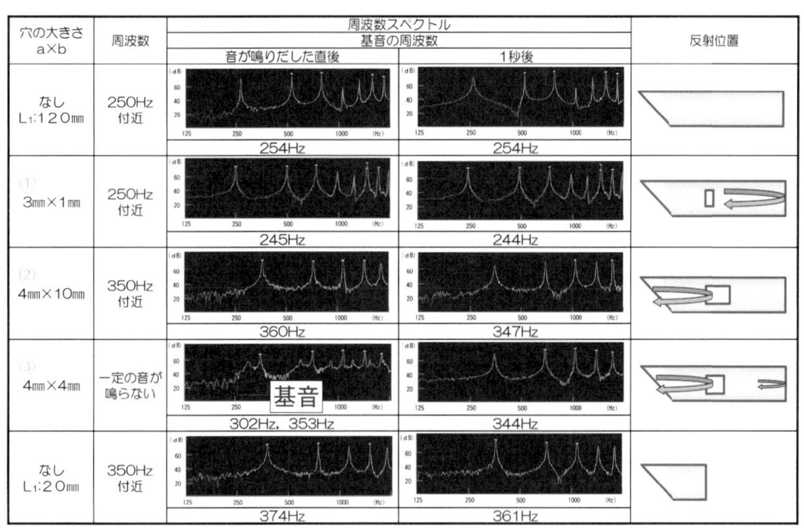

穴の大きさ a×b	周波数	周波数スペクトル 基音の周波数 音が鳴りだした直後	1秒後	反射位置
なし L1:120mm	250Hz付近	254Hz	254Hz	
(1) 3mm×1mm	250Hz付近	245Hz	244Hz	
(2) 4mm×10mm	350Hz付近	360Hz	347Hz	
(3) 4mm×4mm	一定の音が鳴らない	基音 302Hz, 353Hz	344Hz	
なし L1:20mm	350Hz付近	374Hz	361Hz	

図3　研究2の周波数スペクトルの結果および，振動の反射の考察

研究3：アルトサックスの管端で反射する振動の関係

研究1，2の内容が実際の楽器にも関係していると考え，アルトサックスの中で1つのトーンホールだけ開けることができる場所3点の音を測定した（図4）。その結果，基音が1つ，または2つ以上で構成されていた。この結果について，管端とトーンホールの両方で振動の反射が起こっていると考えられ，ストロー笛の結果と一致することが分かった。

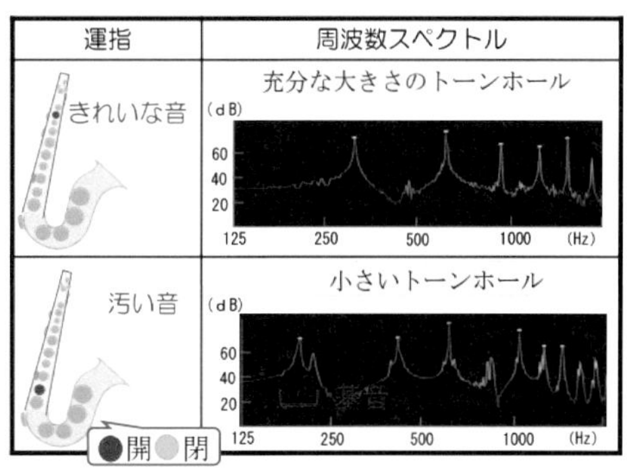

図4　アルトサックスの管端で反射する振動の周波数スペクトル

研究のまとめ

① 管が広がり過ぎると，振動の反射は管端ではなく管の途中で起こる。反射が起こる位置は，管を通る空気の流速に影響されない（研究1）。

② トーンホールの大きさが，振動の反射位置を決めている（研究2）。

③ アルトサックスにもトーンホールの大きさによって不安定な音が存在し，その機構はストロー笛と同様である（研究3）。

感想

紙で筒を作ること等大変だったが，楽器について改めて深く考えられた。今後は，マウスピースやオクターブキーの形が吹奏音に与える影響について，研究したい。

作品について

昨年から引き続き，同じテーマで研究を行われています。研究を進めていく中で疑問を抱いたことを解決したいと思ったそうです。何となく過ごしていたら見逃してしまいそうな，魅力的な現象に疑問を抱き，それを自身の吹奏楽の技能の向上，そして楽器への専門性の向上に努めたく，研究が始まりました。

この研究では，実に多くの実験が行われていました。紹介した実験を行うために，管楽器を模した自作の楽器を作成し，その楽器が今後実験で使用できるものなのか検証した上で，様々な実験が行われています。また，紙面の都合上紹介できませんでしたが，空気の流れを可視化するために，発泡スチロールビーズを使用したり，ドライアイスを活用するなど，一つの現象を明らかにするために様々な方法で実験を行っていることが印象的でした。一つの実験だけから結論を導き出すよりも，多くの実験を行い，多面的に理解を深めることで，より妥当性の高い結論を導くことができます。

一つの実験を行うことにより，新たな疑問が生まれ，その疑問を解決するために新たに実験方法を考え，検証しているところも魅力的です。トーンホールの大きさによって，音が鳴りにくくなる現象を明らかにするために，空気の流れを可視化することでその原因を追究し，結論を導き出すことができました。実際の科学においても，探究は絶えず続くものです。終わりのない疑問を，疑問で終わらすのではなく，追究する姿勢は素晴らしいですね。

研究のまとめとして，今回作成したモデルで明らかにしてきた結論を，実際の矢野さんが愛用しているアルトサックスに転移させています。モデルでは明らかになった結論も，実際のアルトサックスでも同じことが言えて初めて実りのある研究となります。アルトサックスの性質をオシロスコープや糸を使って調べ，今まで研究してきたことを根拠としてその仕組みを明らかにできたことは，とても価値があります。

研究を終えて，矢野さんは新たに管本体だけでなく，マウスピースやオクターブキーの形について調べてみたいと思っているようです。一つ結論が出ると，また新しい疑問が生まれる。探究に終わりはありません。引き続き，疑問を明らかにしようとする姿勢を大切にして，探究を進めていくことを期待したいです。

第15回 中学生の部

火口・カルデラと隕石クレーターはなぜ似ているのか？

～構造の分析と形成過程の共通点～

山田優斗（やまだ ゆうと）［武蔵高等学校中学校 3年生］

火口・カルデラと隕石クレーターの形状の類似性を、日本の火山と月クレーターのデータから分析し、その原因を実験で探った。概ね円形の凹地の地形であるため直径と深さの関係に注目したが、その定義と計測方法に苦労した。さらに解析結果からわかったカルデラとクレーターの形状の特性を小麦粉を用いた再現実験によって考察した。

I　研究の概要

研究の動機・目的

天体観測が趣味の私は時折，望遠鏡で月面を観察する。月面に見られるクレーターの起源をめぐって火山噴火説と隕(いん)石衝突説とで論争が繰り広げられてきたが，現在ではほとんどのクレーターが隕石の衝突でできたものであるとされている。しかし，隕石孔と火山性の窪(くぼ)みは類似している。外からの衝撃で穴をあけるものと，内からの衝撃で穴をあけるものがどうしてこれほどそっくりなのか，それぞれの形成にどのような共通点があるのかを明らかにしてみたいと思い，研究を行った。

実験方法

調査１　日本の火山の火口とカルデラの直径と深さ
（地理院地図　電子国土 Web 活用）

調査２　月面クレーターの直径と深さの計測
（カシミール 3D 用月地形データを利用）

実験　小麦粉で地表面や凹地を再現し，振動を加えて深さの変化を計測し，円形陥没地形の安定化を調べた。

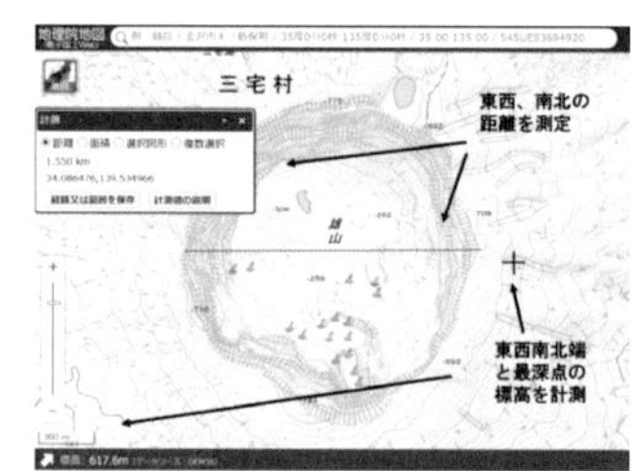

図１　調査１の計測方法

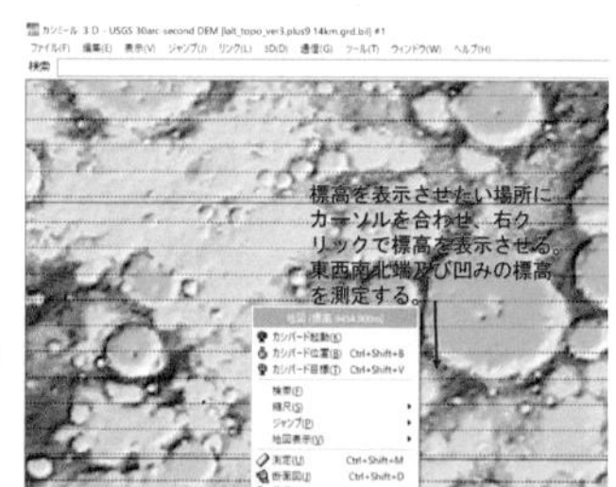

図２　調査２の計測方法

実験と結果

【調査１：日本の火口，カルデラの直径と深さの関係】

国土地理院の地図を利用，火口 25，カルデラ 18 を計測。

【調査２：月面クレーターの直径と深さの関係】

RISE 月惑星探査プロジェクトの月面データを利用。中規模クレーター 50 個について，直径と深さを求め，小規模（20 km 以下）のお椀(わん)型クレーター 14，大規模（300 km 以上）の衝突盆地 8，中間の複雑クレーターとに分けて分析した。

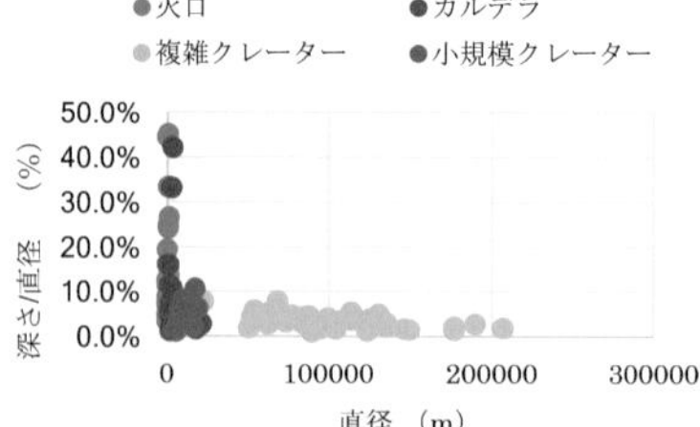

図３　直径と深さ／直径の割合の関係

調査の結果，火口もカルデラも直径が大きくなるにつれて深くなっていることが分かった。お椀型と複雑クレーターでは凹地の直径が大きくなるほど深く，お椀型の方が直径に対する深さの比率は大きいが，衝突盆地では直径と深さの関係は確認できなかった。

【実験１：円柱状凹地の形状の安定化】

プラスチック容器（縦・横 165.0 mm，高さ 55.0 mm）に小麦粉を入れて表面をならし，ペットボトルキャップ（直径 28.5 mm）を使って異なる深さの凹地を作り，淵から最深点までの深さを計測。この容器を浅い段ボールの箱に入れてガムテープで固定。

両手で前後に1分間揺すり，凹地の淵から最深点までの長さを測る。

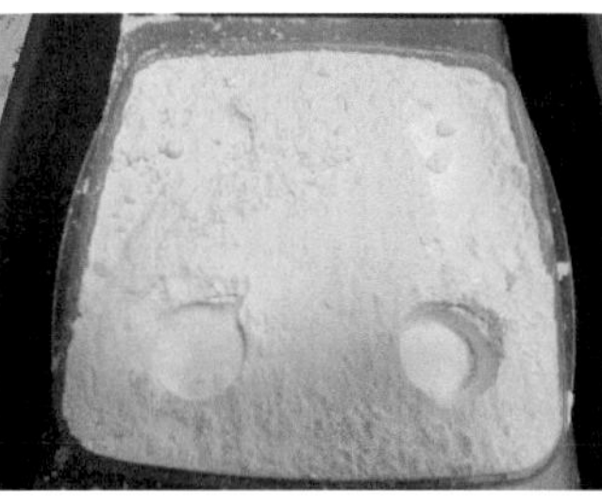

図4　実験1の様子

【実験2：直径の異なる円柱状の凹地の安定化】

スティックのり（直径19.0 mm）と茶筒（直径55.0 mm）を使って，それぞれ異なる深さの凹地を作り，実験1と同様に行った。

【実験3：直径の異なる円錐状の凹地の安定化】

直径20.0 mm，40.0 mm，60.0 mmの紙製の円錐を用い，深さの異なる円錐状の凹地を作り，実験1と同様に行った。

小麦粉を使った実験では，直径の大きさにかかわらず，変化後の深さは浅くなった。また，直径が大きいほど変化後の深さの直径に対する比率が低くなっていることが分かった。

考察

① 地球上の火口・カルデラと月面の隕石によるクレーターが似た地形に見えるが，実際はカルデラの直径と深さの比が，単純クレーターや複雑クレーターの直径と深さの比と近く，カルデラの直径が単純クレーターと同様の規模になっている。似ている原因として，陥没地形が形成時の崩壊・変形の際，地形間の深さの比率の差が小さくなることが考えられる。

② 火山性および隕石起源の凹地は，直径が大きいほど深さの直径に対する比率が小さくなるという傾向がある。これは直径が大きいほどその凹地の内部に同じ窪みの形成や浸食が起こってもその深さの比率への影響が小さいということの影響もあると考えられる。その上，大きい凹地ほど崩壊しやすく，深さの比率が小さくなりやすいということが考えられる。

さらに研究したいこと

計測方法を検討してより正確に計測し，数学的な処理や分析も行っていきたい。また，日本の火口・カルデラと月面の限られたクレーターの限られた地形しか確認しなかったので，その他の惑星でのクレーター，カルデラなどの直径と深さの関係を探ってみたい。

作品について

日常，当たり前のように見過ごしてしまっているものやあまり疑問も抱かないようなことに焦点を当て，疑問や不思議を追究していくことが科学の入り口で，何をどのように調べればよいかを考え，試行錯誤しながら知りたいことに迫っていくことが探究です。本研究は，探究的な学習・研究のモデルとなると言ってもよいでしょう。多くの中学生が参考になると思います。

望遠鏡で見るクレーターと地上の火山活動によってできた火口は，一見関連がないようにも思えますが，似ているように思えてなりません。きっと形成過程に似たような何かがあるに違いないと考え，その考えを確かめるために，自分なりの方法でデータを集めて分析したり，仮説を立ててそれを検証するためのモデル実験を考えたりしています。自分の考えを確かめるために，参考文献などを利用しながらも，できうる限り多くの計測を行って，そのデータを整理して分析しています。

実際に形成される様子を確認したり，再現したりすることは難しいですが，身近なものを使って，モデル実験を考えたり，条件を設定してそれを変えながら複数回の実験を試みています。さらに，一度行った実験を振り返り修正しているところもとてもよいと思いました。

知りたいことの中には，実際にその場にいけないこと，再現できないこともたくさんあります。現在は，いろいろな情報，知りたいデータなどが，様々な研究機関から入手できるようになりました。それをそのまま活用するのではなく，どのようにしたら自分が欲しいデータや情報を得ることができるのか，これを考えることも探究活動としては重要だと思います。今回は，国土地理院や研究機関の情報を組み合わせながら計測し，得られたデータをグラフにし，その傾向などが分かるように表現しています。

誰にでも分かるように客観的に表現し，他の人が行っても再現できることは科学研究ではとても重要なことです。今回の研究の方法以外にも探究方法はないのか，その方法でも同じような結果が得られるのか，このような視点も重要です。本研究者本人もそのことをよく分かっています。今回行った研究から得られた知見から，さらに踏み込んだ研究が行われることを期待します。

第15回　中学生の部

しみこむヨウ素、逃れるヨウ素、捕まるヨウ素

岡田 隆之介（おかだ りゅうのすけ）［仁川学院中学校 3年生］

この作品は、「デンプンとヨウ素の関係をさらに深掘りし、さまざまな物質との相互関係を見つける」というテーマで、ケン化度や吸光度などさまざまな関係性を紐解いていきました。

多くのデータを用いており、実験と測定をくり返していくうちに、「これはどうなるのか」と次の実験が楽しみでした！

I 研究の概要

研究の動機・目的

文献によると，ヨウ素はでんぷん以外にも反応して色が出る物質がある。色の付き方から，ヨウ素のふるまいを描くことができるだろうと考え，今年もヨウ素を扱った研究をすることにした。

実験方法と結果

【実験１：プラスチックとヨウ素】

〈方法〉ヨウ素もプラスチックも分子の仲間なので，なじみがよく，プラスチックの中にヨウ素がしみこんでいくのではないかと考え，8種類のプラスチック板を小さく切り，ヨウ素液5 mLを入れたガラス瓶に1日つけ，取り出して水洗いし色の付き方を見た。

〈結果〉8種類のプラスチックの中で，ヨウ素はポリ塩化ビニルによくしみこむことが分かったため，実験で使用したビニールテープ以外のポリ塩化ビニルの製品にも同様の操作を試みたところ，3か月後もヨウ素が残っていたため，軟質の塩化ビニルにヨウ素がよく結びつくことが分かった。

【実験２：PVAとヨウ素】

〈方法〉ポリビニルアルコール（以下，PVAと略称）は，PVAのり6 mLに水4 mLを加えてシャーレに流し込み，乾燥させるとシャーレからはがしやすく適度な厚みのフィルムになる。市販のPVAのり6 mLに水4 mLを加えたもの，試薬のPVA(粉状)6 gを熱水100 mLに溶かしたものにヨウ素液1 mLを加え，シャーレに流し入れ，35℃の乾燥機で1日乾燥させ，色の付き方を見た。

〈結果〉市販PVAのりは濃い褐色，試薬のPVAから調整したサンプルからは青色のフィルムができた。文献には，「完全ケン化体は希薄水溶液中でヨウ素を付加して青色を呈する」「部分ケン化PVAもヨウ素と反応して，ポリ酢酸ビニルの場合と同様に赤色を呈する」とあり，PVAは種類によってヨウ素反応の色が違うことが分かった。

（※ケン化とは，油脂とアルカリを混ぜたときに起こる加水分解反応のこと）

【実験３：PVAのケン化度の違いによるヨウ素反応の色の違い】

〈方法〉ケン化度のどのあたりから，青色と褐色に分かれるのかを調べるため，メーカーに粉状のPVAのサンプルを提供してもらった。これらを熱水で溶解してそれぞれの濃度10％の水溶液を調整し，水で薄めて各濃度のPVA水溶液をつくった。試験管にPVA水溶液5 mLを入れ，10分の1に薄めたヨウ素液10滴（0.2 mL）を加え，色を記録した。その後，4％ホウ酸水溶液を加え，色を記録した。

〈結果〉表1のように，完全ケン化体のAは濃度が高いと濃く呈色し，低くなると薄くなった。ケン化度が下がると濃度にかかわりなくすべて褐色になった。

表1　ケン化度の違いとヨウ素での発色

サンプル	ポバール銘柄	ケン化度 mol%	粘度mPa·s	濃度(%)					
				10	8	6	4	2	1
A	3-98	98.0~99.0	3.2~3.8						
B	27-96	95.5~96.5	24.0~30.0						
C	5-88	86.5~89.0	4.6~5.4						
D	48-80	78.5~80.5	45.0~51.0						
E	L-10	71.5~73.5	5.0~7.0						

また，ホウ酸を加えると，Aは4%で青く呈色し，それより濃度が高くても低くても呈色が薄くなった。完全ケン化体に近いサンプルBはすべての濃度で青色に呈色した。Bよりもケン化度が低いサンプルには変化がなかった。

表2　ホウ酸水溶液を加えたもの

サンプル	ポバール銘柄	濃度(%)					
		10	8	6	4	2	1
A	3-98						
B	27-96						
C	5-88						
D	48-80						
E	L-10						

【実験4：水溶液でない粒状PVAのヨウ素反応の色の違い】

〈方法〉ガラスシャーレに，PVAサンプルをひとさじ入れ，10分の1に薄めたヨウ素液を3滴加えて色を観察した。

〈結果〉完全ケン化体は紫色になり，部分ケン化体は褐色になった。

考察とまとめ

PVAはらせん構造を持ち，ヨウ素がらせんの中に入ると，褐色ないし青色を呈色する。褐色と青色の違いはらせんの輪の間隔だと仮定すると，完全ケン化体はらせん間隔が狭く，ヨウ素が入ると紫色を呈色する。しかし，水溶液になるとらせんの間隔が広がり，濃度が濃いうちはまだ褐色を示すが，薄くなると，もっと間隔が広がってヨウ素を包接しなくなり，発色しなくなる。そこへホウ酸イオンが入ると，またらせんの輪の間隔が狭くなり，青色を呈するようになる。不完全ケン化体は，アセチル基があるので，らせんの間隔がある程度狭く，ヨウ素が包接され，褐色を呈色する。水溶液になってもらせんは変わらず，ホウ酸イオンを加えても，褐色のままであった。ヨウ素液での呈色から，PVAの分子の形を推定することができて大変興味深かった。

さらに研究したいこと

PVAが褐色の時と青色の時とで包接できるヨウ素の量に違いがあるか調べてみたい。

作品について

岡田さんの作品は，前年度行ったでんぷんとヨウ素の研究を発展させ，デンプンと同じ高分子であるプラスチックやポリビニルアルコール（PVA）へのヨウ素の呈色反応を調べた研究です。まず，実験１では様々な種類のプラスチックからヨウ素が最もしみこみやすいプラスチックを見つけ出しています。この実験の良いところは，１日後の実験結果だけでなく，３ヶ月後の実験結果まで長期的に調べていることです。このように，反応の持続性を調べることは，物質の性質の違いを理解する上で，とても大切なことです。

次に，実験２から，PVA の種類によってヨウ素との反応による発色の違い（褐色か青色）があることに気づき，文献からも同じような結果になることが確かめられました。そして，「文献では PVA のケン化度がどのあたりから，褐色か青色に分かれるかは明らかになっていない」という観点から，今回の岡田さんの研究の課題が設定されました。研究のメインとなる課題の設定は，実験１のように様々な材料を用いて長期的に実験したことや文献をよく調べ吟味すること等，岡田さんの地道な努力や分析力があったからこそ生まれたものだと思います。

実験３では，メーカーに協力していただき，たくさんの種類のケン化度の PVA の濃度とヨウ素溶液やホウ酸水溶液での呈色について初めて明らかにすることができました。また，実験４では水溶液でない粒状の PVA に直接ヨウ素液をかけて，完全ケン化体は紫色になり，部分ケン化体は褐色になることを確かめることができました。岡田さんは，これらの実験から，PVA を水溶液にしたとき，水溶液の濃さによって PVA のらせん構造の輪の間隔が変化し，褐色や青色といった違いが出ると結論づけました。PVA という一つの物質にも，ケン化度の違いや直鎖状や枝分かれ状と言った様々な構造の違いがあり，ヨウ素の呈色反応の違いから PVA の分子の形を推定できることができるようになりました。このような実験において，綺麗（きれい）な数値として結果が得られるのは単純なことではなく，多くのサンプルとその水溶液の細かい濃度調整や試薬の体積測定など緻密な実験操作の積み重ねから成り立っています。このように，岡田さんの研究は，先行研究で明らかにされていなかったところを課題として設定し，その実験結果を分かりやすく数値でまとめているからこそ，大変素晴らしく，興味深い研究となったのだと思います。

今後は，PVA のらせん構造の輪の間隔がヨウ素の呈色反応にどう影響を与えているのか，様々な実験を通してさらに分析し，明らかにしてほしいと思います。

第15回 中学生の部

カタツムリの研究 パートⅧ

～殻をきれいに保つワケ～

片岡 嵩皓（かたおか たかひろ）［出雲市立第三中学校 3年生］

カタツムリが殻をきれいに保つ「ワケ」までは未だ解明されていないそうです。そこで僕が解明しました！殻が汚れたままだと、粘液の変化、体温低下、体力消耗、免疫力低下など、生命の危機にさらされてしまうから、汚れるのを防ぐ必要があったのです！
また防汚のしくみは、溝の凸凹、殻皮、粘液、行動の工夫の4条件でした！

Ⅰ 研究の概要

研究の動機・目的

これまでのカタツムリの研究中，殻がいつもきれいであることがずっと不思議だった。防汚の構造については先行研究があるが，必要性については未解明とのこと。そこで，「なぜ殻をきれいにする必要があるのか？」を突きとめることを目的とした。

実験と結果

○殻が汚れる場面での行動

色々な天候で観察したが，泥まみれになる場面はなく，顔が届く部分はなめて，きれいになってから活動を始めた。他の個体がなめたり，殻を振り回したり，葉にこすりつけることもあった。

○殻の表面の構造

縦・横それぞれに溝が一面にあった。汚れは溝の凸部に乗るだけで，凹部にはつかない。溝に水が流れると，乗っていた汚れが浮き，流される構造になっていた（図 1）。

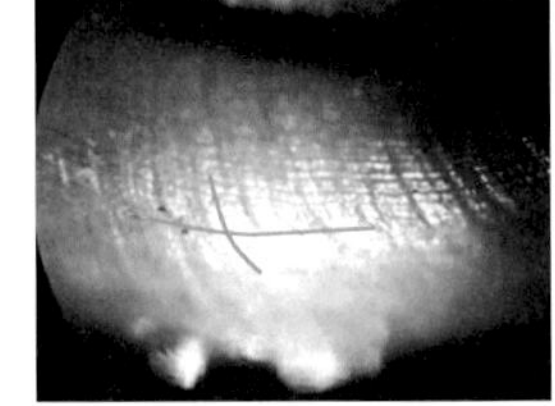

図 1　殻の表面構造

○殻に汚れが付着した時の温度変化

水に濡(ぬ)れたら，最初 30 分で約 0.6℃下がったが，その後はそのまま比較用と平行に推移した。泥汚れは，初めは泥を嫌って動いたので体温が少し高かったが，その後は 30 分ごとに約 0.6℃ずつ下がっていった（図 2）。

○殻を遮光した時の温度変化と粘液の変化

黒色の膜で覆う（遮光）方が，透明の膜で覆う（採光）よりも温度変化が大きかった。膜が嫌で殻を揺らしていた時だけ温度上昇し，殻にこもって動かなくなると温度は下降した（図 3）。膜で覆うと，分泌する粘液が粘っこくなった。特に黒色の膜の方が粘度が強かった。

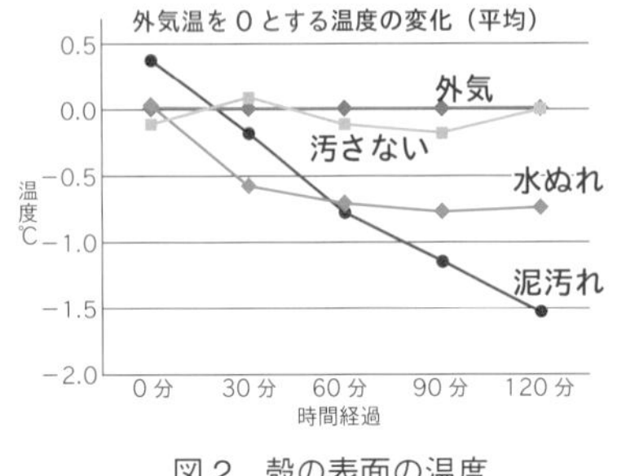

図 2　殻の表面の温度

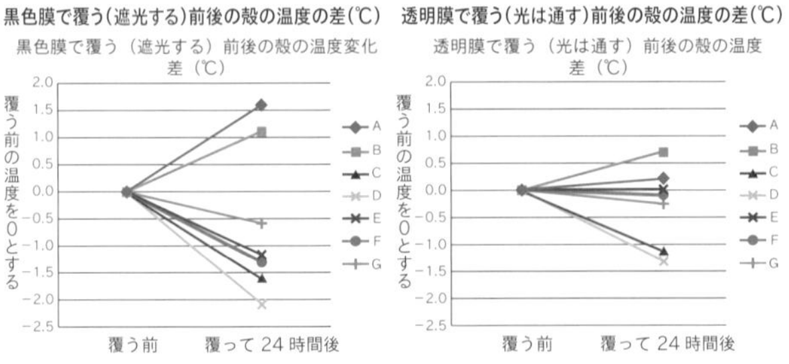

黒色膜で覆う（遮光する）前後の殻の温度の差（℃）　透明膜で覆う（光は通す）前後の殻の温度の差（℃）

図 3　遮光したときの温度（A～G は個体名）

○殻の主成分の代用品を，ベンゼン（有害物質）中に置いた時の変化

箱の中に何も置かない時は計測上限の 10 ppm を超える残留ベンゼンを検知したが，

対象物ではその約6〜7割だった（図4）。カタツムリの殻はカルシウムやキトサンとほぼ同量，反応の濃さはキトサンと同様，管口の変色はケイ素とキトサンの間，クロム酸の変色はケイ素と同様だった。

○カタツムリ以外の貝類の汚れの落ち方

図5で示した手順で汚れの落ち方を調べた。きれいになった順は，生きたカタツムリの殻＞死んだカタツムリの殻皮＋粘液＞アサリ＋カタツムリの粘液＞バイ貝＋カタツムリの粘液＞死んだカタツムリの殻皮＞アサリ＞バイ貝だった。

死んだ殻でもカタツムリの殻皮が残っている部分はきれいになった。殻皮がなくても，カタツムリの粘液をつけたら，きれいになった。溝の深さ ＋ 殻皮の新鮮さ ＋ 粘液 の3条件がそろうほど，汚れをよくはじいていた。

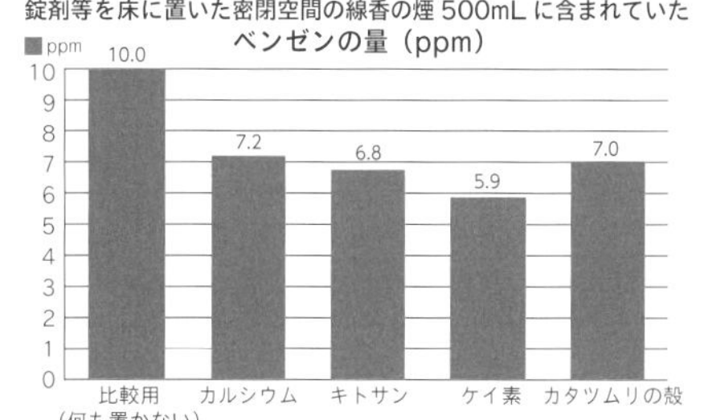

図4　容器内に残留していたベンゼンの量

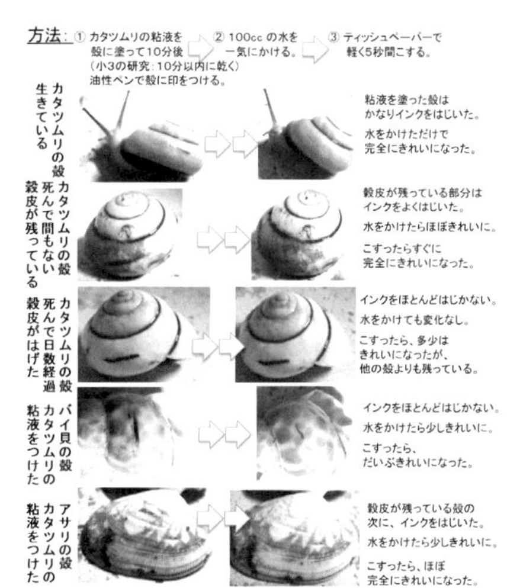

図5　貝殻に付けた汚れの落ち方

考察・まとめ

・「カタツムリの殻の防汚機能」

汚れを凸部に乗せる「溝」，海の貝にはない汚れをはじく「殻皮」，なめて付ける「粘液」のバリア，および「行動の工夫」が鍵だった。

・「なぜ殻をきれいにする必要があるのか？」

汚れたままでは，体温低下，体温変動，粘液が粘っこくなる，免疫力低下，日光不足，有害物質にさらされる，体力消耗など，生きていくうえで悪影響が起きてしまい，生命存続の危機となり得る。それを防ぐために，殻をきれいに保っておく必要がある。

太古に水中から陸に上がったカタツムリは，大気や土壌の汚染にさらされることになるが，カタツムリ特有の「殻皮」を獲得することにより，身を守り生き続けられたのだろう。

・「殻をきれいに保つための行動の工夫」

汚れを自分や仲間同士が粘液でなめあう，汚れる場所に行かない，風が吹く日は外へ出ない，殻を振り回したり，こすりつける等，身を守るための行動が多数ある。

中学生の部

作品について

これまで７年間研究しているカタツムリの殻が汚れていないことについて，様々な方法で，その「必要性」を解き明かそうとしている作品です。紙面には紹介しきれていませんが，この他にもカドミウムを付着させたときの変化やベンゼンに曝（さら）したときの表面の変化やpHの変化など，実に様々な実験や観察を行っています。最終的には，これらの実験をまとめた表（右図）を作り，それをもとに結論を導いています。

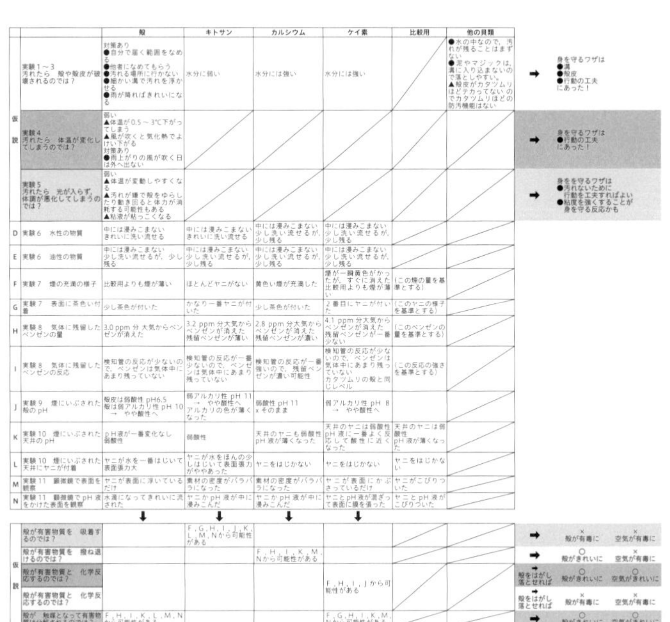

		殻	キトサン	カルシウム	ケイ素	比較用	他の貝類	
仮説	実験１～３ 汚れたら　殻や殻皮が破壊されるのでは？	対策あり ●自分で届く範囲をなめる ●他者になめてもらう ●汚れる場所に行かない ●細かい溝で汚れを浮かせる ●雨が降ればきれいになる	水分に弱い	水分には強い	水分には強い		●水の中なので，汚れが残ることはまずない ●泥やマジックは，溝に入り込まないので落としやすい。 ▲殻皮がカタツムリほどテカってないのでカタツムリほどの防汚機能はない	➡ 身を守るワザは ●溝 ●殻皮 ●行動の工夫 にあった！
仮説	実験４ 汚れたら　体温が変化してしまうのでは？	弱い ▲体温が0.5～3℃下がってしまう ▲風が吹くと気化熱でよけい下がる 対策あり ●雨上がりの風が吹く日は外へ出ない						➡ 身を守るワザは ●行動の工夫 にあった！
仮説	実験５ 汚れたら　光が入らず，体調が悪化してしまうのでは？	弱い ▲体温が変動しやすくなる ▲汚れが嫌で殻をゆらしたり動き回ると体力が消耗する可能性もある ▲粘液が粘っこくなる						➡ 身をを守るワザは ●汚れないために行動を工夫すればよい ●粘度を強くすることが身を守る反応かも
D	実験６　水性の物質	中には浸みこまない きれいに洗い流せる	中には浸みこまない きれいに洗い流せる	中には浸みこまない 少し洗い流せるが，少し残る	中には浸みこまない 少し洗い流せるが，少し残る			
E	実験６　油性の物質	中には浸みこまない 少し洗い流せるが，少し残る	中には浸みこまない 少し洗い流せるが，少し残る	中には浸みこまない 少し洗い流せるが，少し残る	中には浸みこまない 少し洗い流せるが，少し残る			
F	実験７　煙の充満の様子	比較用よりも煙が薄い	ほとんどヤニがない	黄色い煙が充満した	煙が一瞬黄色がかったが，すぐに消えた 比較用よりも煙が薄い	（この煙の量を基準とする）		
G	実験７　表面に茶色い付着	少し茶色が付いた	かなり一番ヤニが付いた	少し茶色が付いた	２番目にヤニが付いた	（このヤニの様子を基準とする）		
H	実験８　気体に残留したベンゼンの量	3.0 ppm 分 大気からベンゼンが消えた	3.2 ppm 分大気からベンゼンが消えた 残留ベンゼンが薄い	2.8 ppm 分大気からベンゼンが消えた 残留ベンゼンが濃い	4.1 ppm 分大気からベンゼンが消えた 残留ベンゼンが一番少ない	（このベンゼンの量を基準とする）		
I	実験８　気体に残留したベンゼンの反応	検知管の反応が少ないので，ベンゼンは気体中にあまり残っていない	検知管の反応が一番少ないので，ベンゼンは気体中にあまり残っていない	検知管の反応が一番強いので，残留ベンゼンが濃い可能性	検知管の反応が少ないので，ベンゼンは気体中にあまり残っていない カタツムリの殻と同じレベル	（この反応の強さを基準とする）		
J	実験９　煙にいぶされた殻のpH	殻皮は弱酸性 pH6.5 殻は弱アルカリ性 pH 10 → やや酸性へ	弱アルカリ性 pH 11 → やや酸性へ アルカリの色が薄くなった	弱酸性 pH 11 x そのまま	弱アルカリ性 pH 8 → やや酸性へ			
K	実験10　煙にいぶされた天井のpH	pH液が一番変化なし 弱酸性	弱酸性	天井のヤニも弱酸性 pH液が薄くなった	天井のヤニは弱酸性 pH液に一番よく反応して酸性に近くなった	天井のヤニは弱酸性 pH液が薄くなった		
L	実験10　煙にいぶされた天井にヤニが付着	ヤニが水を一番はじいて表面張力大	ヤニが水をほんの少しはじいて表面張力がややあった	ヤニをはじかない	ヤニをはじかない	ヤニをはじかない		
M	実験11　顕微鏡で表面を観察	ヤニが表面に浮いているだけ	素材の密度がバラバラになった	素材の密度がバラバラになった	ヤニが表面にかぶさっているだけ	ヤニがこびりついた		
N	実験11　顕微鏡でpH液をかけた表面を観察	水滴になってきれいに流された	ヤニかpH液が中に浸みこんだ	ヤニかpH液が中に浸みこんだ	ヤニとpH液が混ざって表面に膜を張った	ヤニとpH液がこびりついた		

		殻	キトサン	カルシウム	ケイ素	比較用	他の貝類			
仮説	殻が有害物質を　吸着するのでは？		F，G，H，I，J，K，L，M，Nから可能性がある					➡	× 殻が有毒に	× 空気が有毒に
仮説	殻が有害物質を　撥ね退けるのでは？			F，H，I，K，M，Nから可能性がある				➡	○ 殻がきれいに	× 空気が有毒に
仮説	殻が有害物質と　化学反応するのでは？				F，H，I，Jから可能性がある			➡ 殻をはがし落とせれば	○ 殻がきれいに	○ 空気がきれいに
仮説	殻が有害物質と　化学反応するのでは？				F，H，I，Jから可能性がある			➡ 殻をはがし落とせれば	× 殻が有毒に	× 空気が有毒に
仮説	殻が　触媒となって有害物質は分解されるのでは？	F，H，I，K，L，M，Nから可能性がある			F，G，H，I，K，M，Nから可能性がある			➡	○ 殻がきれいに	○ 空気がきれいに

これだけの研究を行えた原動力は，まだ誰も研究していないことを自分が突き止めたい，という強い思いに他ならないのではないでしょうか。片岡さんは，自分が不思議に思ったことについて，まずはしっかりと下調べをしています。その中で，誰にも踏み入れられていないまっさらな部分を見つけたのでしょう。その時のワクワク感は研究者ならではのものです。この感覚を知ってしまったら，これからも研究の面白さにどっぷりとはまり，また新たなテーマに挑戦し続けてくれるのだろうと，期待しています。

さて，本作品のテーマであるカタツムリの殻が汚れにくいことをヒントにして，実際に防汚外壁タイルが開発されています。このように，生物の体の構造をもとに，我々の生活に役立つ様々な技術が生み出されています。例えば，オナモミが毛にくっつきやすいことを模倣した面ファスナー，タコの吸盤や犬の肉球にヒントを得た滑らない靴，蚊のように刺されても痛くない注射針など，皆さんの身近でもたくさん活躍しています。生物の体は実に巧妙で，まだまだ不思議にあふれています。片岡さんのように愛情とリスペクトを持って生物に接し観察していけば，きっと未踏の研究テーマに出会えるはずです。

茨城県のトンボの体色変化

トンボの研究 パート11

井上 善超（いのうえ よしき） ［つくば市立手代木中学校 1年生］

賞をいただけて、長年トンボの採取を続けて良かったと思いました。私が幼稚園の頃、兄がトンボの自由研究を始めたのがきっかけでした。兄とは私が小学生の間まででしたが、一緒にやれて楽しかったです。マクロの組み立てと統計処理計算は骨が折れましたが、兄との思い出とデータが積み重なった最高の研究作品に仕上がりました。

Ⅰ 研究の概要

研究の動機・目的

茨城県で8年間かけて行ってきたトンボの調査により，ヤゴの成長過程や羽化期間が種によって著しく異なること，鮮やかな体色を持つ種類が多く存在し雌雄や近縁種間でも大きく異なること，一個体が成虫になってからの成熟度合いによって体色を大きく変化させることが明らかになった。そこで今年は，トンボの出現時期の経時的変化を追い，成虫のトンボの体色変化や雌雄の差を種ごとに探求することと，希少種の発生や絶滅危惧種の観察を目的として，調査を継続することにした。

実験方法

〈トンボおよびヤゴの調査〉2013年～2021年にトンボとヤゴおよびヤゴの羽化殻を採取し，そのうち茨城県内206ケ所で採取したものを検討した。終齢幼虫と判断したヤゴは持ち帰り飼育した。採取したトンボ10,072匹の採取日を記録し，週ごとに区切り採取数を数えた。

〈トンボの画像解析処理〉トンボの画像から婚姻色を抽出するために，ImageJ（Version 1.53k Java 1.8.0_172 2021-07-06）のパッケージFijiを用いて三原色の分離を行った。次に，赤，緑，青，黄色の各色の全色に対する面積比率を算出し，採取日に対する各色比についてPearsonの相関係数を用いて$r > \pm 0.7$，Fisherの有意性検定$p > 0.05$となった場合に強い相関関係があると判定した。

実験と結果

【実験1：今年採取したトンボ，ヤゴおよび羽化殻，羽化観察】

今年，初めて採取したトンボの2種（図1左）を加え，75種のトンボを採取，ヤゴは新たに4種（図1右）を加え，ヤゴ52種，羽化殻55種を採取した。

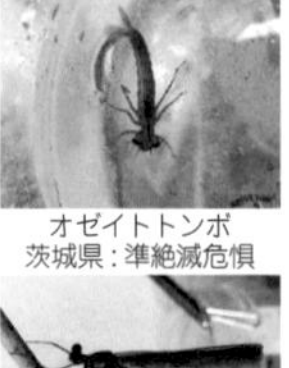

図1　今年新しく採取したトンボ，ヤゴおよび羽化殻

【実験2：9年間における週ごとのトンボの出現率】

未成熟のトンボの体色変化を追ったところ，期間は種によって様々で，シオカラトンボやショウジョウトンボ，イトトンボ科などでは8週間程度と短く，年に数回未成熟の期間が見られた。ナツアカネやアキアカネ等のアカネ属では，11～15週間と長く，3か月もの長い間未成熟期間に体色が変わる途中のトンボを採取することができた。

【実験3：トンボの体色変化のパターン】

トンボの体色変化のパターンは図2のようになった。画像解析処理を行ったところ，婚姻色が赤，緑色のものは成熟が進んでも黄色を残しているが，青や白のものは残していなかった。オレンジ，ピンクから黄緑色になるトンボは，赤と緑のどちらかが抽出された。

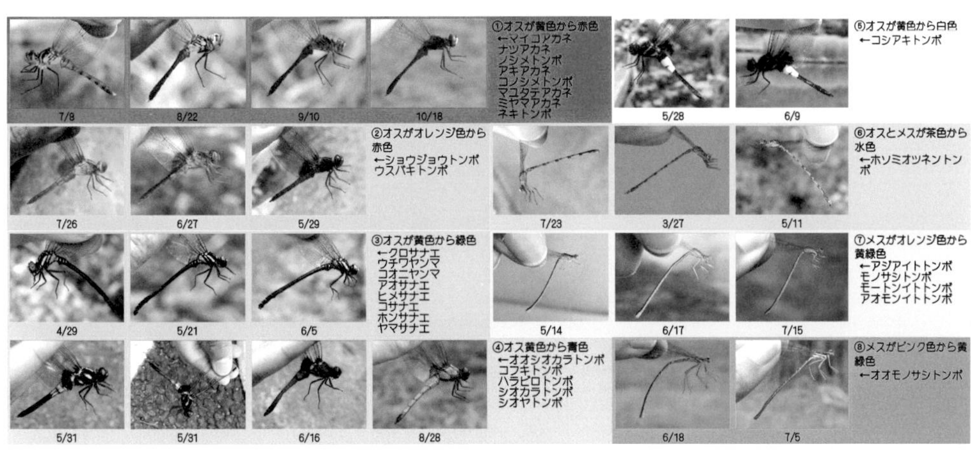

図2　トンボの体色変化のパターン

【実験4：婚姻色の面積比率と採取日の関係】

採取した日付が異なる画像から抽出した婚姻色の全色に対する面積比率と採取日の関係を分析したところ，11種のトンボで強い相関が確認でき，黄色と赤色，黄色と緑色が抽出されるトンボが多かった（図3）。

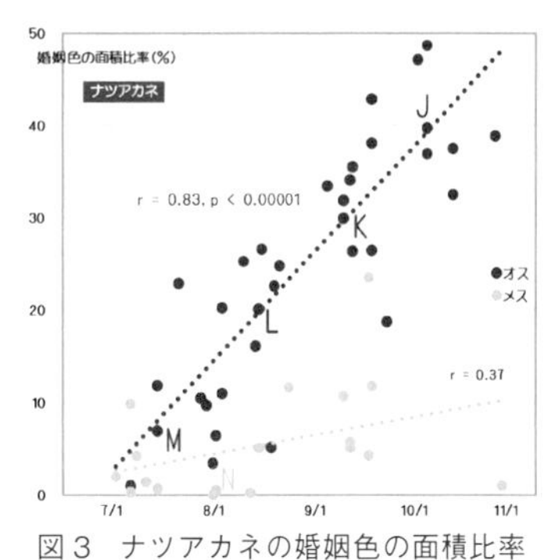

図3　ナツアカネの婚姻色の面積比率と採取日の関係

考察

① 実験4より，羽化直後はオスもメスも同じ色調の体色であるが，その後，オスだけ婚姻色の面積比率が増えていく。

② 赤色を婚姻色とするアカネ属のほとんどの種で，面積比率と採取日に相関がある。婚姻色の増加は，産卵行動のきっかけとなっているようには見えない。

③ 青色を婚姻色とするシオカラ属では面積比率と採取日に相関が見られなかったのは，年に2，3回発生を繰り返し，成虫の未成熟期間が短かったためと考えられる。

さらに研究したいこと

トンボの体色ではなく複眼が徐々に変化することもあるので，別の評価方法を考える必要がある。来年もヤゴと水辺の環境の関わりについてさらに研究を進めたい。

作品について

今年で９年目となるトンボの調査は，井上さんが幼稚園に通っていたころ，お兄さんがトンボの自由研究を始めたことがきっかけになったそうです。井上さんからは，「兄とは私が小学生の間まででしたが，一緒にやれて楽しかったです。マクロの組み立てと統計処理計算は骨が折れましたが，兄との思い出とデータが積み重なった最高の研究作品に仕上がりました」とコメントをいただきました。井上さんやお兄さんに直接，お会いしたことはありませんが，作品を拝読し，茨城県各地に赴き，観察や採集に熱中する姿が目に浮かびました。時間をかけて自ら調査して得たデータ量もさることながら，分析方法にも工夫と努力が感じられます。９年間のデータを，日付を基として週ごとにまとめていますが，出現時期や体色の変化に影響を与えると考えられる他の要因についてさらに検討すると，データから何か新たに浮かび上がってくるのではないかと思いました。また，トンボは，赤・青・黄・緑と体色が多様であるだけでなく，色覚能力が極めて高く，色覚に関わる遺伝子をヒトに比べて多く持っていることが知られています。ヒトとは見え方が異なることを考慮すると，この研究の視点の幅が広がるのではないかとワクワクしながら最後まで読みました。来年はヤゴと水辺の環境の関わりについてさらに深めたいとのこと，さらなるご活躍を期待しております。

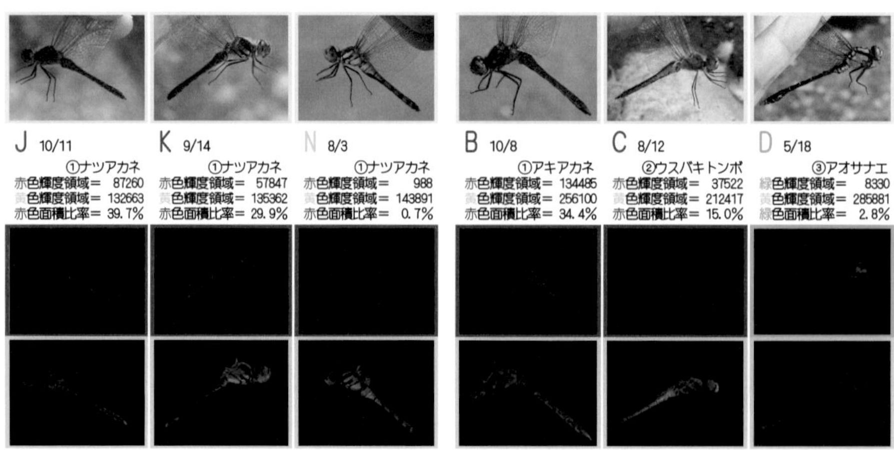

図４　トンボ画像処理による各色の面積比率の比較

中学生の部

第16回 中学生の部

方位磁針を用いた地球磁場に関する研究（2）

方位磁針で伏角を知ることができないだろうか

茶屋本 悠司（ちゃやもと ゆうし）［長崎大学教育学部附属中学校 1年生］

このレポートは、高価な伏角計を使わずに方位磁針を使い、計算によって伏角を導き出せるようになっています。僕がこのレポートで苦労した点は、弱い地磁気での着磁量を方位磁針でどのように測定できるかを考えて、繰り返し実験した点です。また、自作の「微小磁石群」を用いて、釘の効果的な着磁方法を考えた点です。

Ⅰ 研究の概要

研究の動機・目的

昨年，鉄釘（くぎ）での着磁や消磁に関する研究を行った。その研究で，強い磁界において力学的影響や電磁気的影響などを与えることで，普通に着磁させたときと比べて鉄釘の着磁量がより増加することが明らかになった。この研究成果を活用することで，弱い地球磁場でも同様に鉄釘を着磁することができ，その着磁量を活用することで伏角を求めることができると考えた。そこで，本研究では，弱い地球磁場で鉄釘を着磁させ，伏角を求めることができるか明らかにすることを目的とした。

研究1：伏角の求め方及び地磁気による鉄釘の着磁のさせ方

伏角計を使用しなくても，水平方向の着磁量（$F_{水平}$）と鉛直方向の着磁量（$F_{鉛直}$）が分かれば，伏角を求めることができると考えた（図1）。伏角は以下の計算過程を経て求まるのではないかと考えた。

$$tan\,(伏角) = F_{鉛直} \div F_{水平} \qquad 伏角 = tan^{-1}\,(F_{鉛直} \div F_{水平})$$

それぞれの着磁量は，写真のように鉛直方向と水平方向にコイルを置き，コイルの中に鉄釘を入れ着磁させることによって求めた（図2・3）。その値を，上式に代入した伏角を求めることにした。なお，地球磁場は磁力が弱く着磁量が少ないため，電磁気的影響や力学的振動を与えることで着磁させた。

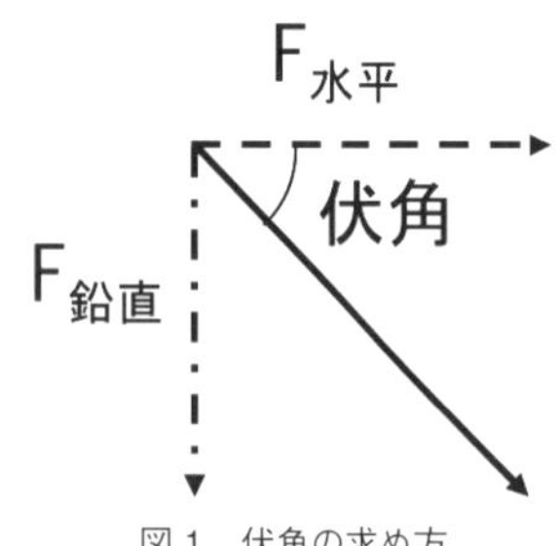

図1　伏角の求め方

図2　鉛直方向の着磁方法

図3　水平方向の着磁方法

研究2：方位磁針による着磁量の測定（図4）

① 画用紙に十字線を書き，方位磁針を上に置いた。

② 方位磁針の南北が十字線の縦線と重なるようにした。

③ 着磁した鉄釘を方位磁針に近づけ（距離 10，13，15 mm），それぞれの距離における方位磁針の針の傾きを記録し，着磁量とした。

なお，測定誤差を最小限にするために測定する場所を固定し，方位磁針は A，B，C の3種類を使用した。

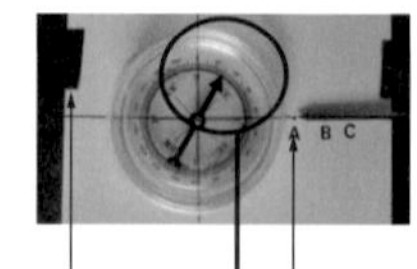

方位磁針の振れ角（＝着磁量）

図4　着磁量の測定方法

研究3：研究1・2の結果から求めた伏角の大きさの妥当性

電磁気的影響と力学的振動を与えて地磁気によって着磁させた鉄釘の着磁量は，表1・2のようになった。また，それぞれの結果から伏角の大きさを求めると表3のようになった。

表1　電磁気的影響の結果

平均（°）		距離（mm）		
		10	13	15
$F_{鉛直}$	A	34	25	20
	B	30	23	20
	C	40	30	22
$F_{水平}$	A	35	22	19
	B	30	20	18
	C	40	29	25

表2　力学的振動の結果

平均（°）		距離（mm）		
		10	13	15
$F_{鉛直}$	A	28	21	18
	B	26	22	19
	C	33	23	20
$F_{水平}$	A	28	20	18
	B	26	22	19
	C	31	21	18

表3　伏角の計算結果

伏角（°）		距離（mm）			
		10	13	15	平均
電磁気的影響	A	32	49	47	43
	B	45	49	48	47
	C	45	46	42	44
力学的振動	A	45	47	45	46
	B	45	45	45	46
	C	47	48	48	48

表3より，電磁気的影響の伏角平均は45°，力学的振動の伏角平均は46°であることが分かる。国土地理院が示す長崎の伏角は45°であることから，求めた伏角の大きさにはほとんど誤差がないことが分かる。つまり，研究1・2の方法によって伏角計を使用しないで，伏角を求めることができることが明らかになった。

研究4：自作の微小磁石群を用いたモデル実験

鉄の分子モデルのような微小磁石群のモデルを作成し（図5），油と共に瓶に入れた（図6）。磁石で普通に着磁したときと，電磁気的影響と力学的振動を与えて着磁したときの着磁量を方位磁針の振れ角で測定し（図7）比較した結果，次のことが明らかになった。

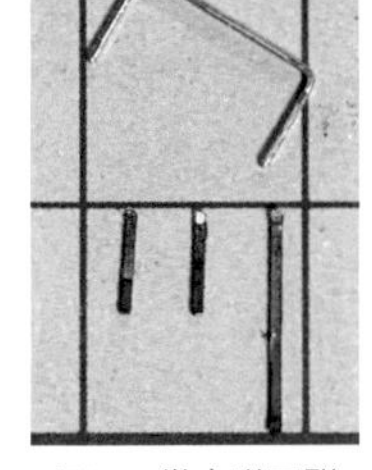
図5　微小磁石群

図6　モデル

① 力学的振動と電磁気的影響を与えることで，着磁量はそれぞれ約2倍，約1.5倍に増加した。

② 微小磁石群が力学的振動，電磁気的影響により動きやすくなり，磁石の磁界の向きに揃（そろ）いやすくなったため，着磁量が増えたと考えられる。

図7　着磁量の測定方法

研究のまとめ

① 地磁気の中で水平北向きと鉛直向きの磁場方向での磁場の着磁の強さを測定した結果と，2力の合力の大きさとベクトル図より伏角を求めることができた。

② 自作した微小磁石群のモデル実験により，交流磁場の電磁気的振動や力学的振動で，どうして着磁量が増えるのかを推論することができた。

作品について

昨年の研究からさらに発展させて研究が行われています。昨年の研究で明らかになったことから地磁気でも同じ実験が行えるのではないかと疑問を抱き，もし地磁気で着磁させることができれば地球の伏角を求めることができるのではないかというさらなる疑問に発展し，今年の研究が始まりました。

この研究では，伏角の求め方を生み出すことから始まりました。その結果，逆三角関数を使用することで伏角を求められることを見出しました。これにより，高価な伏角計を使わずとも，安価な方位磁針で伏角を求めることができるようになったのです。次に，昨年より行っている着磁量を求める実験を行い，計算によって伏角を求め，国土地理院のデータと比較して結果の誤差が少なかったことから，伏角を求めることができたことが明らかになりました。

この一連の流れに，科学的な研究として評価すべき点があります。実験によって伏角を求めて，その結果が予想していた値とほぼ等しかったことから，茶屋本さん自身が考えた伏角の求め方，方位磁針で着磁量を求める方法，着磁量から伏角を求める方法が確からしいことを証明することができたのです。

学校の授業では，実験の方法やその結果から考えられることなど，既存の方法で行うことが多いと思いますが，今回は全て茶屋本さん自身で考えて行った結果です。その一つひとつが確からしかったと証明できたことは，茶屋本さんの自信にもつながるはずです。頭の中でこうなるだろうなと予想していたことが目の前で実現できるのは，科学の醍醐味（だいごみ）ですね。

研究の結びとして，モデル実験に取り組みました。予想していた実験結果が得られたことで茶屋本さんの考えは確からしいことが証明されただけで，電磁気的影響や力学的振動を与えることで着磁量が増加することの仕組みを明らかにすることはできていません。そこで，身近な物を利用して鉄の分子をイメージした微小磁石群を作成し，実際に追加実験を行い，観察した結果からその仕組みまで明らかにしようとするその姿勢は素晴らしいものです。

今回の研究では，様々なプロセスを踏んで結論を導き出すことができました。今回の研究で得たものを，ぜひ，今後別の研究に生かしてもらえることを期待しています。

第16回 中学生の部

簡易紫外線測定機による日焼け対策の検討

～フォトクロミズムを利用した実験を通して～

芦ヶ原（よしがはら） 智之（ともゆき）［筑波大学附属中学校 2年生］

私は夏休みに、趣味のテニスを何日も外で長時間していたので肌が黒く焼けてしまいました。そこで、日焼けを少しでも抑えるためにこの研究を行いました。工夫した点は紫外線で色が変わる、フォトクロミズムの仕組みを利用して紫外線の量を測ることができるようにしたことです。今年の夏は晴れの日が少なく苦労しました。

I 研究の概要

研究の動機・目的

炎天下の中で長時間，屋外でテニスをしたため，例年よりも肌が黒く焼けてしまった。日焼けやその対策についてしっかりと理解し，少しでも日焼けを防ぐ方法を調べてみることにした。

実験方法

【紫外線の強度測定方法】

フォトクロミズム（光の作用により単一の化学種が，分子量を変えることなく色の異なる二つの異性体を可逆的に生成する現象）の仕組みを利用して紫外線量を測定できるようにした。UV CHECKER（一枚100円程度）やデジタルカメラの使用，撮影時の色温度（ホワイトバランス）の固定，撮影データのRGB値からオリジナルの指標X（X = R − G）を定義し，紫外線量を比較した。

図1　UV CHECKER

表1　UV CHECKERの色の変化

紫外線量	最多 →	→	→	→	→	→	→	→ 多
UV CHECKER								
R(領域平均)	74.9	76.6	77.5	78.5	79	79.2	80.9	81.5
G(領域平均)	35.1	38.7	41.4	43.7	45.6	47.7	50.5	52.4
B(領域平均)	34.6	37.2	39	40.7	41.5	42.7	44.8	45.6
X	39.8	37.9	36.1	34.8	33.4	31.5	30.4	29.1

紫外線量	多 →	→	→	→	→	→	→	→ 少
UV CHECKER								
R(領域平均)	82.2	80.9	81.9	82.4	81.1	82.5	82	82
G(領域平均)	54.1	53.8	56	57.4	56.7	59.7	59.7	60.6
B(領域平均)	46.6	45.3	46.4	47.1	46	48	47.5	47.6
X	28.1	27.1	25.9	25	24.4	22.8	22.3	21.4

紫外線量	少 →	→	→	→	→	→	→	→ 最少
UV CHECKER								
R(領域平均)	82.4	81.4	82.2	83.4	83.6	82.9	86.8	89.1
G(領域平均)	61.9	61.2	62.8	65.4	67.3	67.9	74.5	76.9
B(領域平均)	48.3	47.6	48.8	50.9	51.2	51.1	56.8	56.8
X	20.5	20.2	19.4	18	16.3	15	12.3	12.2

実験と結果

【実験１：衣服の生地の違いによる日焼け具合】

自分の持っている衣服（テニスウェア２着，Ｔシャツ，通学に使っているワイシャツ）の紫外線の通り具合を調べた。UV CHECKERを衣服に入れ，１分間太陽に向けた後，日陰で迅速に写真を撮影した。撮影したUV CHECKERのRGB値からオリジナルの指標Ｘを求めて，紫外線量の比較を行った。

シャツＣが最も厚く，シャツＤが最も薄いので紫外線を通すと予想し，実験を行ったところ，結果として紫外線の通し具合は，下記の通りとなった。

シャツＤ ＞ シャツＡ ＞ シャツＣ ＝ シャツＢ

表２　実験１の結果

	シャツA	シャツB	シャツC	シャツD
シャツの写真	部活の ユニフォーム			学校の制服
素材	ポリエステル 100%	ポリエステル 100%	綿 100%	ポリエステル 65% 綿 35%
UV CHECKER				
R（領域平均）	68.5	67.4	67.1	66
G（領域平均）	62.8	62.9	62.5	53.7
B（領域平均）	62	58.8	57.4	49.3
X	5.7	4.5	4.6	12.3

【実験２：日焼け止め剤の種類と効果】

日焼け止め剤 A（紫外線吸収剤タイプ），日焼け止め剤 B（紫外線吸収剤と紫外線散乱剤のミックスタイプ），日焼け止め剤 C（自作の紫外線散乱剤タイプ）の異なる３種類で，紫外線をブロックする効果が時間的にどのくらい持続するかを調べた。

UV CHECKER 上に透明シートをのせ，UV CHECKER の丸い部分（測定部分）にそれぞれの日焼け止め剤を塗った。

X0 に対する割合によると，吸収剤は時間経過により劣化し，散乱剤は劣化しないことが確認できた。

表３　実験２の結果

	経過時間	0分	20分	40分	60分	80分	100分	120分
日焼け止め無	UV CHECKER							
	R0	91.9	90.4	94.1	93.0	92.0	93.7	92.1
	G0	72.4	70.0	82.9	82.1	81.8	83.1	79.5
	B0	71.2	70.6	79.5	79.8	80.8	80.2	76.7
	X0	19.5	20.4	11.2	10.9	10.2	10.6	12.6
日焼け止め剤A	UV CHECKER							
	R1	94.5	92.1	92.3	91.0	91.5	92.5	90.6
	G1	84.9	82.3	83.0	82.3	84.3	84.6	81.2
	B1	79.4	76.8	75.4	76.9	80.7	77.7	74.9
	X1	9.6	9.8	9.3	8.7	7.2	7.9	9.4
	X1/X0	0.492	0.480	0.830	0.798	0.706	0.745	0.746
日焼け止め剤B	UV CHECKER							
	R2	95.8	95.2	95.6	95.0	94.8	95.4	94.5
	G2	88.7	88.6	90.3	90.2	90.8	90.6	88.2
	B2	83.9	83.8	84.0	86.0	87.3	85.2	82.2
	X2	7.1	6.6	5.3	4.8	4.0	4.8	6.3
	X2/X0	0.364	0.324	0.473	0.440	0.392	0.453	0.500
日焼け止め剤C	UV CHECKER							
	R3	95.6	95.0	96.0	95.2	95.1	95.8	94.7
	G3	88.6	89.0	91.9	91.3	91.8	92.4	90.1
	B3	82.7	83.0	85.4	86.5	87.6	86.5	83.3
	X3	7.0	6.0	4.1	3.9	3.3	3.4	4.6
	X3/X0	0.359	0.294	0.366	0.358	0.324	0.321	0.365

考察

① ポリエステル生地の服は，他の生地のシャツと比べて，UV カット効果がある。

② 時間経過により，吸収剤は劣化し，散乱剤は劣化しないことから，紫外線散乱剤の入った日焼け止め剤の方が，効果が持続することが分かった。

さらに研究したいこと

UV CHECKER を利用した紫外線の測定は，違う場所や別の日の撮影データとの比較では，まだまだ安定した判定が難しい。指標 X の定義を再検討し，紫外線量検出の精度を上げたい。また，紫外線の通し具合を生地の素材・厚み・色・織り方との関係についても調べたい。

作品について

芦ヶ原さんの研究は，自身の「日焼け」という現象から，その現象のメカニズムを理解し，これを防ぐための方法を調べてみようという動機から始まっています。私達の周囲に潜んでいる現象について「不思議だな」と思うことは，まさに「科学の芽」といえるでしょう。実験を始める前に，日焼けをしないための方法として，①外に出ない②服を工夫する③日焼け止め剤を塗るという 3 つの対策を考えました。①は現実的ではないので除外しました。芦ヶ原さんの研究の良い点は，いくつもあります。まず，高価な分析機器ではなく，可逆的に変化する安価な UV CHECKER を使用した点です。そして，この UV CHECKER で実験結果を評価するにあたっては，デジタルカメラでの撮影条件（ホワイトバランス）を固定しています。実験結果を正しく評価する上で，実験条件をきちんとコントロールすることは，とても大切であり，今後もこの基本姿勢を大切にしてほしいと思います。次に，デジタル画像を RGB の数値化することは，よく行われる作業ですが，結果をよく見てみると，視認できる赤の濃淡と R 値の増減が一致していないことに気がつきます。UV CHECKER の赤みが薄くなると，RGB それぞれの値が近づいていたのです。このことから，R の値と G の値の差をオリジナルの指標 X（X ＝ R − G）として定義しました。芦ヶ原さんは，同じ環境での実験であれば，画像の明るさに左右されず，紫外線量を比較可能と考えたのです。

実験 1 では，繊維，厚さ，色などの異なる衣服を準備して実験を行うところですが，研究の目的が日常の日焼け防止なので，自分の持っている衣服を使用しているところに，好感がもてます。実験 2 では，自宅にあった日焼け止め剤 2 種類を吸収剤タイプとミックスタイプに分類したうえで，自宅にはなかった紫外線散乱剤タイプを調製し，すべての条件について実験しています。このような実験は，データが多いほど様々な考察が出来ます。今後の課題に掲げているように，生地の素材・厚み・色・織り方などの比較に加えて，気象庁発表の気象データ（天候，気温，湿度など）も取り込むと，より信頼できるデータとなると思います。また，基本的に日焼けは暑い時期での現象なので，日焼け止め剤が汗によって取れてしまうことも視野に入れ，水溶性についても考慮した実験を考案・実践していただき，よりよい日焼け止め剤を開発してくれることを期待しています。

第16回 中学生の部

トウモロコシの遺伝の法則

小野(おの) 琴未(ことみ) ［矢板市立片岡中学校 3年生］

前回の研究でトウモロコシの種色が薄くなったり、斑点が出来る現象が起き、メンデルの遺伝の法則で説明がつかないのはなぜかという疑問から研究を始めました。遺伝の研究は1年ごとの積み重ねが必要で長い時間がかかりました。小さな種の中には自分の知らなかった遺伝の法則が潜んでいることが少し分かってきました。

I 研究の概要

研究の動機・目的

これまでの研究で，トウモロコシにはメンデルの法則が成り立つことが証明できた。しかし，実験を重ねるとメンデルの法則では説明がつかない現象が出始めたため，それらを解明していくことを研究の目的とした。

本研究で扱うトウモロコシの形質

・粒の色の顕性度（優性度）：黒色 B ＞黄色 Y ＞白色 w

・粒の形（デンプンおよび糖の含有量）の顕性度（優性度）：デント＞もち＞スイート

実験と結果

【実験１：白色デント（雌穂）×黒色もち（花粉）でできるキセニアを調べる】

キセニアがおこった種は黒色になるはずだが，紫色や斑点も出た。もちには黒色，紫色，白斑点，デントには紫色，薄紫斑点，白斑点が出た（図 1-1 年目）。もちには黒色が出ることがあるが，デントには黒色が出ない。

【実験２：実験１の有色種はどんな遺伝子を持っているか】

実験１で出た有色種（紫色，紫斑点，白斑点，黒色，灰色）を栽培すると，黒色や灰（紫）色や斑点が出て，有色：白色の比率はどれも約 3:1 になった（図 1-2 年目）。また，実験１のデントには見られなかった黒色が現れるようになった。

【実験３：実験２の有色種はどんな遺伝子を持っているか】

黒色デントを育てるとほぼ黒色だけになった。黒色もちを育てると苗５本中２本はほぼ黒だけになった。また，デントの紫色，斑点大，斑点小を育てると，実験２と同様に有色：白色が約 3：1 になった（図 1-3 年目）。

○実験１～３の考察

実験１でできた種は黒色（B）と白色（w）との掛け合わせになり，もちでもデントでも B と w が伝わる。もちには黒色が出ているので，優性の法則が一部働いているが，デント種では黒色が出ずに全て色が薄くなる又は斑点になるので，優性の法則が働いていない。この現象に一番

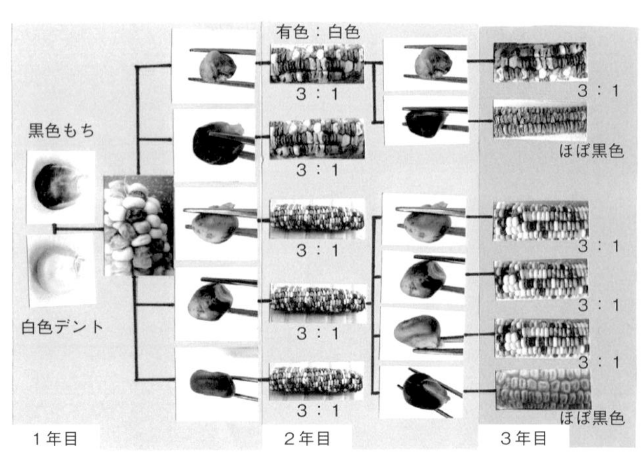

図１　黒色の伝わり方（実験１～３の結果）

近いものは不完全優性だと考えた。

調べてみると，トウモロコシでは重複受精がおこり，胚乳（はいにゅう）は雌側の遺伝子２つと雄側の遺伝子１つを持つことが分かった。このことからBBBは黒色，BBwは灰（紫）色，wwBはピンク色，wwwは白色になると考えた。ところが，実験２でもちはwwBでも黒色が出た。これは，もちとデントではデンプン量が違うことが関係していると考えた。

また，実験２で黒色の遺伝子を受粉した「もち種」がすべて黒にならなかったことは，トランスポゾン（以後TP）が関係していると考えた。

デントの黄色種が薄くなる現象は，デンプンを多く含む種では重複受精のためと分かったが，TPにより４色を同比率で観ることが難しい。そこで，TPによる斑点が少なく，デンプンの多いポップコーンなら重複受精比率が正確になると考え，以降の実験に用いることにした。

【実験４：カラフルな種はどんな遺伝子を持っているか】

緑色を育てると，黒色，緑色が，ピンク色を栽培すると，黄色ができた。これを基本の色だと考えた。ピンク色を育てると，図２のタイプ１，タイプ２ができた。これによりピンク色はBwwまたはBYYだと考えられる。

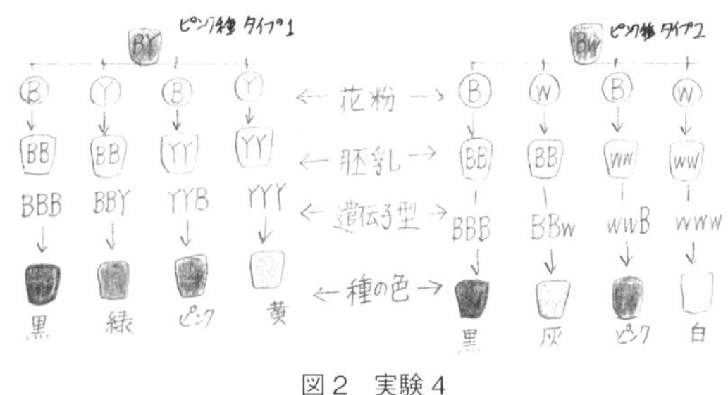

図２　実験４

【実験５：BY型(ピンク色)を育ててできる希少色の種はどんな遺伝子を持っているか】

BYを持つピンク色を育てると図３のように基本の黒色，緑色，ピンク色，黄色の他に特殊変化した色である赤，オレンジ，灰色，白色ができた。

元々は黒色と黄色の遺伝子を持つトウモロコシもTPによって胚乳が色変化を起こし，同時に胚珠にもTPが起きて，次の世代への遺伝情報が書き換えられていると考えられる。例えば，TPによってB→R（赤色遺伝子）に，Y→wに変わってしまうと考えると，BB→RR，BY→RY，YB→Bw，YY→wwになり実験５で起きた現象を説明できる。

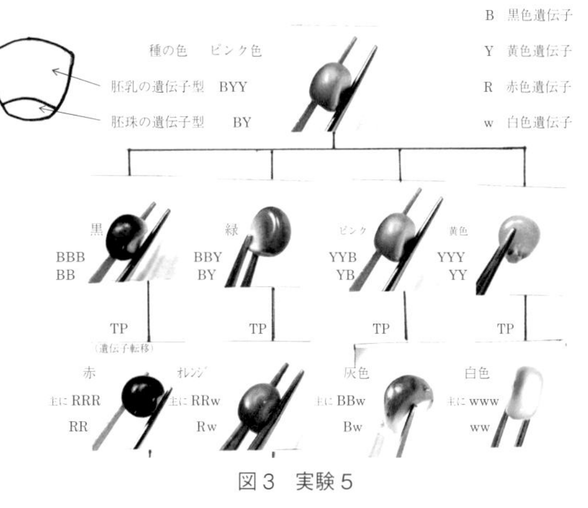

図３　実験５

作品について

遺伝の研究と言えば「メンデル」を思い浮かべる人が多いのではないでしょうか。メンデルは 19 世紀の中頃に遺伝についての基本的な法則を発見した人です。当時はまだ遺伝を担う因子が卵細胞や精細胞であることも，染色体も発見されていません。しかし，10 年もの歳月をかけて丹念かつ緻密にエンドウの交配実験を行い，エンドウに現れるいろいろな形質について数え上げ，遺伝は遺伝子が両親より受け継がれることによっておこると考えたのです。

さて，本作品はトウモロコシを栽培し，様々な色や形の種を数えることで，遺伝のしくみについて考えたものです。小野さんが，中学校で学習する遺伝のしくみだけでは説明できないような現象を目の当たりにし，自らトウモロコシを育て，その種を数え上げ，その結果から目には見えない遺伝子の動きを考えたことは，メンデルの実験の追体験と言えるでしょう。

図 4　実験 4 で生じたカラフルなトウモロコシ

また，小野さんは遺伝について調べる中で，マクリントックという研究者を知ります。マクリントックはトウモロコシを用いた染色体の研究を行い，トランスポゾンの発見によりノーベル生理学・医学賞を受賞した人です。感想の中で，「……生涯トウモロコシ研究を続け，動く遺伝子（トランスポゾン）を考えノーベル賞を受賞したマクリントックの存在は私の中で勝手に共感し，尊敬している。……彼女のように染色体を染めて顕微鏡で観ようと試みたが，なかなか位置を判定するまでは出来なかった。本当に何度も実験や観察を続けたことが想像つく。……」と書いています。時代を超えて同じ研究テーマに興味を持ち，感動し，苦労をも共感できることは，研究の素晴らしさの一つだと思います。

遺伝子の分野は今でも多くの研究が続けられています。本研究のように，興味，緻密さ，想像力を合わせ，新たな発見につながることを楽しみにしています。

第16回 中学生の部

蜘蛛の巣はなぜ円網なのか

三浦 愛咲（みうら あいさ）［慶應義塾湘南藤沢中等部 3年生］

自然の芸術である蜘蛛の巣をどうしたら実験で再現できるのか、そこが一番難しく、また工夫した点です。円網の優位点は、耐久性や伸縮性よりも、外部からの耐衝撃性や獲物の捕獲性にある結論を得ました。これは予想に反し、驚きました。改めて日々眺めている自然の中に新しい発見をすることの楽しさに気づきました。

Ⅰ 研究の概要

研究の動機・目的

蜘蛛の巣を眺めているときに，形の理由が気になった。なぜ，方眼の目のような単純な形（「方眼網」）にしないのか，何か意味があるのだろうか。蜘蛛の巣が輪のような丸い形（「円網」）である理由について研究したいと思い，このテーマを選んだ。

実験方法

蜘蛛の巣が円網である理由について，以下のような6つの仮説を立て，その仮説を検証するために，「方眼網」と「円網」を比較する実験を計画し，模型を作って実験を行う。

① 耐久性に優れている（雨粒や虫が当たったとき糸が切れずに耐えられる）
② 全体に破損する割合が低い（蜘蛛の巣の糸が切れた場合，破損の割合が小さい）
③ 伸縮性に長けている（蜘蛛の巣がちぎれずに変形できる大きさが大きい）
④ 獲物に引っかかりやすい（獲物を捕獲できる可能性が高い）
⑤ 見えにくい（飛んでくる虫が気づかず捕まりやすい）
⑥ 作りやすい（巣自体を作る労力が小さい）

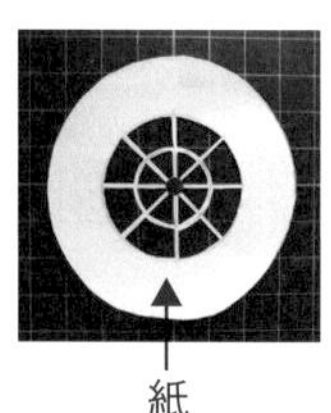

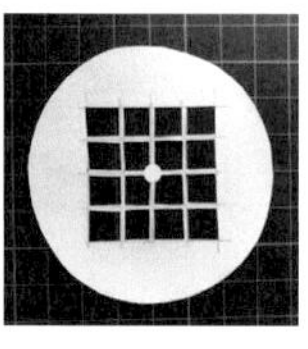
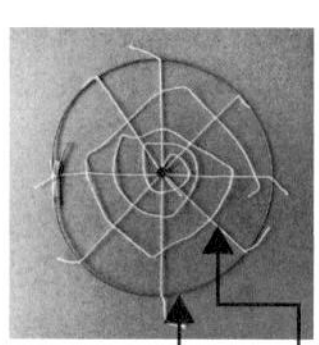

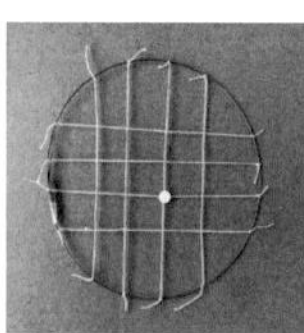

図1 実験用模型

実験と結果

【実験1：耐久性を調べる】

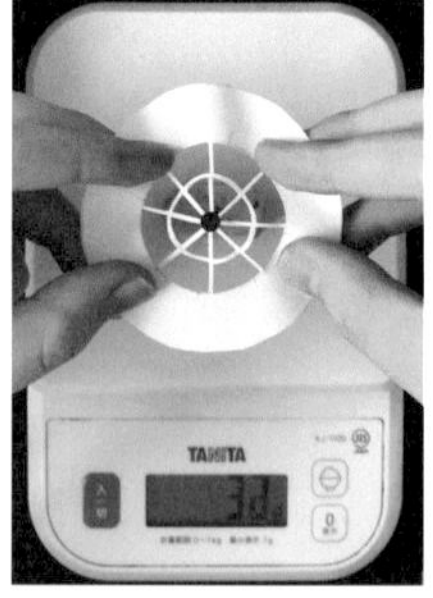

図2 実験1の様子

レポート用紙（紙）で作った模型の中心をはかりに立てた針の上にのせ，押し付けるように力を加え，どの程度の負荷で切れるか調べる。

〈結果〉紙模型の実験を3回ずつ量り，最大値を調べた。

円網	1回目 122 g	2回目 281 g	3回目 132 g	平均 178 g
方眼網	1回目 230 g	2回目 157 g	3回目 180 g	平均 189 g

【実験2：破損する割合を調べる】

紙模型の破損具合を比較する。

〈結果〉図3のような位置で破損した。

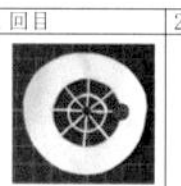

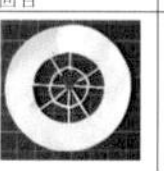

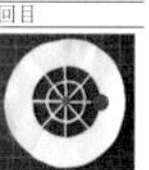

図3 実験2の結果

【実験３：伸縮性を調べる】

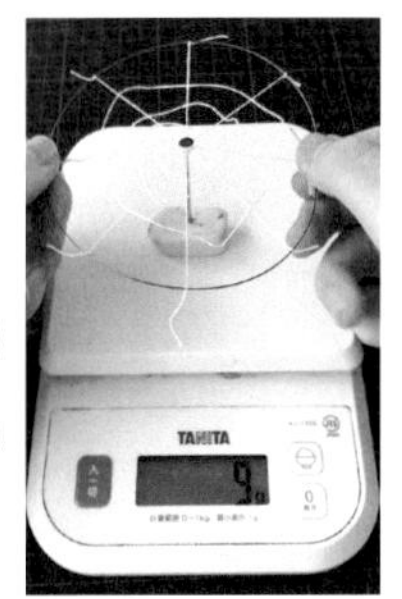
図４　実験３の様子

針金と糸で作った模型に力を加え，切れずに変形できる大きさを比較する（糸模型の中心に，力を加えた時の変形する長さ）。

〈結果〉円網　0 g（0 cm）　25 g（1 cm）　50 g（1 cm）　75 g（1.7 cm）

　　　方眼網　0 g（0 cm）　25 g（1 cm）　50 g（1.5 cm）　75 g（1.5 cm）

【実験４：引っかかりやすさを調べる】

２つの糸模型にビーズを投げ，糸に当たる割合を求める（獲物に見立てたビーズを 10 回投げたときに糸に当たる回数）。

〈結果〉円網　23/30 回　確率約 0.77

　　　方眼網　20/30 回　確率約 0.67

【実験５：見えやすさを調べる】

写真を撮って見えづらさを見る。

【実験６：作りやすさを調べる】

〈結果〉円網　結び目の数（8 個）　対角線の数（4 個）　交点の数（9 個）

　　　方眼網　結び目の数（16 個）　対角線の数（8 個）　交点の数（9 個）

考察

円網が方眼網に優れているものは○，劣っているものは×をまとめた。

耐久性×　全体の破損割合○　伸縮性×　引っかかりやすさ○

見えにくさ×　作りやすさ○

① 作りやすさは円網の方が優れており，簡単に何度でも作ったり修復したりできる。

② 耐久性や伸縮性，見えにくさに円網は優れていないことから，蜘蛛の住処を守ることや巣自体を頑丈にすることを最重視していないように思える。

③ 全体の破損する割合が低いこと，獲物が引っかかりやすいことから，蜘蛛の巣の役割は食料確保のための手段ではないかと考えられる。

さらに研究したいこと

いつもはただ，きれいだなと思って眺めている蜘蛛の巣を，実験・考察することでもう少し深く考えることができ，すごくいい機会になった。自分の手で行った実験なので，間違っているところや不十分なところはあると思うが，やってみてびっくりしたことや予想とは全く違う結果となったところもあって興味深かった。大きくなればなるほど，些細（ささい）な不思議に気づくことが少なくなってしまっているように感じるので，これからは今まで以上に身の回りの発見や疑問を大切にしていきたい。

作品について

「自然の芸術である蜘蛛の巣をどうしたら実験で再現できるのか，そこが一番難しく，また工夫した点です。円網の優位点は，耐久性や伸縮性よりも，外部からの耐衝撃性や獲物の捕獲性にある結論を得ました。これは予想に反し，驚きました。改めて日々眺めている自然の中に新しい発見をすることの楽しさに気づきました」という作者の感想が，作品の良さのすべてを表しています。

蜘蛛の巣が円形（「円網」）になる理由を，自分なりに，多面的に考え，6つの仮説を挙げていることが，まず評価できる点です。

さらに，その仮説を検証するために，どのようにすればよいかを，いろいろと考え悩んだと思います。試行錯誤を繰り返しながら，自分自身の手で作成し，身の回りにある物を使って実験してみようと6つの方法を考えついたことが次に評価できる点で，この作品の重要な価値を示しています。モデルや模型づくりはとても丁寧に行われており，レポートの内容もとても読みやすく分かりやすいところも評価できます。

仮説や作成した模型は，あくまで研究していく者の考えであり，実際のものとは異なる部分も多くあります。それでも，仮説に基づいた検証実験から得られる結果やデータは，ある意味真実を表しています。要は，その結果やデータをどう解釈し，どのように扱うかが重要で，次のステップに進む重要な手がかりになります。

研究を進めていく途中で，調べたことや分かった事実もありました。蜘蛛の糸の縦糸と横糸の性質です。これは，蜘蛛自身が蜘蛛の糸に絡まないで移動できることにも重要な役割を担っています。実際に蜘蛛の巣上での蜘蛛の動きや，蜘蛛が蜘蛛の巣を作っている様子を詳しく観察したり，蜘蛛の巣自体を使った実験などを計画したりして研究を進めていけば，今回行った研究が活かされ，新しい研究の方向性が見えてくるかも知れません。

蜘蛛の種類は実に多く，その生態や蜘蛛の巣自体についても，まだ分かっていないことが多いようです。さらなる研究の発展や継続を期待します。

第16回 中学生の部

β-カロテンの人体への吸収率を上げる

～免疫力 up のために～

山本(やまもと) 亜生子(あいこ)［岡山県立倉敷天城中学校 3年生］

本研究では、ニンジンに含まれるβ-カロテンの人体への吸収率を上げる方法を探りました。コロナ禍での生活に役立つ研究ができたので良かったです。実験結果が予想と違ったときに原因を考えるのは大変でしたが、やりがいがあり、とても楽しかったです。今回わかったことを活かし、これからも研究を続けていきたいです。

I 研究の概要

研究の動機・目的

β-カロテンはビタミンAの前駆体であり，小腸壁でビタミンAに変換される脂溶性ビタミンである。のどや鼻，肺などの粘膜を正常に保つ働きがあり，感染症の予防や免疫力向上に役立っている。そこで，身近な「食」と「栄養」という観点で多くの人が元気に過ごすために，できるだけ効率よくβ-カロテンを吸収できる方法を考えた。

実験方法

人体に吸収されたβ-カロテンの量を調べることは難しいため，ニンジンを油の中に入れ，抽出されるβ-カロテンの量が多いほど人体への吸収率は上がると考えることにした。油に溶けだしたβ-カロテンの量は分光光度計により測定した。

実験と結果

【実験１：加熱時間によるβ-カロテン抽出量の変化】

ビーカーにサラダ油とすりおろしたニンジンを入れたものと，サラダ油のみを入れたものを用意し，180℃で2分ずつ時間を変えてホットプレートで加熱した。β-カロテンの抽出量は，（油＋ニンジンの吸光度）－（油のみの吸光度）により求め，それぞれの吸光度を調べた。

【実験２：加熱温度によるβ-カロテン抽出量の変化】

実験1と同じものを用意し，加熱温度をホットマグネットスターラーを使用して20℃から180℃として20℃ずつ温度を変え，15分加熱した。

【実験３：ニンジンの細胞膜は加熱によって壊れるのか】

生のニンジンと180℃で15分間加熱した後のニンジンをそれぞれ薄く切り，顕微鏡でそれぞれの細胞膜の様子を比べた。その結果，生のニンジンには，細胞膜のようなものが多く並んでいたが，加熱したニンジンには細胞膜は見つからなかった。この結果，ニンジンの細胞膜の破壊が油へのβ-カロテン抽出量増加の原因になったのでないかと考えた。

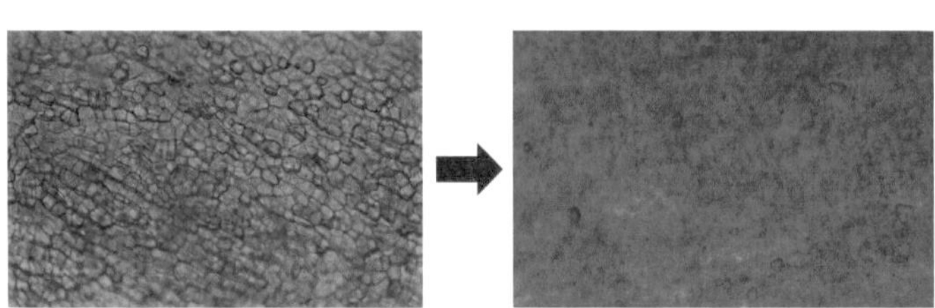

図1　ニンジンの細胞膜の破壊

中学生の部

（実験４～10の方法は略）

【実験４：冷凍後のニンジンの細胞膜を顕微鏡により観察】

【実験５：ニンジンをすりおろした後の細胞膜を顕微鏡により観察】

【実験６：すりおろしたニンジンを冷凍し，加熱した場合のβ-カロテン抽出量の変化】

【実験７：冷凍したニンジンをすりおろし，加熱した場合のβ-カロテン抽出量の変化】

【実験８：油の種類によるβ-カロテン抽出量の違い】

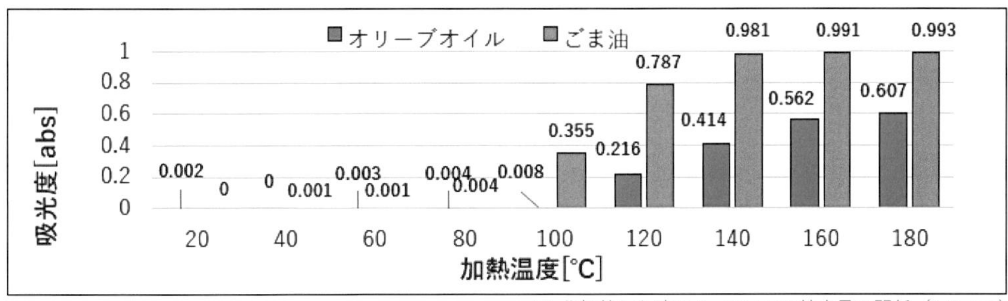

15分加熱した時のβ-カロテン抽出量の関係（443 mm）
※443 nmは分光光度計の波長

図２　油を使って加熱した時のβ-カロテンの抽出量

【実験９：水を用いた場合の加熱時間によるβ-カロテン抽出量の変化】

【実験１０：水を用いた場合の加熱温度によるβ-カロテン抽出量の変化】

研究結果のまとめ

ニンジンに含まれるβ-カロテンを油に多く抽出させ，人体へのβ-カロテンの吸収率を上げるためには，ニンジンと油（特にごま油）を一緒に長時間，高温で加熱調理することが効果的であることが分かった。一方で，ニンジンを冷凍すると，細胞膜は破壊されるがβ-カロテンの抽出量を上げることができないことや，ニンジンを水と一緒に加熱してもβ-カロテンの抽出量を上げることができないこと，β-カロテンを効率よく人体に吸収させるためにはごま油を使って炒（いた）めたり，揚げたりするのが効果的であることが分かった。煮るときは，ごま油は少量加えるなどして加熱すると加熱と油の条件が揃（そろ）うので，効果的であると考えた。

さらに研究したいこと

① 実際に人体に吸収されたβ-カロテンの量を測定する方法を見つける。

② ニンジンと油を一緒に調理しなくても別々の料理から取り入れることでβ-カロテンは吸収できるのかということや，肉や魚などに含まれる油分とニンジンを一緒に加熱するとβ-カロテンは抽出されるのかということも調べる。

中学生の部

作品について

2021年現在，新型コロナウイルスによる感染症が世界中で流行しており，人々はマスクや換気，手洗いなどで感染予防に取り組んでいます。しかし，まずは自分の体を元気で健康に保つということがウイルスに対抗するためには重要であると山本さんは考えました。「健康の第一歩は食事から」という言葉にもあるように，身近な「食」と「栄養」という観点から，山本さんの研究においては，感染症予防や免疫力向上に役立つとされるβ-カロテンに着目をしました。そこで，山本さんは，β-カロテンを人体への吸収率を上げるためにはどうしたらよいかということを考えました。しかし，直接β-カロテンの量を調べることは難しかったため，ニンジンから抽出されるβ-カロテンの量が多いほど人体への吸収率が上がると考え，β-カロテンの人体への吸収率を上げる効果的な方法の研究を行いました。

山本さんは，β-カロテンの抽出機構がニンジンの細胞膜の破壊と関連性があるのではという仮説に対して，創造力を働かせながら，実際に実験や観察により検証を行いました。示された結果の読み取られる情報だけではなく，一つひとつの実験結果についてなぜそのような結果になったのかを考え，また，それを立証するためにはどのような実験を行えばよいかということを考えながら行うことができていました。また，疑問が生じた場合や，予想していたような結果が出なかったときは非常に大変な思いをされたと思います。しかし，そこであきらめず，その原因を自分なりに考え，文献調査などをしっかり行い，そこで課題を抽出することで，次の実験につなげていくことができていました。

行ってきた研究結果を応用するために，ニンジンを炒めたり，揚げたり，煮たりする方法のなかで，β-カロテンを効率よく人体に吸収するためのニンジンの調理方法も考え，日常生活においてもすぐに試したくなるような研究に仕上がっていました。

この研究において，いろいろな困難な課題に直面したことが予測されますが，山本さんの創意工夫で見事に難局を乗り越えたと言えます。

山本さんのように不思議に思ったことを大切にしながら進めていく姿勢は，「科学の芽」にふさわしいと感じました。これからも，不思議に思ったこと，解明したいと思ったことにはどんどん挑戦し，追究する姿勢を大切にしていって，今後もこの研究をさらに発展させていってください。

第３章「科学の芽」をひらく

～未知への探検に乗り出そう～（高校生の部）

「科学の芽」賞

高校生の部について

2019 年末から猛威を振るった新型コロナウイルス感染症は，日々研究に勤しむ生徒の皆さんにも大きな影響を与えたであろうことを憂慮しております。学校生活や研究においても，引き続き感染症対策に気を配りながら進めていくようお願いします。このような社会の中にいると，どうしても気持ちまで萎縮してしまいがちですが，皆さんの心の中にある「科学の芽」を育てることに対しては，気後れする必要はありません。

さて，新型コロナ対策の切り札となった mRNA ワクチンの開発者といわれる，カリコー・カタリン氏をご存じでしょうか。mRNA の利用可能性についてはかなり前から分かっていたことでしたが，人工的に作られた mRNA を体内に入れると免疫反応により強い炎症を起こすため，ワクチンへの利用は不可能だと誰もが考えていました。しかし，カリコー氏とその同僚のドリュー・ワイスマン氏は，その免疫反応の強さが mRNA と tRNA で大きく異なることから，mRNA 中のウリジンに着目し，それを化学修飾したシュードウリジンに置き換えることで，免疫反応の活性化を抑えられることを突き止めたのです。

現在，人類が大いにその恩恵を受けている mRNA ワクチンを可能にするための研究も，決して順風満帆ではなく，また評価されるまでに時間がかかったようです。研究を続ける皆さんもまた，これから多くの失敗や壁にぶつかることと思います。ですが，最後の最後まで諦めないでください。世に出て評価されている多くの研究成果は，諦めず挑み続ける強い心，情熱と執念深さによって，花開くまで支えられてきたものなのです。皆さんの「科学の芽」が，このような厳冬を乗り越えてたくましく咲く「科学の花」となりますよう，祈っております。

高校生部門では，3 作品（2020 年度 2 点，2021 年度 1 点）が選ばれましたが，いずれの作品も団体応募でした。コロナ禍においても，同じ目的を持つ仲間と助け合い励ましあいながら研究を進めたことが，大きな成果を得る原動力となったのでしょう。

高校生部門は次の観点に基づいて審査されました。

【審査の観点】

① 課題設定：テーマの魅力，独創性があるか。

② 研究手法：実験や調査の手法が目的に沿って適切か否か。

③ 解析方法：得られたデータの客観性，妥当性を保障するものであるか。

④ 結論・考察：単なる結果のまとめではなく，独自の視点が盛り込まれているか。

2020年度，2021年度の受賞作品をこの観点から振り返ってみましょう。

①の課題設定は，いずれの作品も人類の大きな課題となった資源・エネルギーに関わるものでしたが，自身が生活する地域の課題解決にも繋がっていることが特徴です。

「マグネシウム空気電池の高電圧化と長寿命化」は，長期の保存が利き，使用時に電解液を加えると電力を得られるマグネシウム空気電池の改良に取り組みました。地震などに備えた防災備品にも活用できそうな実用的研究です。

「茶粕と太陽光を用いた水素製造」は，鉄イオンとポリフェノール（PP）の反応で観察された気泡の発生をヒントに，化石燃料に頼らない水素の製造を目指した研究です。PPは，地域の特産品である茶飲料の製造時にできる茶粕に含まれるものを利用しています。

「森林環境保全活動に伴う放置竹林の再利用」は，地域の課題となっている放置竹林の活用のため，竹パウダーを栄養成分として活用したキノコの菌床栽培について研究しました。栽培農家での実証実験にも取り組み，実用化まで目指した点が秀逸です。

②の研究手法では，「マグネシウム空気電池」は，市販の非常用・防災用電池の電極や電解液の反応を詳細に分析し，発生するマグネシウムイオンをキレート化するなどのアイデアにより電池の性能向上を試みています。「水素製造」は，水素の泡を生じる酸化還元反応の反応機構についての仮説を立て，要素還元的な方法でPPや鉄イオンなどの働きを詳細に分析しています。「放置竹林の再利用」では，地域の専門家の助言を得ながら竹の成分がキノコ菌糸の増殖に及ぼす影響や抗菌効果について研究を進めただけでなく，地元きのこ生産農家で実証実験を行うという「産官学」の連携で研究を進めました。

③の解析手法については，いずれの作品でも条件制御を工夫して行った実験結果を，それぞれ適切な形式のグラフにまとめ，高校生らしく論理的な解析を行っています。

④の結論・考察では，3作品とも実験データとその解析結果を客観的に評価し，仮説の検証結果を論理的に説明できていることが評価されます。

SDGsなど地球規模の課題に注目が集まる中，今回選ばれた3作品は，高校生にふさわしい高い問題意識からテーマを選んでいます。一方，自分たちが生活する地域や環境を効果的に活用できる課題を設定しているのも特徴です。これから研究を始める皆さんも，この関係を意識して，自分の問題意識に根差した「科学の芽」を見つけ育んでください。

第15回 高校生の部

茶粕と太陽光を用いた水素製造

［学校法人静岡理工科大学 静岡北高等学校
静岡北高等学校科学部水質班H2プロジェクトチーム］

望月 凌（もちづき りょう）2年／谷本 里音（たにもと りお）2年／田中 響（たなか ひびき）2年
髙木 駿（たかぎ しゅん）2年／西村 総治朗（にしむら そうじろう）2年

水素はクリーンなエネルギー源ですが、現在の製造法では、大量な二酸化炭素が排出されます。また、毎年、静岡県では大量な茶殻が、日本では何千万トンもの鉄屑が発生し、それらを利活用する方法が求められています。そのため、私たちは茶粕と鉄イオンと太陽光を用いて、水素を生産する方法を開発しました。

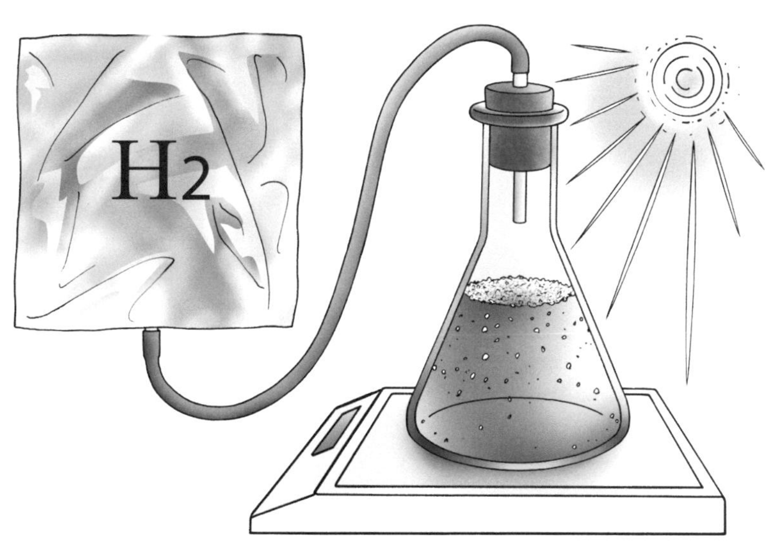

I 研究の概要

■ 研究の動機・目的

科学部の新入生歓迎イベントで，水質班の出し物と研究紹介を兼ねて，鉄イオンとポリフェノール（以下 PP）を用いた「布の黒染め」を行った。イベント後，フラスコを日の当たる場所に置いておいたところ，水面に気泡ができているのが観察できた。フラスコ内で発生した気体を調べてみると，わずかな H_2 ガスが検出された。太陽光エネルギーの利用推進が叫ばれている昨今，茶飲料の生産量が日本一である静岡県で，大量に廃棄されている茶粕（ちゃかす）を再利用し，太陽光のエネルギーから H_2 ガスを作ることができれば，新たな自然エネルギー利用の開拓となる。

以上から，太陽光と茶粕と鉄イオンを用いて，光化学反応を促進させ，水または茶粕の含有成分を水素源として H_2 ガスを製造する方法の開発に挑戦した。

■ 実験方法

光の条件を揃（そろ）えて実験を実施し，発生した H_2 ガスの生成量を測定するため，装置を作成した。透明なガラスのフラスコ（内容積 120 mL）を，ガラス管を貫通させたシリコン栓で密閉した。ガラス管はシリコンチューブによってアルミバッグ（内容積 1 L）と連結した。

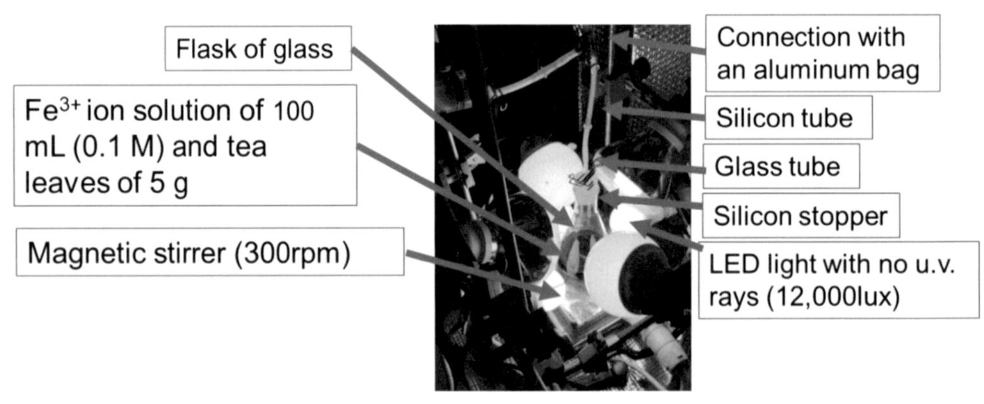

図 1　茶粕と鉄イオンと光による H_2 ガスの生成量を測定するセットアップ

この装置は，フラスコ内をマグネティック・スターラーによって 300 rpm でかくはんしながら，1,000 lm の LED 電球を 8 個（紫外光は含まず，ガラス瓶付近の照度は約　20,000 lux, 快晴時の太陽光の 10 分の 1 の強度）を用いて光を照射し，アルミバッグ内の H_2 濃度を測定することで，H_2 ガスの発生量を測定できる。濃度は携帯式水素ガス検知器 TIP-HY（株式会社東科精機）で測定し，それに体積を乗じることで H_2 ガスの生成量を算出した。

高校生の部

■ 実験と結果

【実験１：茶粕と鉄イオンと光によって H_2 ガスが生成されることの検証】

20 g の茶葉を 1 L の熱水に入れ，15 分間 300 rpm でかくはんした後，茶葉と熱水を分離する工程を 4 回繰り返して，茶粕を準備した。また，硝酸鉄Ⅲを用いて調製した 0.1 M の濃度の Fe^{3+} イオン溶液を用意した。フラスコに茶粕を入れ，Fe^{3+} イオン溶液 100 mL を加えて 24 時間実験を行い，H_2 ガスの生成量を測定した。比較として，光ありで鉄イオンを用いない場合，光なしで鉄イオンを用いない場合を行った。結果，茶粕と可視光と鉄イオンを用いた場合に水素が生成することを確認した。

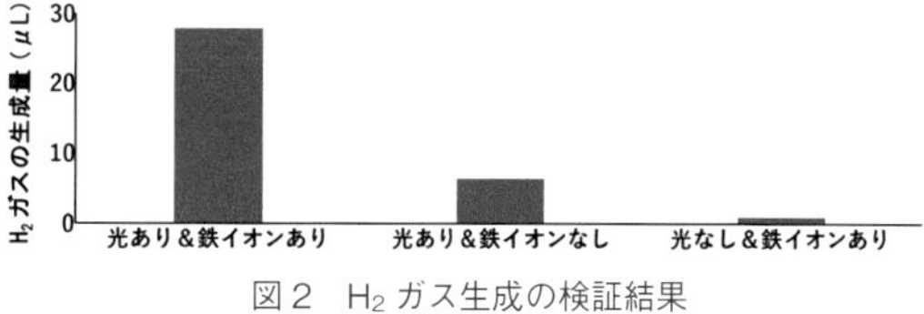

図２　H_2 ガス生成の検証結果

【実験２：鉄イオンが H_2 ガスの生成に不可欠であることの検証】

鉄イオンの代わりに，銅イオン（Cu^{2+}），亜鉛イオン（Zn^{2+}），マンガンイオン（Mn^{2+}）を用いて，実験１と同様の操作を行った。鉄イオン以外の金属イオンの場合には，鉄を用いた場合の H_2 ガスの生成量の３分の１以下であったことから，茶粕を用いた光還元的水素生成には Fe^{3+} イオンの活用が有利であることが分かった。

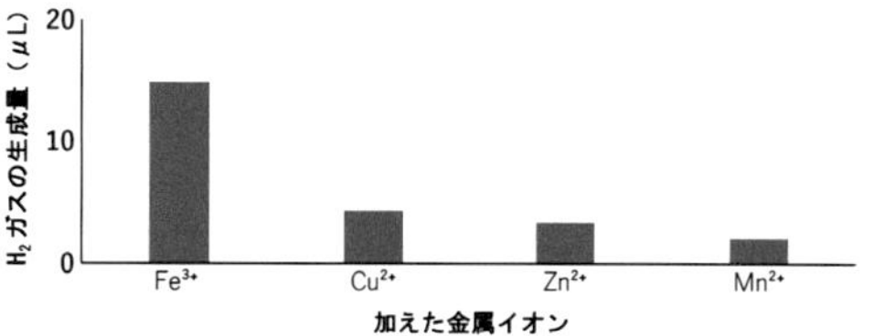

図３　鉄とその他の金属イオンでの生成検証

さらに（1）と同じ実験を Fe^{3+} イオン濃度を変化させながら実施したところ，茶粕に加えた溶液中の Fe^{3+} 濃度と H_2 ガスの生成量との関係には強い正の相関があることが分かった。

以上から，鉄イオンは茶粕を用いた光還元的水素生成には不可欠な要素であることが分かった。

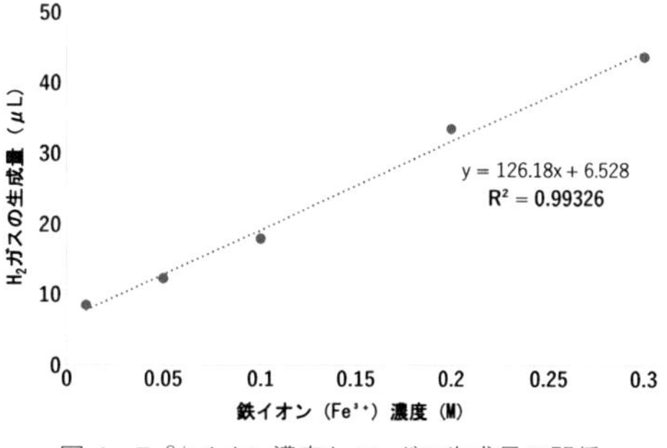

図４　Fe^{3+} イオン濃度と H_2 ガス生成量の関係

【実験３：茶粕と鉄イオンを用いて光化学的に H_2 ガスが生成される仮説】

さらに，透明なガラスのフラスコを内容積 320 mL に変更し，Fe^{2+} イオンと Fe^{3+} イオンの濃度比を 100：0，75：25，50：50，25：75，0：100 とし，Fe^{2+} イオンと Fe^{3+} イオンの合計の濃度が 0.1 M となるように硫酸鉄Ⅱと硝酸鉄Ⅲを用いて調製した溶液を装置にかけ，30 分間で生成した気体の H_2 ガス濃度，一酸化炭素（CO）ガス濃度，CO_2 ガス濃度を，水素ガス検知器とガスモニターを使って測定した。

その結果，Fe^{3+} イオンの濃度が高くなるほど，H_2 ガスの生成量が増加した。また，Fe^{3+} イオン濃度が高くなるほど，CO_2 ガスの生成量が大きくなったことから，Fe^{3+} イオンによって有機物の酸化が安定的に持続されることが分かった。以上から，茶葉由来の有機物が酸化されるのと同時に H_2 ガスが生成されていることが示唆された。

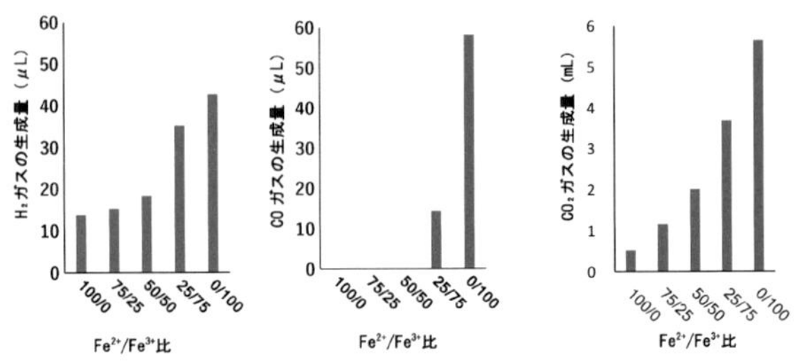

図５　鉄イオン濃度比とガス生成量の関係

これらを踏まえて，次に示す「茶粕と鉄イオンを用いて光化学的に H_2 ガスが生成される仮説」を立てた。茶粕に含まれる有機物が太陽光によって酸化され，CO_2 ガスと H^+ が生成される。同時に電子が PP-Fe 錯体に供給され，PP-Fe^{3+} 錯体は PP-Fe^{2+} 錯体に還元される。還元体の PP-Fe^{2+} 錯体が蓄積した状況下に太陽光が照射されると，Fe^{2+*} ラジカルが生成されると同時に H^+ が還元され，H_2 ガスが発生する。Fe^{2+*} ラジカルは励起状態から基底状態である PP-Fe^{3+} 錯体にもどり，再度，光によって還元され，さらに H_2 ガスを発生させる。

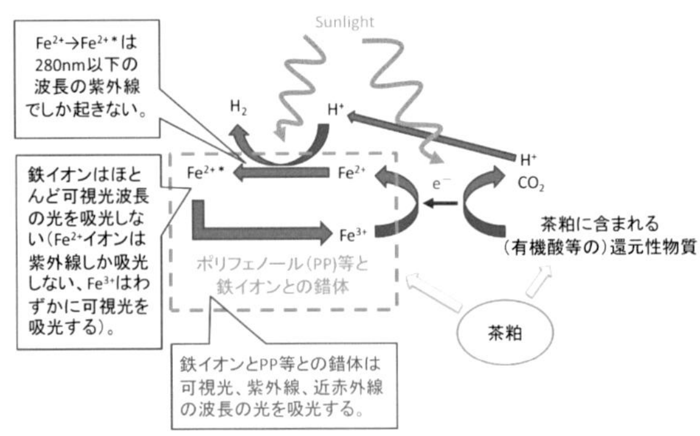

図６　茶粕と鉄イオンによる光化学的水素生成仮説

【実験４：茶葉に含まれる有機物が Fe^{3+} イオンと光によって酸化されることの検証】

茶葉に含まれる有機物が Fe^{3+} イオンと光によって酸化されることを検証するため，茶葉の代わりに茶葉に含まれる代表的な成分，シュウ酸，クエン酸，アスコルビン酸，没食子酸，タンパク質，セルロース，でんぷんを用いて実験と同様の操作を行った。その結果，特にシュウ酸，クエン酸，アスコルビン酸，没食子酸は Fe^{3+} イオンと光によって容易に酸化されることが分かった。これは，茶粕に含まれる有機物が太陽光によって酸化され，CO_2 ガスと H^+ が生成されるという前述の仮説を裏付けるものである。

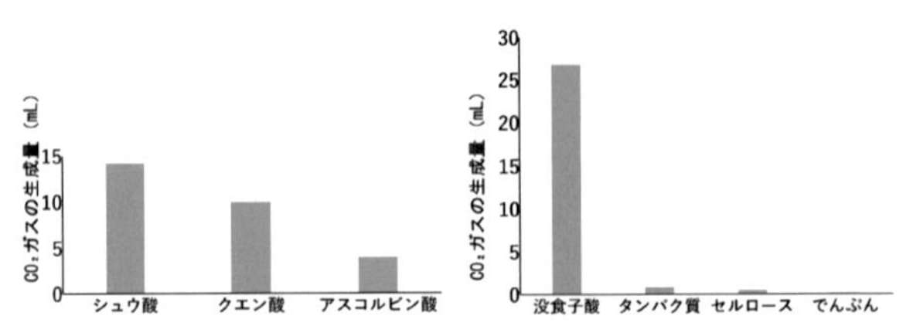

図７　茶葉の各成分に Fe^{3+} を加えた場合の CO_2 発生量

【実験5：茶粕に含まれる没食子酸とFe^{3+}イオンと光によって水素が生成されることの検証】

没食子酸は，水への溶解度が低く，茶葉に含まれるタンパク質は製茶中にタンニンと結合し，加熱によって凝固するため，抽出されずに茶粕に残る成分である。そこで，没食子酸を茶粕に残存する有機物に見立てて，H_2ガス生成の実験を，硫酸と水酸化ナトリウムでpHを調整して実施した。

通常，Fe^{3+}イオン溶液のpHを1.0以上にすると水酸化鉄（Ⅲ）を生ずるが，没食子酸とFe^{3+}イオンの錯イオンを形成させた上で，溶液のpHを高くすると，錯体の色はわずかに深い青紫色に変化し，沈殿物はほとんど生じない。そのため，これまではpHが1.0以下でしかできなかったH_2ガス生成の実験がpH 4.0の弱酸領域で実施でき，これまでの最大のH_2ガスの生成速度を得た。

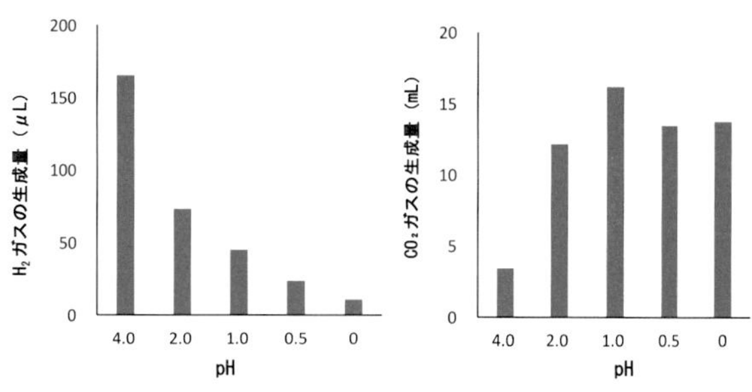

図８　没食子酸によるFe^{3+}錯イオン形成時の各pHにおけるガス生成量

■ 結論

本研究では，茶粕に含まれるポリフェノール（PP）と鉄イオンの錯体に太陽光を当てることによって光化学的なH_2ガス製造が可能であることを発見した。更に，以下のようなH_2ガスの生成を促進させる条件を発見した。

(1) Fe^{3+}イオン濃度が高いほど，PPの酸化は促進・持続され，H_2ガス生成量は増加する。

(2) PP-Fe錯体は可視光，紫外線，近赤外線の波長を吸光してH_2ガス生成を促進させる。

(3) PP-Fe錯体による光化学的なH_2ガス製造は弱酸（pH 4.0）でH_2ガスの生成速度が最大になる。

■ 今後の課題

PP-Fe錯体による光化学的なH_2ガス製造を安定的に持続させるため，鉄イオンを供給できるよう，鉄をアノード，炭素極をカソードとした炭素電池を導入したい。

作品について

この研究は，茶粕が Fe^{3+} イオンの光還元作用を高め，光エネルギーを利用した水素発生に有効活用できることを示しています。「布の黒染め」の際にあったわずかな気づきを見逃さず，もしやと思って調査研究を重ねた成果です。まさに「科学の芽」を，「科学の花」まで育て上げ，立派な成果とした好例と言えます。

望月さんが所属しているという静岡北高等学校の水質班は，巴川の水質改善や，有機物と光を用いた水素発生をテーマとして，継続的な研究活動を実施していますね。特許を取得した実績もお持ちのようです。チームで協力して優れた研究を推し進め，次の代に繋（つな）いでいくさまは，大学で精力的に活動している研究室の活動と重なります。

もちろん個人で興味深く感じたことを徹底的に調べ抜くのも，素晴らしい研究のあり方の一つです。一方で，継続的に研究を進めるチームに参加することには，自分一人ではたどり着けない領域に踏み込んでいくという，まさにそこにしかない面白さと難しさがあります。望月さんも，先輩や先生方の膨大な研究成果を学び，そこから自分が積み重ねられる一歩がないかを悩み探して，たくさんの実験と調査を重ねて，この報告書を書いたのではないでしょうか。

素晴らしいチームで，とても貴重な経験を積んだことと思います。その活動は，そのままこれからの研究に活きます。望月さんの，研究者としてのこれからの活躍に大いに期待しております。

なお，本作品の紹介にあたり，研究内容を 4 ページの紙面に集約することが極めて困難でした。最終的な水素発生プロセスの仮説は，鉄イオン溶液を吸光度測定したり，光の波長や温度を様々に変化させて気泡の発生を見るなど，緻密な実験の積み重ねによって導かれていることを，追記いたします。

第15回 高校生の部

マグネシウム空気電池の高電圧化と長寿命化

［愛媛県立西条高等学校 西条高校化学部］

谷﨑 信也（たにざき しんや）2年／髙橋 圭吾（たかはし けいご）2年
宗﨑 拓斗（そうざき たくと）2年／白川 琴梨（しらかわ ことり）1年

私たちは、自然災害に備えた非常用電源の開発に向けてマグネシウム空気電池の改良を行いました。不動態の析出抑制した高電圧化と長寿命化を目指して、1日10時間以上実験することもありました。特に、身近な材料だけで電池の内部構造を改良したモデルで長寿命化が図れたのは、とても貴重な経験になりました。

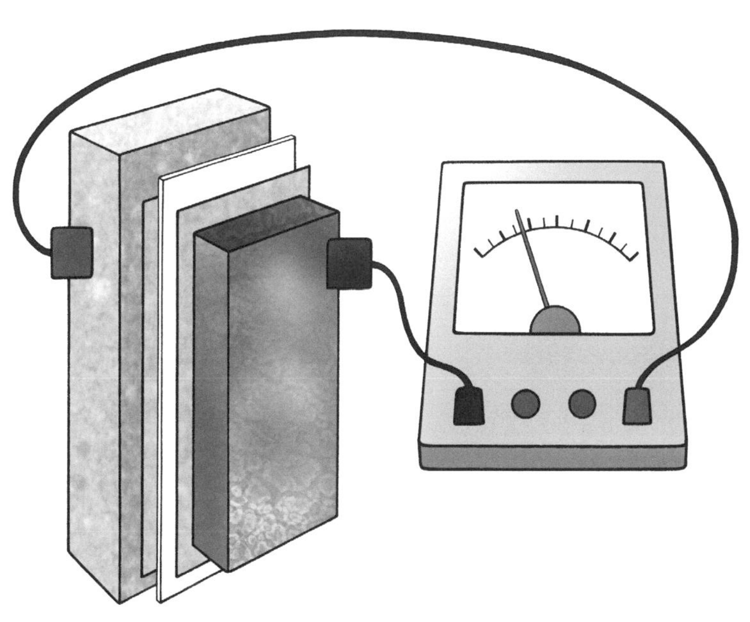

I 研究の概要 ※文中右上の（）数値は参考文献（「作品について」を参照）の番号

■ 研究の動機・目的

近年，災害時用の電源として，マグネシウム空気電池が注目を浴びている。この電池は，下記のような構造を有しており，負極にマグネシウム板，電解質水溶液に NaCl 水溶液などを用いることで，電池としてはたらくことが知られている。

負極：$Mg \rightarrow Mg^{2+} + 2e^-$

正極：$O_2 + 2H_2O + 4e^- \rightarrow 4OH^-$

このマグネシウム空気電池は，高電圧が得られる，Mg 極板サイズにより電圧を変化させることができる，注液しなければ長期間の保存ができるなどの利点があるが，放電時に不動態の $Mg(OH)_2$ が析出し，長時間放電することが困難であることが知られている。本研究では，従来のマグネシウム空気電池の問題点について実験を通して把握し，電解質水溶液と正極材に注目してマグネシウム空気電池の高電圧化と長寿命化に取り組んだ。

【実験１：従来型を踏襲したマグネシウム空気電池の作成と性能評価】

最初に，従来型の性能と問題点を確認するため，濱野らが考案したマグネシウム空気電池の構造を踏襲し，電池を作成した(1)。その際，正極材として銅メッシュを用いたものと，カーボンシートを用いたものを用意した。電解質水溶液は，先行研究と同じ 0.10 mol/L の NaCl 水溶液 15 mL と 0.10 mol/L の NH_4Cl 水溶液 15 mL を用いた(2)。

この電池を図２の回路のようにつなげ，抵抗値：30 Ω のときの端子電圧を 10 分ごとに 60 分間測定した。また，可変抵抗器の抵抗値を変化させながら電流と電圧を測定することによる内部抵抗測定を，10 分ごとに 60 回行った。

電圧の推移は，図３に示した通りであった。銅メッシュを用いた電池の端子電圧が急落したのは，銅メッシュ自体の極端な劣化によるものであろう（図４）。それに対して，カーボンシートを用いたものは，先行研究と同様に高い電圧を示していた。また，放電 60 分後の Mg 板の表面を観察すると，いずれの条件でも表面が黒ずんでいた（図５）。不動態が多く析出しているためだ。以上から，先行研究と同様に，正極

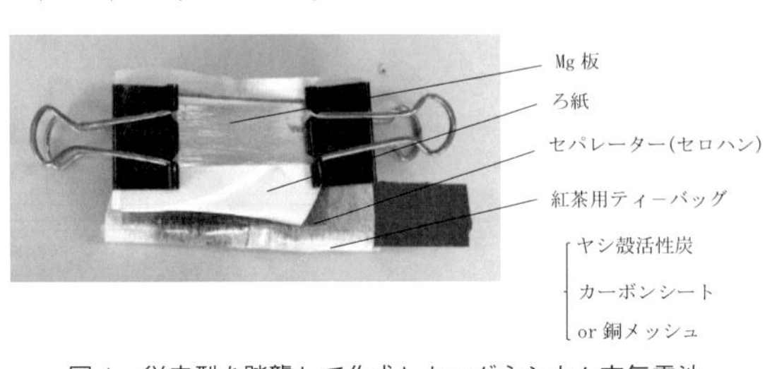

図１ 従来型を踏襲して作成したマグネシウム空気電池

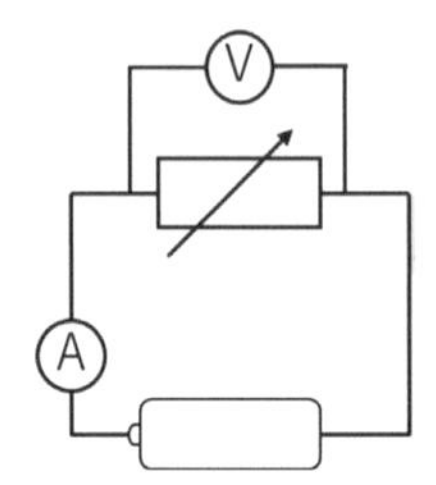

図２ 電池の性能測定回路

高校生の部

材にカーボンシート，電解質水溶液に NH_4Cl 水溶液を用いた電池が高い電圧を示すが，Mg 板表面上に不動態が多く析出していた。

電解液として NH_4Cl 水溶液を用いた場合，わずかながら酸性であるため，溶液内の H^+ と Mg が反応して自己放電が生じる。一方で NaCl を用いた場合は高い電圧が得られない。このため，中性またはアルカリ性で高い電圧が得られ，不動態を抑制できる電解液を見つけたい。

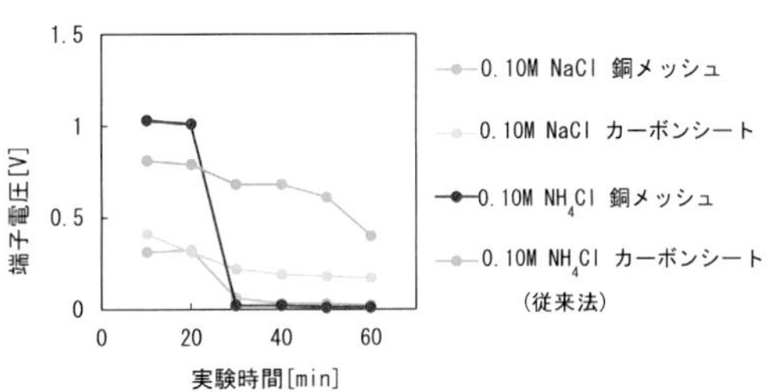

図３　従来法の電池における端子電圧の時間変化

図４　放電後の銅メッシュ　　図５　放電後のマグネシウム板

【実験２：Mg^{2+} のキレート化による電解質水溶液の改良および高電圧化】

そこで，不動態 $Mg(OH)_2$ の析出抑制と自己放電を防ぐため，Mg^{2+} と EDTA のキレート錯体に注目した。Mg^{2+} はエチレンジアミン四酢酸（以下，EDTA）とキレート錯体を生成することで知られている。

EDTA と，同様にキレート錯体をつくるクエン酸の影響を評価するため，4 種類の電解質水溶液を調製し，実験 1 と同様に端子電圧と内部抵抗の測定を行った。

結果，特に EDTA を用いた水溶液で，pH が 10 の緩衝溶液と 0.030 mol/L EDTA 混合水溶液を用いた時に電圧が最大となった。1.3 mol/L アンモニア系緩衝液のとき

表１　電解質水溶液の調製一覧

検討条件	pH	緩衝溶液	NaCl	EDTA・クエン酸 Na
Cl^- の影響（中性）	7	0.1 M Na_2HPO_4，NaH_2PO_4 混合溶液 10 mL（リン酸系緩衝液）	0.1 M〜1.3 M 5 mL	
Cl^- の影響（塩基性）	10	0.1 M〜1.3 M NH_3/NH_4Cl 混合溶液 10 mL（アンモニア系緩衝液）		
EDTA の濃度の影響（pH 10）	10	0.1 M〜1.3 M NH_3/NH_4Cl　混合溶液 10 mL		0.01 M〜0.25 M EDTA（EDTA 二ナトリウム塩）5 mL
クエン酸三ナトリウム塩の濃度の影響（pH 10）	10	0.1 M〜1.3 M NH_3/NH_4Cl　混合溶液 10 mL		0.01 M〜1.0 M クエン酸三ナトリウム塩 5 mL

高校生の部

のみの条件に比べても0.2 V程度電圧が高くなり，内部抵抗が10.9 Ωまで抑制されていた。これはMg^{2+}がEDTAとキレート化し，$Mg(OH)_2$の不動態の生成が抑制された結果だろう。クエン酸三ナトリウム塩を用いた実験では，1.0 mol/Lの時に0.030 mol/L EDTAよりもさらに高い電圧を記録した。これはEDTA二ナトリウム塩が水溶液中で酸性を示すため，高濃度にしてしまうと自己放電により電圧の低下が始まる。一方でクエン酸三ナトリウム塩はアルカリ性を示すため，濃度を上げても溶液全体が酸性に寄らない。そのため濃度をより高くすることができ，内部抵抗を4.3 Ωまで下げることができた。

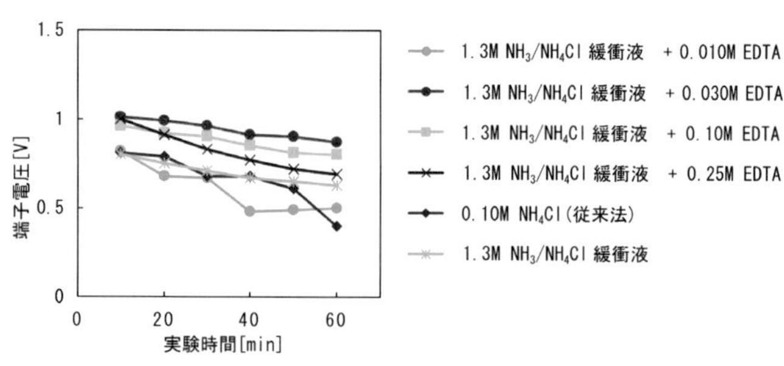

図6　EDTAを用いた電池における端子電圧の時間変化

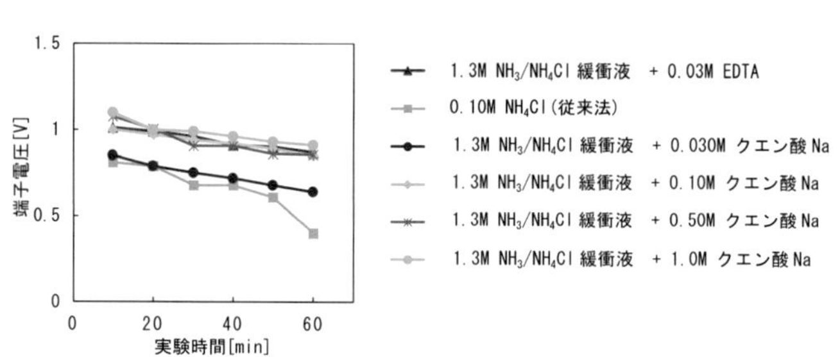

図7　クエン酸Naを用いた電池における端子電圧の時間変化

【実験3：電池の内部構造の改良】

従来型では，ろ紙に担持された電解質溶液のみで電池を動かしていた。しかし，シャーレに電解液を注ぎ，そこに電池を縦に置くことで，ろ紙が電解液を吸い上げ，持続的に供給することができる。

これを踏まえ，従来の横型に対して，構造を改善したものとして，セパレーターを除いたシングル縦型と，セパレーターをろ紙2枚ではさんだダブル縦型の電池を作成した（図8）。横型，シングル縦型，ダブル縦型の3つについて，電解液に0.030 mol/L

−　マグネシウム板　ろ紙　紅茶用ティーバッグ（活性炭カーボンシート）　+

−　マグネシウム板　ろ紙　セロハン　ろ紙　紅茶用ティーバッグ（活性炭カーボンシート）　+

図8　ティーバッグモデル縦型全景（左）シングル縦型（中）とダブル縦型（右）の構造図

EDTA混合溶液，1.0 mol/Lクエン酸Na混合溶液，従来のNH_4Clを用いて電池を作り，これまでと同様に電流・電圧を90分または180分測定して消費電力の推移を測定した。結果，EDTA，クエン酸Naどちらの電解液を用いた時も，測定開始直後は縦型，横型ともに高い出力を示していたものの，横型は消耗が早く，縦型は1，2時間経過してもある程度の出力を保ち続ける結果となった。特にクエン酸Naを用いた縦型は，測定開始から3時間経っても出力を保ち続けることに成功した。これは電解質水溶液を吸い上げることで長時間キレート錯体の形成を促進した結果であると考えられる。

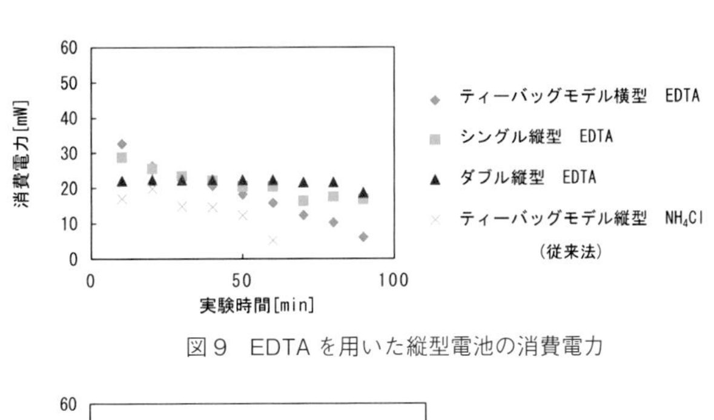

図9　EDTAを用いた縦型電池の消費電力

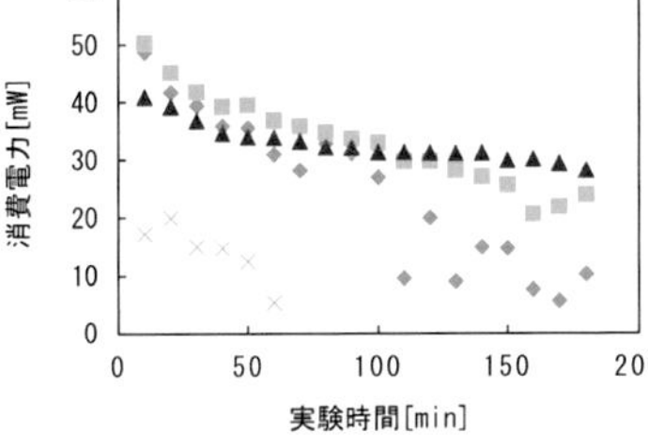

図10　クエン酸Naを用いた縦型電池の消費電力

■ 結論

本研究では，マグネシウム空気電池の従来法の問題点を解消するために，電解質水溶液と電池の内部構造に注目した高電圧化と長寿命化に取り組んだ。その結果，pHを10に調製した1.3 mol/L NH_3/NH_4Cl緩衝液と0.030 mol/L EDTA水溶液の混合溶液を電解質水溶液として用いたティーバッグモデルを開発し，従来法では24.9 Ωだった内部抵抗を10.9 Ωに，1.0 mol/Lクエン酸三ナトリウム塩水溶液を用いた場合は4.3 Ωに抑制した。

また，電池の長寿命化の検討について，ティーバッグモデルの内部構造を改良したダブル縦型で長時間キレート化を実現し，1.0 mol/Lクエン酸三ナトリウム塩水溶液を用いることで，30 mW以上の消費電力を3時間以上維持できる電池を製作できた。

■ さらに研究したいこと

EDTAについて，今回はキレート滴定の着想からEDTA二ナトリウム塩を用いたが，中性・アルカリ性条件のままEDTA濃度をさらに高めるため，EDTA四ナトリウム塩を用いて同様の実験を行いたい。また，電池の構造については縦ダブル型をさらに改良して高電圧・長寿命化を図ることができると思われる。電池の構造についてもさらに探究したい。

作品について

災害用電源として期待されるマグネシウム空気電池の改良型の開発研究を綴った報告書でした。弛まぬ努力が，ここに大輪の花を咲かせたのだと思います。谷﨑さんはマグネシウム空気電池の改良の歴史に，貴重な１ページを刻みました。これはすごいことなんです。もうこの世界にあるものを作ったのではなく，まだこの世界になかったものを創ったのですから。

たくさんのものがあふれるこの時代に，よいものを新しく生み出すためには，何が必要でしょうか。

一つはアイディア。ものづくりという言葉が流行してしばらく経ちますが，私たちの周りにあってずっと使われ続けているものの多くは，度重なる改良が施されたものばかりです。例えば私たちが普段使う明かりならば，もとはたき火やオイルランプ，ガス灯といった炎を明かりにしていたところに，あの「エジソン電球」とも呼ばれる白熱電球が生まれ，さらに蛍光灯がとって代わり，今はLED電球が私たちを照らしています。それは，多くの人が「こうしたらもっと良くなるのでは？」というアイディアを積み重ねてきた成果とも言えるでしょう。

もう一つは，根気。たとえ理論上は，紙の上ではうまくいくはずのことでも，実際にやってみるとそう簡単にはいかない。どんなにうまくいかなくても，挫けそうになっても，繰り返し繰り返し，あの手この手を考えて，何度でも試してみる。時間と労力を惜しまず，目標に向かって積み重ねる……この報告書ができるまでに，そのようなことがあったのではないかと，思っています。

谷﨑さんの，今後のご活躍をお祈りしております。

参考文献

（1）濱野柊歩　第61回日本学生科学賞作品（2017）　新型Mg空気電池の開発

（2）東京理科大学Ⅰ部化学研究部（2016）マグネシウム空気電池における電解液の検討

森林環境保全活動に伴う放置竹林の再利用

［長崎県立諫早農業高等学校　食品科学部］

渡邉 梓月 3年／上夷 胡桃 3年／草野 雄多 3年
髙谷 昂佑 3年／長門 杏奈 3年／一ノ瀬 美妃 2年
浦添 陽勢 2年／神尾 桃香 2年／坂田 楓 2年
柴田 伊吹 2年／森下 真琴 2年／山本 雪吹 2年
吉田 美優 2年／石橋 拓実 1年／原口 愛加 1年
平野 仁那 1年／森本 玲菜 1年／矢竹 華奈 1年

私達は、現在全国で問題視されている放置竹林の有効活用法について研究を行いました。本研究は放置竹林を有効活用することで地球環境に優しい取り組みであると共にきのこ菌床栽培において生長速度や抗菌性によるカビ抑制効果によって影響が大きいことが分かりました。今後はこの活動をより多くの方に知っていただけるよう頑張ります。

I　研究の概要

■ 研究の動機・目的

竹は長年にわたり様々に活用されてきた。しかし，生活様式の変化や輸入タケノコの増加などにより利用が激減し，放置竹林による里山の浸食，生態系の単純化，土砂災害などが懸念されている。2019 年の日本の放置竹林面積は 410,000 ha に達する。

長崎県の県央地区では，きのこの菌床栽培が盛んに行われている。栽培に利用される米ぬかやふすまを竹パウダーで代替すれば，放置竹林問題の解決に繋がると考え，企業から竹パウダーの提供を受け,県の専門機関の助言を得ながら研究に取り組んだ。

■ 実験方法

【実験 1：竹の添加量がきのこ菌糸（椎茸・舞茸・キクラゲ）の増殖に及ぼす影響】

ナラのオガ粉，栄養体，水を体積比 212：70：66 でよく混ぜて菌床を作成した。800 ml のバイオポットに菌床を適量入れ，直径 15 mm の丸棒で接種孔を底まで開け，121 ℃，4 時間の高圧蒸気滅菌をした後，無菌環境下でオガ種菌 10 g を接種した。

その際，竹パウダーの配合率と菌糸増殖の関係をみるため，栄養体は竹パウダーの配合率を 0 %から 100 %まで，10 %刻みで 11 種類を用意し，オガ種菌は椎茸菌の森 XR1 号，まいたけ菌の森 51 号，きくらげ菌の森 89 号（いずれも森産業株式会社）を使用し，きのこ菌糸 3 種，栄養体 11 種による 33 種について，各 3 本ずつのバイオポットを作成した。これらを，気温 22～25 ℃，湿度 60～70 %，明るさ日中 50～300 lux になるよう管理し，菌糸の成長を毎日測定した。

図 1　竹パウダー混合

図 2　水分量調整

図 3　ポット内接種孔

図 4　高圧蒸気滅菌

図 5　椎茸菌の接種

図 6　増殖の様子

【実験２：竹の主要成分がきのこ菌糸の増殖に及ぼす影響】

竹に含まれる成分がきのこ増殖に影響することが確認できたので，どの成分が成長に影響しているのかを突き止めるための実験を実施した。竹にはカリウム，ナトリウム，カルシウムが多く含まれるため，米ぬかにそれぞれの成分の塩化物（塩化カリウム，塩化ナトリウム，塩化カルシウム）の規定量を水溶液として添加したものを栄養体とし，【実験1】と同様の方法で菌床を作成し，培養を行った。なおこの手法は，食品科学部の特許（子実体栽培方法．特許第6675573号．2020-04-01）によるものである。

【実験３：菌床専用袋によるきのこの発生実験】

実際の栽培法できのこが発生するかを確かめるため，栽培農家が使用している菌床専用袋を用いた栽培実験を実施した。【実験1】と同様であるが，バイオポットの代わりに菌床専用袋を用い，その中に1,000 gの菌床を入れて栽培し，測定を行った。十分に菌がまん延，熟成した後に袋を破り，水の中に浸漬させ，培養棚に置いて定期的に1時間の間水を散布し，きのこが発生するか確認した。

【実験４：竹による抗菌効果の実証実験】

【実験1】において，竹パウダーの配合率が高いほどコンタミ発生率が低いようであったため，竹パウダーを添加した培地における様々な菌の培養実験を行った。

標準寒天培地及びデオキシコレート寒天培地に竹パウダーを0.1 %ずつ添加し，溶解，高圧蒸気滅菌の後，滅菌シャーレに入れて培地とした。無菌環境下で生理食塩水に供試菌1 g（10 %）を混入し，シェーカーで攪拌（かくはん）した後，38 ℃の環境で48時間増殖させた。この供試菌を培地に10 ml取り，コンラージ棒で塗布した。その後，培地を逆さにし，38 ℃の環境で24～48時間培養し，菌の発生の有無を確認した。

培地は，竹パウダーとして孟宗竹，真竹，混合竹を用いたもの，何も入れないものを用意し，供試菌は一般生菌群，大腸菌群，不完全菌類，担子菌類（椎茸菌・舞茸菌・キクラゲ菌）を用い，各サンプルを３つ用意して実施した。

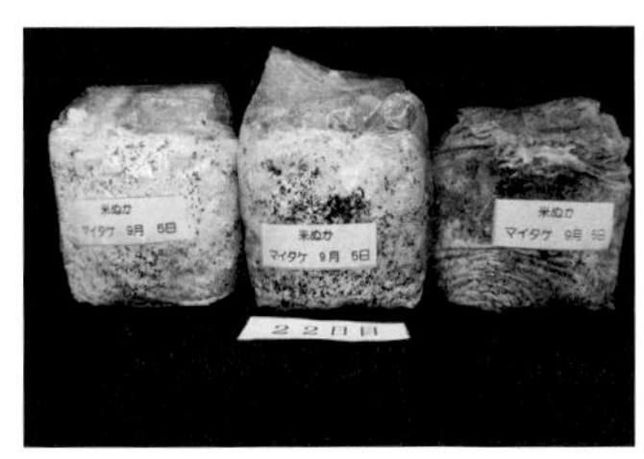

図７　コンタミ発生の様子

図８　菌の混入

図９　培地への塗布

【実験5：きのこ菌床栽培農家による実証実験】

実際の栽培現場でも栽培できるかを確認するため，【実験3】の方法で作成した菌床を，諫早（いさはや）の椎茸農家である長山智久氏の培養ハウスをお借りして栽培を試みた。

■ 実験と結果

【実験5-1：竹の添加量がきのこ菌糸の増殖に及ぼす影響】

図10は，椎茸菌の測定結果である。椎茸，舞茸，キクラゲいずれにおいてもポット内がまん延（ポット内余剰高さ120 mmまで増殖（縦軸））するまでの日数（横軸）は，竹パウダーの割合が多いほど短く，竹パウダーのみの栄養体を用いた場合，米ぬかのみの場合と比べて，椎茸では2倍，舞茸では3倍，キクラゲでは2.4倍の速さで増殖が進むことが分かった。

【実験5-2：竹の主要成分がきのこ菌糸の増殖に及ぼす影響】

図11にて，10日ごと（縦軸）の測定結果（横軸）を示す。椎茸，舞茸，キクラゲいずれにおいても KCl＋NaCl＋$CaCl_2$ を添加した場合に最も増殖が促進され，竹パウダー使用時とほぼ同じ結果になることが分かった。

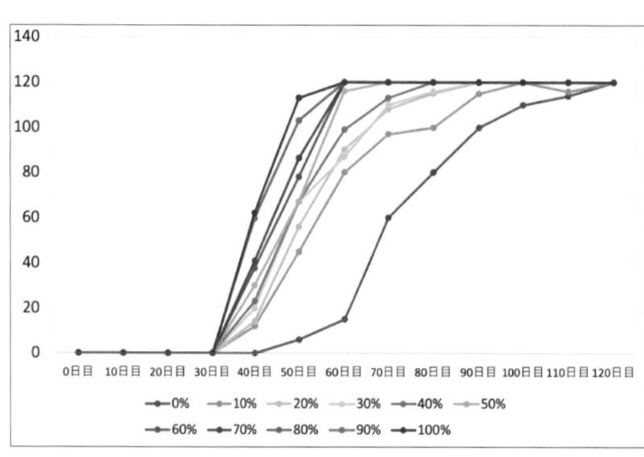

図10　竹の割合が椎茸菌の増殖に及ぼす影響

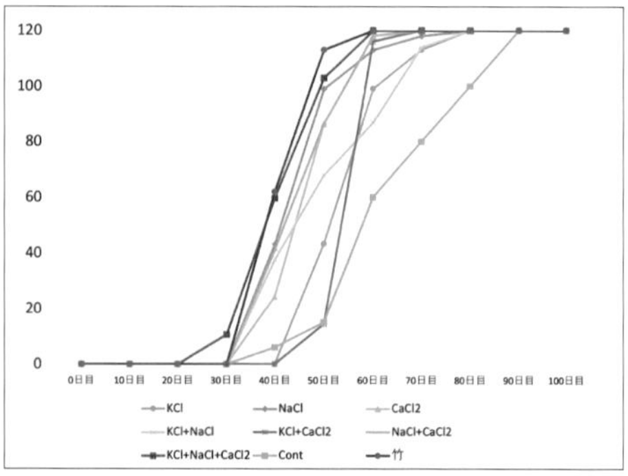

図11　竹の成分が椎茸菌の増殖に及ぼす影響

【実験5-3：菌床専用袋によるきのこの発生実験】

菌床専用袋内における菌のまん延に必要な時間は，【実験1】と遜色なかった。さらに，きのこの発生にも成功した。発生したきのこを市販のものと比較したところ，食味・品質面において大きな差は見られなかった。

図12　椎茸発生の様子

図13　舞茸発生の様子

図14　キクラゲ発生

【実験 5-4：竹による抗菌効果の実証実験】

この実験のきっかけとなった，竹パウダー混合率（横軸）とコンタミ発生率（縦軸）の関係は図 15 の通りである。竹パウダーの割合が多いほど，コンタミが抑制できている。培地での培養実験の結果は表 1 の通り，一般細菌群，大腸菌群，不完全菌類では各種の竹を混ぜた培地で菌の発生が無かったのに対し，各担子菌類では発生が認められた。

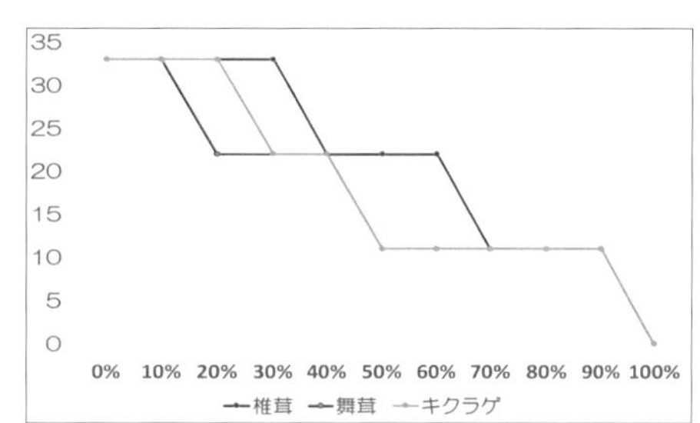

図 15　竹の割合とコンタミ発生率（%）

表 1　培養実験の結果

各種菌類	コントロール区	真　竹	孟　宗　竹	混合(依頼)竹
一般生菌群	D	N.D	N.D	N.D
大腸菌群	D	N.D	N.D	N.D
不完全菌類（カビ類）	D	N.D	N.D	N.D
担子菌類（椎茸菌）	D	D	D	D
担子菌類（舞茸菌）	D	D	D	D
担子菌類（キクラゲ菌）	D	D	D	D

D:Detcted　N.D.:Not Detect

【実験 5-5：きのこ菌床栽培農家による実証実験】

これまでの実験の結果と同様に，竹パウダーを使用した菌床では速いスピードで増殖が起こり，実際の栽培環境でも遜色なく利用できることが分かった。その後，きのこの発生にも成功し，良品も確認できた。

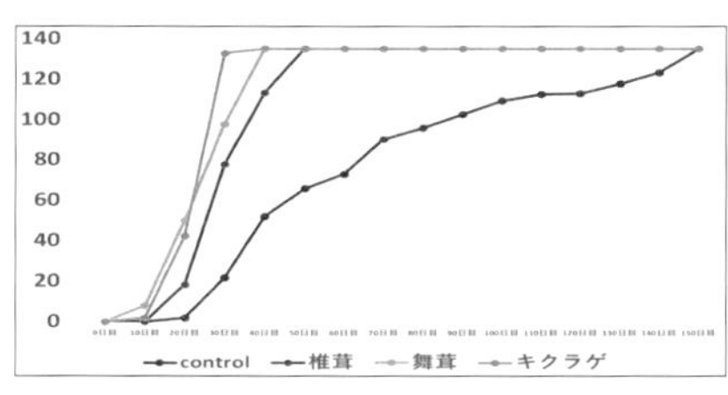

図 16　ハウス内における菌の増殖

図 17　椎茸発生

図 18　キクラゲ発生

■ 考察

一連の実験結果は，いずれも竹パウダーが椎茸，舞茸，キクラゲの菌床栽培に有用であること，実際の栽培を行う上でも利用可能であること，栄養体として米ぬかより優れていることを示している。高畠ら（2016）は竹パウダーを用いたヒラタケの栽培に成功したが，椎茸，舞茸，キクラゲについても問題なく栽培できることが示されたことになる。また，抗菌作用が高くコンタミが発生しにくいことは，食の安全・安心の観点からも望ましい。今回，地元きのこ生産農家の方と連携し，各種きのこ類の実証実験に成功し，実際に地元企業において事業化され，全国への普及活動が進んでいる。

仮に，今回の実験成果を長崎県内の菌床栽培農家で実用化するならば，年間の竹の消費量は 166 万 t に達する。調達にかかる費用は年間 1,890 万円となり，おがくずと比較してもほとんど変わらず，経営する場合においても十分採算が合うだろう。本技術が，放置竹林問題の解決，ひいては自然環境改善の一助となれば幸いである。

作品について

この研究では，放置竹林の問題を解決するための具体的な方法として，竹パウダーを菌床に利用した各種きのこ栽培を提案し，そのための実証実験を行ったものです。菌の増殖やきのこの発生までには時間がかかることもあり，膨大な数の菌床を長期にわたり管理し続けなければならない実験は，苦労が絶えなかったのではないかと拝察しております。

また，この取り組みが，学校で行う「産・官・学」の三位一体の連携事業として行われたことも大きな特徴です。提出作品には，SHOJI 株式会社林田康三氏，NK 技研株式会社津村弘祐氏，椎茸農家長山智久氏，長崎県工業技術センター河村俊哉氏をはじめ多数の方々から協力を得たとの謝辞の記載がありました。

この研究は，学校の部活動が行う研究成果が花開き，社会問題の解決に筋道をつけ，大いに貢献した希有な例と言えるでしょう。概要には掲載しきれませんでしたが，既に複数の企業への技術提供が行われ，実用化されているそうです。

科学的・社会的な問題が人々を悩ませている時「その問題，私のアイディアで解決できるかも？」という閃(ひらめ)きは，その問題を解決するために必要な「科学の芽」です。人類はこれまでいくつもの問題に行き当たり，その度に解決してきました。それらの解決への道筋も，もとを辿(たど)れば「私のアイディアで解決できるかも？」という閃きが出発点です。そして，その芽を花開かせるために苦労を惜しまず研究に打ち込んでいることも共通しています。それが必ずしも望ましい成果を生むとは限らないのですが，やってみなくちゃ分からない。だからやる。

これは，努力してもスポーツ選手として日本代表になれるのはほんの一握り，でも日本代表になったスポーツ選手は皆努力をしている，という話に似ているかもしれません。

私も，オンラインで実施された表彰式に同席いたしましたが，皆さんの生き生きとした表情に元気づけられました。長崎県立諫早農業高等学校食品科学部の皆さんの，今後の活躍に期待しております。

参考文献（抜粋）

- 高畠幸司・中田祐治・吉田誠，「竹材オガコによるヒラタケ菌床栽培」，日本きのこ学会誌，Vol. 24(2) 71-76 (2016)

SCIENCE

第Ⅱ編
科学者からのメッセージ

「もっと知りたい！」という目的意識　南 龍太郎　157

「科学の芽」から拡がる研究の世界　笹　公 和　159

「不思議に思ったこと」を自ら確かめることの大切さ　長友 重紀　161

科学にまつわる言葉　野村 港二　163

「もっと知りたい！」という目的意識

南　龍太郎

通常物質は固体・液体・気体の３つの状態で存在します。これを「物質の３態」といいます。水を例にすると，氷・水・水蒸気がそれぞれに対応します。氷（固体）を温めていくと水（液体）になり，さらに温めると水蒸気（気体）になる３つの状態の変化のことは皆さんご存じでしょう。さらにもっと温めるとどうなるでしょうか。原子を構成しているプラスの原子核とマイナスの電子がバラバラになります。これがプラズマです。プラズマは宇宙（太陽などの恒星や，恒星の集まりである星雲）や地球近辺の自然現象（オーロラや雷）の中に満ち溢れていますが，私達の身近な生活の隠れたところにもプラズマが活躍しています。プラズマの利用は幅広く，様々な分野で応用されています。プラズマの性質の利用形態から，光，熱，電気，力学，化学反応，核反応に分類することができます。エネルギー利用としては，１億度近くの高温プラズマを用いた核融合発電が代表例で，私もその核融合の研究者の一人です。地球上の生物は，母なる太陽からの熱，光等のエネルギーの恩恵を受けて進化・発展してきました。自然エネルギーのほとんどがこの太陽のエネルギーが源です。太陽は主に水素のプラズマで構成されていて，巨大な天然の核融合炉です。これを地上で実現させるために核融合の研究開発が進められています。

核融合は未来のエネルギー源だが，いつまでたっても未来のエネルギー源のままだ，と言われることがあります。残念なことに，この分野を研究してきた人たちが立てた予想があまりにも楽観的過ぎた，ということがあるかもしれません。1950年代，核融合発電実現は「これから30年以内に達成されるだろう」と予想されました。この時から，すでに70年近くがたちました。いまでも，「今後30年後には核融合の実用化の目途が立つだろう」と言われています。この予想に現実が追いつくことは，果たしてあるでしょうか。おそらく今世紀中には可能でしょう。核融合は，私たちが生きている間に実際に主要な商業エネルギー源になるかもしれませんが，その開発にはあまりにも時間がかかり，当面のエネルギー問題や地球温暖化などの問題解決には役に立たないかもしれません。そのことから，核融合は「役に立たない」研究だと言う人もいるかもしれません。

さて今私の手元には『もっと知りたい！「科学の芽」の世界 PART7』があり，それを読んでいます。小学生の部，中学生の部，高校生の部の，それぞれの章の始めに「科学の芽」賞の説明があり，その中に審査の観点が書かれてあります。共通していることは，テーマ・課題の独創性，魅力が重要な観点となっていることです。研究のテーマ・課題において，「役に立つ」「役に立たない」の議論は特にありません。科学には，大いに役に立つものもあれば，何の役に立つのかさっぱり分からないものもあります。社会のお金を出す側の論理としては，どうしても役に立つものを求めてしまうのは理解できます。しかしながら，科学の本質は，役に立つかどうかとは関係がありません。役に立つからとか，何かのほかの目的のために知りたいのではなく，ただ知りたいのです。科学者は，何かの役に立つから研究するのではありません。とにかく明らかにしたいこと，知りたいことがあるから研究しています。自分の興味に基づいて研究を進めるからこそ，世界で誰も知らないことを明らかにできるのです。

「勉強」と「研究」の違いは何でしょうか。勉強は，ほかの人が考えたり見つけたりした知識を吸収することです。研究は，知識を生み出すことです。世界の誰も知らなかったことを考え出したり，見つけたり，未解決の問題を解いたり，誰もやっていなかったことを実現することです。したがって，科学者は，自分の興味に基づいて「ただただ知りたい」というテーマについて，そのテーマについて誰かが知っていることを「勉強」し，それでも分からない，誰も知らない未知のことを「研究」し，新しい知識を生み出して，それを人に伝えることが使命となります。未知のものを探るわくわく感があって楽しい，その反面，研究は成功が約束されていないので，苦しいときもあります。研究職は専門性のある職種であり，まさに文字通りその分野を究め新しいことを発見していく仕事です。それだけに，短期間で成果が出ることはまずありません。ひとつの物事に対し，粘り強く取り組む必要があります。その成果が出るまでの過程の中で失敗を繰り返しながら一進一退を繰り返すのです。多少の失敗で，嫌になって物事を放り出したりすることは許されません。そうした暗闇の中をひたすら走るような状況の中で，新たな発見や長年の研究の成果が得られれば，当然，達成感を得られます。研究が成功することで，人生で最も感動できる瞬間を味わえるかもしれません。科学者として必要な資質とは何でしょうか。「ただただ知りたい」その目的意識を持ち続けることだけが，時につらく苦しい先の見えない研究活動を支える，唯一のことかもしれません。

［筑波大学数理物質系准教授］

「科学の芽」から拡がる研究の世界

笹　公和

加速器と聞くと原子核や素粒子を研究するための巨大な実験装置を思い浮かべる方が多いかと思います。私は加速器の研究者として学生時代は加速器の開発研究に携わっていたのですが，現在は物質を調べるための分析道具として小型の加速器を使用しています。

さて，加速器は過去に起こった事象を解き明かすことにも利用されています。例えば，考古学の分野などでは放射性炭素（炭素 14）を用いた年代測定法が普及しています。炭素 14 の「14」という数字は質量数と呼ばれるもので，元素に含まれている陽子と中性子の合計の数になります。最近では，炭素 14 の検出に加速器質量分析法（AMS）という手法が使用されています。炭素 14 は 5730 年経つと，その半数は壊れてしまい，安定な窒素 14 になります。炭素には安定な炭素 12 と炭素 13 が存在しており，物質に含まれる炭素 14 との比率を調べることで，炭素がその物質に取り込まれてから何年経ったのかが分かります。それでは，壊れてしまう炭素 14 が環境中になぜ存在しているのでしょうか。炭素 14 は，地球に飛び込んできた宇宙線から出来た中性子と大気に含まれる窒素との原子核反応により，大気上層で常に生成されています。地球環境において炭素 12 が 1 兆個ある場合に，1 個程度の炭素 14 が存在しています。その後，炭素 14 は二酸化炭素などになり地表に降下して，樹木や動植物などに取り込まれます。

地球に飛び込んでくる宇宙線は主に銀河（超新星爆発などに由来）や太陽活動などを起源としています。宇宙線の強さは常に変動しているため，炭素 14 の生成量も僅かですが変動します。そのため，炭素 14 を用いた年代測定では，過去の炭素 14 濃度を記録した世界標準の較正曲線（北半球用はイントカル（IntCal）といいます）があり，測定した炭素 14 濃度をその変動パターンに当てはめることで詳細な年代値を算出します。較正曲線には，約 5 万年前までの記録があり，年輪年代法で年代値が分かっている樹木年輪や福井県水月湖の湖底にある年縞堆積物（ねんこうたいせきぶつ）などに含まれる炭素 14 の値を基にしています。しかし，IntCal のデータは約 11 年の周期とされる太陽活動の影響を除くため，5年から20年程度の年輪をまとめて測定した値が多くなっています。

約10年前に，日本の大学院生がIntCalの不連続な部分について着目して，屋久杉を用いて1年輪ごとの炭素14を測定してみました。その過程で，西暦774年から775年にかけて大気中の炭素14濃度が急激に上昇していたことを発見して，2012年に『Nature』という学術雑誌に発表しました。炭素14の生成量から見積もられた宇宙線の強さは，これまでに観測された最大の宇宙線の強さに対して桁違いの大きさでした。もし，このレベルの強さの宇宙線が現代の地球に降り注いだとしたら，コンピュータや通信機器などが破損して，人類活動に甚大な影響を及ぼすと考えられるため，その原因を調べるための研究が世界中で行われています。過去に起こった事象を調べるためには，それを記録しているものが必要となります。古文書などの探索も行われており，その年代付近において異常な気象現象を示す記述がこれまでに複数見つかっています。さて，他の科学的な記録媒体として着目されているのが，南極やグリーンランドの氷床から得られるアイスコアです。アイスコアには過去のさまざまな地球環境の記録が残されています。アイスコアに残された宇宙線と大気を構成する元素との原子核反応で生成される核種について，加速器を用いて検出することで，宇宙線強度の増大現象についての原因が少しずつ分かってきています。最初は超新星爆発などによる影響の可能性も話題に出たのですが，最近では太陽表面で発生した大規模な太陽フレアと呼ばれる爆発現象（スーパーフレア）に起因するということが分かってきました。この現象が発見されてから10年後となる現在，更なる原因の解明を目指して，南極にあるドームふじ基地に共同研究者の大学院生がアイスコアを採取するために滞在しています。

西暦774年から775年の宇宙線飛来による炭素14濃度の急激な増加を新たな指標として，年代測定も行われています。例えば，朝鮮半島の付け根にある白頭山が10世紀に起こした過去2000年間で世界最大級の噴火の年代が，この手法により詳細に決定されたりしています。年代測定のための炭素14濃度の標準曲線における小さな変化への気付きから始まった研究が，加速器，宇宙線，原子核反応，太陽活動，古文書，南極アイスコア，火山噴火の研究とさまざまものに繋（つな）がっていきます。何故だろうと思った小さな「科学の芽」がどんどん成長して，多様な学問分野を横断した研究に育ってきました。最初の小さな芽から育った樹は，現在，科学の大木になろうとしています。

［筑波大学数理物質系准教授］

「不思議に思ったこと」を自ら確かめることの大切さ

長友重紀

2020年度から「科学の芽」賞の小学生部門の審査に携わっています。今回で2回目となります。今は化学の教員をしています。

みなさんが実験を行うきっかけは様々であると思います。街，公園を歩いているとき，テレビを見るとき，現代であればYouTubeを見るときに，いろいろな不思議に出会うのではないでしょうか。多くの場合は「不思議なことがあったなあ」で終わって時間が経つと記憶から消えてしまうのでしょうが，あるときに「ものすごく不思議に思い，気になって気になってしまい，もっと知ろう」と思う，そのことがとても大事なことだと思うのです。

2021年度の発表でも「オオカミは井戸に落ちるのか？」も，物語ではお腹が重くなって落ちたけれども，実際に実験してみると，重心が下がって落ちないことが分かる。「ランドセルのおじぎ実験　～ランドセルの中身はどうしたら落ちるのか～」も，漫画では前方に教科書などが勢いよく出てくるけれども，実際におじぎの速さ，ランドセルの中身の重さを細かく変えて実験を行うと，おじぎの速さとランドセルの中身の重さをいいところにそろえないと勢いよく出ないことが分かる。不思議をもう一歩すすめて「こういうことなんだ」と分かることが大切なことだと思うのです。

私が小学生の頃にはまだインターネットはありませんでしたが，家に理科の図鑑がありました。その中には，酸素のみが入ったビンの中でスチールウール（鉄を糸のように細くしたもの）が花火のように激しく，明るく燃える写真や，線香が炎を出して激しく燃える写真がありました。どちらも空気中では激しくは燃えません。そのときに「実際に自らの手で行ってみたい」と思ったこと，その他にも硫酸銅という物質の数cmサイズの青色の結晶の写真があり，「きれいな結晶なので作ってみたい」と思ったことを覚えています。ただ，そのように思っても，実験室もなければ試薬もありません。そこで化学の会社に勤めていた親戚の人に助けていただいて，実際に自ら行ってみることができました。写真でも燃える激しさは想像できましたが，実際に見ると燃えるときの「音」も聞こえるので激しさをものすごく感じたように記憶しています。

硫酸銅の結晶も高い温度で多くの硫酸銅を溶かし，ゆっくりと温度を下げると板状のひし形の結晶ができます。このときは小さい結晶しかできないのですが，その中の形のよい結晶を選んで細い釣り糸でくくりつけて，もう一度高い温度で多くの硫酸銅を溶かした水溶液に釣り糸にくくりつけた結晶を静かに垂らし，そのまま静かなところにおいておくということをしました。何度か結晶が溶けて釣り糸だけになる失敗をしましたが，「飽和溶液」という言葉を知ってから，実験方法を少し改良しました。高い温度での飽和溶液を作って，そこに釣り糸にくくりつけた結晶を垂らし，ゆっくりと溶液を冷ましつつ静かなところにおいておくと，元の結晶が大きくなっていたことを思い出します。私が化学の道に進むことになったのは，このときの体験が大きかったと思っています。今は大きな結晶を作ることをしていませんが，化学に関することは楽しく思っています。

ところで，私が大学生のときに次のようなことがありました。

私が大学で化学を学んでいるときに，ある先生から「化学（科学）者は，分からないことを分かるようにするために日々研究を行っている。そうしてあることが分かったらまた別の分からないことを探して分かるようにするために日々研究を積み重ねている。そうすると最後には化学（科学）ですべてのことがらが説明されてしまうときがくる。そのときはもはや化学（科学）者は世の中に必要ではなくなる。私たち化学（科学）者は，私たち化学（科学）者自身の仕事（研究するということ）をなくすために日々研究をしている。言い換えると，研究者がいなくなるようにするために研究をしている。」と言われたことがあります。この話の内容は真実だと私は思っています。しかしながら，逆説的な言い方でもあり，この文章を読むとみなさんの中には嫌な気持ちをもった人もいるかもしれません。

ずっとはるかな未来にはそのようなときが来るかもしれない。しかしながら，現在は，まだまだ不思議なこと，「科学の芽」が身近なところにたくさんあります。不思議なことをいろいろと工夫して，実験して，考えて解き明かしていくその途中で，「新たな不思議なこと」が見つかって，実験を計画してさらに研究を進めていく。多くのことを試みて実験がうまくいかないこともあるかもしれないけれども，「不思議なことを解き明かした」ときに大きな喜びがあり，その思いを何度も経験したいことが「不思議なことを解き明かしたい」という気持ちにつながるものと思っています。

21 世紀中には「不思議なことがなくなって，あらゆることが科学で説明できる」ということはまだまだ達成されないと私は思っています。みなさんの中には 22 世紀を体験される人もいるかもしれませんが，22 世紀もおそらく達成されてはいないと私は思います。それでも，「不思議なことを解き明かしたい」という気持ちで，これからも多くの不思議なことを見つけて，解き明かしていってほしい，とみなさんよりも 45 年ほど先に生まれた人として思っています。

［筑波大学数理物質系講師］

科学にまつわる言葉

野村港二

この本で紹介されている作品は，どれも，不思議や問題に気づき，どうやって調べたり挑戦したりするかアイディアを出し，自分自身で解決したものばかりです。では，「科学の芽」の科学やアイディアとは，もともと何なのでしょうか。そこで，科学にまつわる言葉について考えてみようと思います。小学生の皆さんには，ちょっと気の毒かも知れませんが，研究にまつわる言葉には，外国から輸入した考え方に対して日本語を作ったものが多いので，ここでは，英語の単語で考えることにします。

まず，科学です。英語では science ですね。もっとも，科学という明治時代に作られた日本語と science の概念は，正確には一致しないと僕は考えているのですが，それは別の機会にお話しするとして，辞書で science の意味を調べてみました。そうすると science のもともとの意味，語源は，物事を切ることと書いてありました。切るというのは，どういうことでしょう。解剖する？　分解する？　要素に分ける？　どれも当てはまるかも知れません。でも，僕には，いろいろな切り口で物事を観察したり説明したりする，という意味にも思えるのです。ぼーっとしていたら見落とすかもしれない現象や問題をさまざまな視点や切り口で観察できたから，みなさんの不思議だなと思う「科学の芽」が生まれたのではないでしょうか。

次はアイディア，idea です。idea は哲学用語としても用いられますが，もともとは見た目，外見を表すギリシア語だったようで，今日では，考えや思い付きといった意味で使われます。さて，20 世紀の半ばに活躍したジェームス・ウエブ・ヤングという人は，idea の新しい解釈を作りました。それは，今まで関係が無いと思われていた要素と要素の間の新しい組み合わせ，という考え方です。要素の組合せをするのは，皆さんの脳内での活動です。ですから，idea を生むためには，いろいろな物事を見聞きし記憶して，脳内の記憶として要素の数を増やし，その組み合わせを考え続けなければならないのだと思います。要素間の新しい組み合わせを作るのは意外と難しいことです。いきなり正解を求めたりしないで，質より量に重きを置いて，どんどん考えることで idea が生まれることがよくあります。そのため，新しい商品や企画を生む仕事をしている人たちは，ばかばかしいとか思わずに無責任なくらい自由に考えをめぐらす活動を，発想法と呼んで実践しています。「科学の芽」賞の作品を支えているのも，他の人は気づかなかった idea ですよね。素敵な idea を形にした作品を作り上げた皆さんは，考えに考え抜いたのだと思います。

ここまで読んで，あれっと思った人はいませんか。science は切って分けること，それを支える idea はつなげることです。あなた自身で，要素に切り分けたり，要素をつなげたりするのが，研究だったのですね。それでは次に，あなた自身で，という事に関わる言葉を見ていきましょう。

研究で何より重要なのは，自分自身の考えで行われた独創的なものであることです。この独創，英語なら original という言葉は，始まりという意味から発しています。ちょっと話がそれますが，フランスでは，「これはオリジナルですね」という言葉は，最高の誉め言葉です。あるレストランで，料理がおいしかったのでそう言ったら，シェフがタダでお代わりを持ってきてくれたことがあります。それくらい，original であることは誇らしく大切なのは，研究でも同じです。プロの研究者は，先人たちの研究成果を土台にして，その上に original な研究を積み上げます。ですから研究は，先人たちの研究を尊重し，それらを良く勉強することから始めるというルールを守って，自分の戦い方でプレーするゲームとも言えます。プロではない皆さんは，過去の研究の全部に目を通すなどのルールに縛られる必要はないとは思います。それでも original であること，すなわち，自分で考えて，自分でやってみるのは大切です。

先ほど，idea を出すときには無責任なくらいで良いと話しました。でも，発表するときには，その作品が世の中にどんな影響を与えるかを，責任感を持って考えることが必要です。この責任には，論理的であるか，すなわち考えの流れがしっかりしているか，分かりやすくまとめられているかなどの事も含まれます。分かりやすく，美しくまとめられた作品は，誰にでも喜んで受け入れてもらえますよね。

切ったりつなげたり，無責任だったり責任感を持ったり，粘土をこねるときのように，内容の本質は変わらなくても形を変化させながら研究は完成します。身近な現象を自身で考えた切り口で見つめ，それを調べたり解決したりする方法を探しまわり，自分自身の独創的な研究としてまとめられている作品たち。僕も，もう一度，この本の作品のような，夢のある研究をしてみたいなと，こっそり考えています。

［筑波大学生命環境系教授］

第Ⅲ編
資 料 編

朝永振一郎博士の業績とひとがら
　～誕生から小学校・中学校時代まで～　「科学の芽」賞実行委員会　167
朝永振一郎博士　略年譜　171
応募状況一覧と受賞作品　172
　＊応募状況一覧（第 1 ～ 16 回）
　＊第 15 回「科学の芽」賞　オンライン表彰式・発表会（2020 年 12 月 19 日）
　＊第 16 回「科学の芽」賞　オンライン表彰式・発表会（2021 年 12 月 18 日）
　＊第 15 回　受賞作品（「科学の芽」賞，奨励賞，学校奨励賞，努力賞）
　＊第 16 回　受賞作品（「科学の芽」賞，奨励賞，学校奨励賞，努力賞）
〈参考〉
　＊第 1 回（2006 年）～ 第 14 回（2019 年）
　　科学の芽賞受賞作品一覧／筑波大学ギャラリー紹介
　日本のノーベル賞受賞者と筑波大学関係者　190

朝永振一郎博士の業績とひとがら
～誕生から小学校・中学校時代まで～

「科学の芽」賞実行委員会

朝永振一郎博士は，筑波大学の前身である東京文理科大学と東京教育大学で黎明期の素粒子物理学の研究に従事し，戦中・戦後の困難な時代に，超多時間理論とくりこみ理論を建設して光と電子の相互作用を解明しました。1965 年にはこの功績によりノーベル物理学賞を受賞しました。また博士は，東京教育大学の学長ならびに附属光学研究所長を務めました。このように縁とゆかりの深い朝永博士の業績を讃え，筑波大学には朝永記念室が設置されています。それでは，この記念室の資料を中心に，朝永博士の誕生から中学校卒業までを振り返ってみましょう。

筑波大学朝永記念室を訪ねると，初めに上のパネルが目に入ります。朝永先生は，1906（明治 39）年 3 月 31 日，哲学者の朝永三十郎博士の長男として東京の小日向三軒町（現在の文京区小日向）に生まれました。その後，父の京都帝国大学（現在の京

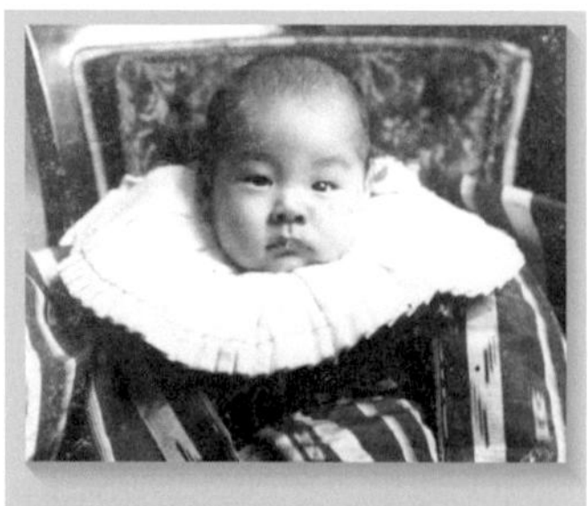

1906 年3月31日、東京に生まれた。父は三十郎、翌年、京都大学教授。一家は京都に移るが、1909年、父の海外留学で再び東京へ。誠之小学校入学。1年の2学期、父帰朝し京都の錦林小学校に転入。京言葉に悩まされる。

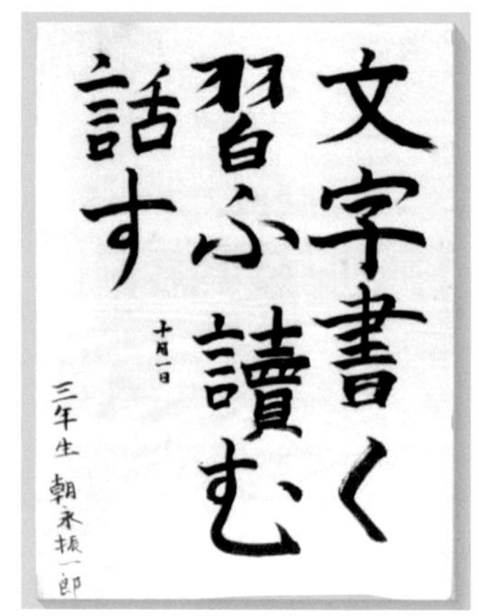

都大学）着任に伴い一家で京都に移住。父の海外留学で東京に戻り，誠之小学校（東京都文京区）に入学。そして父の帰国で再び京都に戻り，錦林小学校に転入しました。

では，どのような小学生だったのでしょうか。朝永先生本人によれば，泣き虫で，病気がちで，京都のことばがわからず学校に行くのを嫌がって両親を困らせたそうです。また，勉強では数学・理科が好きで，習字が嫌いだったそうです。小学校２年生のとき，習字の先生に「お前は，なんてへんてこな字を書く」といわれて学校に行くのが嫌になりましたが通い続けて，「乙の下」や「丙の上」が「甲の下」になったそうです（当時の成績は上から，「甲」「乙」「丙」…）。右上の画像は，小学３年生のときに書いた習字ですが，みなさんはどう思いますか。

パネルに書かれている『理科 12 ヶ月』『理化少年』は子ども向けの科学雑誌で，父に買ってもらったものです。これをネタに，自分の工夫を加えて，さまざまな実験を試みたそうです。また，学校の先生からも大きな影響を受けたようです。それでは，どんな実験を体験し，そして挑戦したのか，いくつか紹介しましょう。

- 先生が運動場や体育館に児童を集め，酸素を発生させて鉄の針金などを燃やして見せたり，水素を詰めたゴム風船を飛ばしたり，物理や化学のデモンストレーション実験がよく行われた。
- 体が弱くて学校を休んだときに，担任の先生が補習に来て，長さを半分にするとどうなるのかを，立方体にした芋を包丁で切って，小さなサイの目が８つできるのを見せて，ほら８分の１になるだろうと教えてくれた。
- 小学３年の頃，節穴がある引出しを立てて，その前に紙のスクリーンを置いて，ピンホールカメラをつくった。あるとき，拾った虫めがねと組み合わせてみると，スクリーンの上に，「前より小さいが，驚くばかり鮮明な像がくっきり現れた」。（朝永先生の随筆『私と物理実験』にいくつか紹介されています。筑波大学数理物質系教授の金谷和至先生にまとめてもらいました。）

物理の世界は何と不思議な！ こういう研究ができたら

中学時代

1918年、京都府立第一中学。「紙にいろんな三角形を描いて角度を測って足してみろ」と先生。新数学教育を実験的にやった。
家では理科遊び。顕微鏡を買ってもらった。倍率上げたくてガラスをガスの火で熱して円いレンズを作った。倍率300倍！ ツリガネ虫がよく見えた。
中学5年。アインシュタインが京都に来て講演。わからないながら石原 純『相対性原理』などを手にした。物理の世界は何と不思議な！ こういう世界の研究はすばらしいと思った。

次に，筑波大学朝永記念室に展示されている中学時代のパネルを紹介しながら，中学時代を振り返ってみます。京都府立第一中学に入学早々，病気がちな朝永少年は1学期間学校を休学しました。その間，医者の許しが出ると寝床の上に座って，ボール紙やご飯粒の糊を使っていろいろな工作を行っていたそうです。

1年後に後輩として湯川秀樹先生（1949年に日本人として初のノーベル物理学賞を受賞）が一中に入学してきました。湯川先生は中学を早期終了したため，第三高等学校と京都帝国大学理学部では同級生となり，互いに切磋琢磨し二人は偉大な科学者になりました。一中・三高時代は「生徒諸君を紳士として扱う」という自由な校風の下，実験を取り入れた手足も動かすユニークな勉強が行われていたとのことです。それでは，授業の様子と朝永先生の中学時代のエピソードをいくつか紹介しましょう。

京都府立一中３年生のとき，左はしが朝永少年

●朝永少年が数学の授業で特に印象に残っているもの

・紙でいろいろな三角形をつくり，実際に角度を測って足し合わせるとだいたい180° になった。

・大きさの違ういろいろな丸い筒を用意し，糸でまわりの長さを測って筒の直径で割ると，だいたい同じ比率になった。

・1歩の長さを調べておいて，歩いた歩数から距離を見積もり，巻尺で測った距離と比べてみた。

・電信柱の頂上までの角度を測って，高さを計算してみた。

●幻灯機をつくったが大きなレンズがなかったので，フラスコに水を入れて代用してうまくいった。次に，幻灯板も自作しようと思った。(幻灯板は透明なガラスの上に画像を焼き付けたもので，それを通して光をスクリーンに大きく映す装置が幻灯機）試行錯誤（しこうさくご）の末，寒天に青写真の薬をしみこませて乾かし，写真ネガを焼きつけてみると，予想以上に鮮明な青写真ができたので，友達を集めて試写会を行った。

●おもちゃの顕微鏡（けんびきょう）の倍率を上げるために，ガラス管の切れはしをガスで溶かしてガラス玉をつくり，対物レンズにしてみた。倍率が200〜300倍くらいになって，古井戸の水の中にいたツツガムシがよく見えた。

●アスピリン錠の空きビンに鉛を入れ，針金を入れて溶かし，ビンを筒としてピストルをつくった。ビンの底を抜いてコルク栓をはめ，ガラス管を2本差し込んだ。ガラス管の一部を細くくびって玉を入れると弁になり，小さな押上げポンプとなった。(以上のエピソードも，金谷和至先生にまとめてもらいました。)

中学5年のとき，アインシュタインが京都にも講演に来るといってジャーナリズムが人々の興味をかきたてました。興味と関心を持った朝永少年は，わからないながらも『相対性原理（石原純著)』を読み，時間と空間が観測者にとって相対的であることや，4次元の世界，非ユークリッド幾何学等を知り，物理とはなんとふしぎな世界なんだろう，これを研究してみたいと思ったそうです。

《参考文献》

・みすず書房『鏡の中の世界』(朝永振一郎著　1965)
・みすず書房『回想の朝永振一郎』(松井巻之助編　1980)
・岩波文庫『科学者の自由な楽園』(江沢洋編　2000)
・京都大学学術出版会『素粒子の世界を拓く—湯川秀樹・朝永振一郎の人と時代』(湯川・朝永生誕百年企画展委員会編集　佐藤文隆監修　2006)
・筑波大学出版会『もっと知りたい！「科学の芽」の世界 PART 2・PART 5』

朝永振一郎博士　略年譜

1906(明治39)年	3月31日　哲学者朝永三十郎の長男として東京で生まれる
1913(大正2)年	一家、京都に移る
1918(大正7)年	京都府立第一中学校(現洛北高校)に入学、 病気のため一学期間休学
1923(大正12)年	第三高等学校に入学
1926(大正15)年	京都帝国大学理学部に入学、物理学を専攻
1929(昭和4)年	京都帝国大学卒業、京大副手
1932(昭和7)年	理化学研究所に入所、のちに仁科研究室研究員
1937(昭和12)年	ドイツ・ライプチヒ大学に留学、 ハイゼンベルクのもとで「原子核理論」の研究
1939(昭和14)年	帰国、理学博士「核物質に関する研究」
1940(昭和15)年	結婚
1941(昭和16)年	東京文理科大学(その後東京教育大学を経て現筑波大学)教授
1943(昭和18)年	「超多時間理論」発表
1944(昭和19)年	東京帝国大学理学部講師
1946(昭和21)年	「中間子論の発展と超多時間理論」により朝日賞受賞
1948(昭和23)年	「くりこみ理論」完成 「磁電管の発振機構」により小谷正雄博士とともに学士院賞受賞
1949(昭和24)年	プリンストン高等研究所で「多体問題の研究」 東京教育大学(現筑波大学)教授
1951(昭和26)年	学術会議原子核研究連絡委員会委員長
1952(昭和27)年	日本学士院会員となる 文化勲章受章
1953(昭和28)年	基礎物理学研究所発足し、京都大学教授を併任
1956(昭和31)年	東京教育大学学長(1962年まで)
1957(昭和32)年	第1回パグウォッシュ会議(カナダで開催)に出席
1961(昭和36)年	ソルベイ会議(ブリュッセルで開催)に出席
1962(昭和37)年	湯川秀樹氏、坂田昌一氏らと第1回科学者京都会議を開催
1963(昭和38)年	日本学術会議会長(1969年まで) 東京教育大学光学研究所所長 文部省学術顧問
1964(昭和39)年	仁科記念財団理事長
1965(昭和40)年	超多時間理論、くりこみ理論に対する業績によりノーベル物理学賞受賞
1969(昭和44)年	東京教育大学を停年退官、東京教育大学名誉教授 世界平和アピール七人委員会委員に加わる
1976(昭和51)年	勲一等旭日大綬章受章
1978(昭和53)年	ガン研付属病院に入院、手術を受ける
1979(昭和54)年	7月8日　逝去

●応募状況一覧（第１〜16 回） ※応募作品数

「科学の芽」賞部門別応募状況の推移

部門別応募状況

（単位：件数）

区 分	小学生部門	中学生部門	高校生部門	合計
第1回（2006年）	281	328	36	645
第2回（2007年）	411	416	19	846
第3回（2008年）	682	519	47	1,248
第4回（2009年）	596	530	32	1,158
第5回（2010年）	588	737	50	1,375
第6回（2011年）	608	1,602	65	2,275
第7回（2012年）	874	1,629	120	2,623
第8回（2013年）	917	1,070	63	2,050
第9回（2014年）	799	1,258	98	2,155
第10回（2015年）	816	1,402	162	2,380
第11回（2016年）	1,050	1,736	133	2,919
第12回（2017年）	924	1,936	226	3,086
第13回（2018年）	982	1,711	160	2,853
第14回（2019年）	1,106	1,719	530	3,355
第15回（2020年）	897	934	285	2,116
第16回（2021年）	1,100	1,055	286	2,441

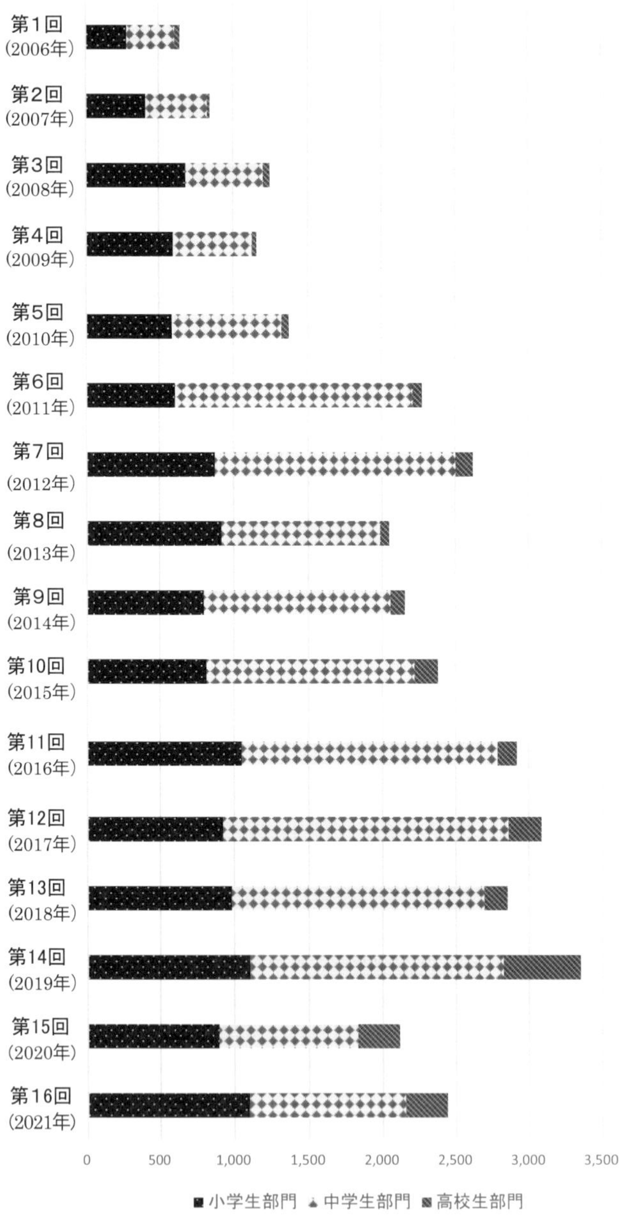

地域別応募状況

都道府県	第1回(2006年)	第2回(2007年)	第3回(2008年)	第4回(2009年)	第5回(2010年)	第6回(2011年)	第7回(2012年)	第8回(2013年)	第9回(2014年)	第10回(2015年)	第11回(2016年)	第12回(2017年)	第13回(2018年)	第14回(2019年)	第15回(2020年)	第16回(2021年)
北海道	0	0	0	7	11	16	6	1	5	2	4	6	3	3	4	4
青森県	1	2	4	0	2	2	4	5	2	9	3	4	3	1	19	51
岩手県	0	1	1	0	2	0	0	0	0	0	0	0	0	9	14	10
宮城県	0	0	2	2	0	0	0	1	0	5	3	65	65	69	11	3
秋田県	39	3	3	3	1	1	0	1	7	8	1	0	0	0	1	1
山形県	0	1	3	1	1	0	1	1	0	1	0	0	0	0	0	0
福島県	6	15	23	1	2	1	0	3	1	3	4	1	3	6	0	4
茨城県	96	7	96	43	19	190	247	233	225	221	242	227	198	195	53	126
栃木県	1	0	0	0	1	1	0	0	3	1	0	1	2	1	2	6
群馬県	0	0	5	6	4	3	15	5	0	0	1	1	1	1	12	6
埼玉県	21	0	2	5	9	3	10	9	10	10	21	101	107	37	11	16
千葉県	34	4	1	4	2	9	7	9	11	19	27	18	12	34	26	14
東京都	267	406	327	326	308	749	624	352	543	690	840	969	699	1,339	867	738
神奈川県	13	9	15	18	10	2	20	55	14	33	28	71	54	34	17	41
新潟県	2	15	15	0	11	7	0	2	1	10	6	7	13	12	15	17
富山県	0	0	3	3	0	1	1	0	2	7	3	0	0	0	3	2
石川県	0	0	3	2	3	2	0	0	0	0	1	5	2	2	15	15
福井県	0	0	1	1	1	0	0	0	0	0	0	0	1	4	2	0
山梨県	0	0	0	0	2	0	2	1	0	0	0	0	3	1	0	4
長野県	1	0	2	2	2	0	0	0	0	0	3	1	0	0	1	2
岐阜県	1	1	1	0	1	0	2	4	12	20	3	7	7	5	15	8
静岡県	0	2	9	2	3	0	8	5	15	15	10	23	7	13	31	165
愛知県	11	12	27	8	15	36	43	27	12	30	25	44	31	52	13	15
三重県	0	1	5	1	99	14	5	0	21	1	2	1	2	8	4	1
滋賀県	0	0	0	0	0	0	2	0	0	1	0	0	0	0	0	2
京都府	0	0	2	1	1	5	6	11	13	24	264	204	250	190	112	185
大阪府	14	239	355	366	567	711	893	896	839	801	952	913	1,011	851	512	597
兵庫県	3	103	190	187	73	217	360	241	150	179	180	179	166	174	122	98
奈良県	94	0	6	1	2	3	12	9	16	21	8	10	2	4	3	2
和歌山県	1	0	0	0	0	78	79	0	0	30	1	4	0	0	0	1
鳥取県	0	0	0	0	1	0	0	0	2	1	0	1	0	0	1	3
島根県	0	0	0	0	0	0	0	3	6	8	2	5	3	7	2	4
岡山県	0	1	2	3	3	3	14	18	19	16	17	9	5	6	42	11
広島県	4	1	3	3	8	2	2	7	5	3	5	1	9	14	5	12
山口県	1	1	2	4	6	5	4	3	3	1	1	2	3	0	0	4
徳島県	0	0	0	0	0	0	0	0	0	0	0	0	0	0	1	3
香川県	0	0	0	0	0	0	33	9	15	2	2	5	2	5	3	4
愛媛県	2	1	2	0	2	0	1	1	2	1	4	6	8	13	15	16
高知県	29	3	0	1	1	1	0	0	0	1	0	4	0	1	2	1
福岡県	2	2	34	21	64	60	28	46	53	74	27	48	58	114	57	103
佐賀県	0	1	0	0	0	0	0	0	0	0	5	5	0	1	0	3
長崎県	1	1	1	0	1	1	2	3	8	5	33	38	10	7	9	21
熊本県	0	0	1	0	0	0	0	1	0	1	1	2	1	2	3	1
大分県	0	0	0	0	20	8	6	8	38	60	1	0	0	0	0	1
宮崎県	0	3	3	60	0	0	0	0	0	0	1	16	10	17	11	0
鹿児島県	0	1	0	0	0	0	1	0	3	0	1	1	2	1	1	2
沖縄県	1	2	1	2	3	5	8	4	9	10	5	9	4	9	12	8
小計（国内）	645	838	1,150	1,084	1,261	2,136	2,446	1,974	2,065	2,324	2,737	3,014	2,757	3,242	2,049	2,331
大韓民国	0	2	44	15	66	66	84	6	0	0	20	13	24	32	21	25
中華人民共和国	0	0	0	0	0	15	8	1	6	2	120	5	11	40	23	51
台湾	0	0	0	0	0	0	1	0	0	0	0	0	0	0	0	1
タイ	0	0	0	0	0	2	1	5	4	13	3	4	8	2	0	0
シンガポール	0	0	0	0	0	4	1	1	1	3	0	0	0	0	0	0
マレーシア	0	0	0	0	0	1	10	1	0	0	0	4	20	12	0	0
インドネシア	0	0	0	0	0	1	0	0	0	0	0	0	0	0	0	0
インド	0	0	0	0	0	0	0	0	0	0	2	2	1	0	0	0
パキスタン	0	0	0	0	0	0	0	1	0	0	0	0	0	0	0	0
イラン	0	0	0	0	0	0	0	0	0	0	2	1	1	0	0	0
アラブ首長国連邦	0	0	0	0	1	0	0	0	0	3	0	0	0	0	0	0
ドイツ	0	4	54	59	47	50	47	34	34	0	0	0	0	0	0	0
オランダ	0	0	0	0	0	0	0	0	0	0	0	0	1	0	0	0
イタリア共和国	0	0	0	0	0	0	0	1	2	0	0	5	0	3	0	1
ポーランド	0	1	0	0	0	0	0	0	2	0	0	1	1	0	0	0
ハンガリー	0	0	0	0	0	0	24	24	31	35	35	37	27	24	23	30
チェコ	0	0	0	0	0	0	0	0	0	0	0	0	1	0	0	0
アメリカ合衆国	0	0	0	0	0	0	0	0	0	0	0	0	0	0	0	1
メキシコ	0	0	0	0	0	0	1	2	7	0	0	0	0	0	0	0
オーストラリア	0	1	0	0	0	0	0	0	3	0	0	0	1	0	0	0
ニュージーランド	0	0	0	0	0	0	0	0	0	0	0	0	0	0	0	1
小計（国外）	0	8	98	74	114	139	177	76	90	56	182	72	96	113	67	110
合計	645	846	1,248	1,158	1,375	2,275	2,623	2,050	2,155	2,380	2,919	3,086	2,853	3,355	2,116	2,441

●第15回　表彰式・発表会（2020年12月19日：オンライン開催）

表彰式の様子

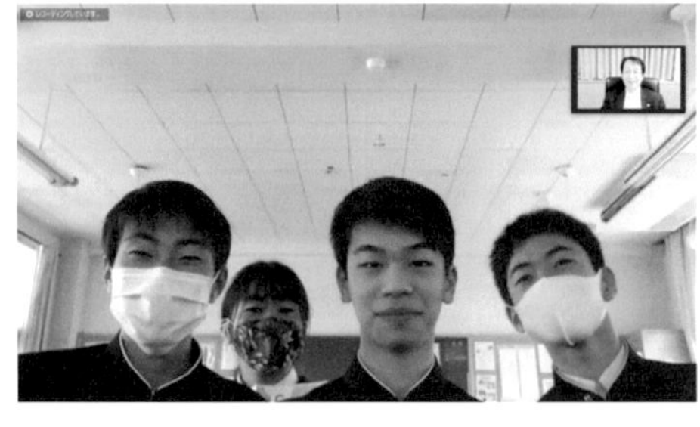

発表会の様子

受賞記念品（楯）

受賞記念品（クリアファイル＆下敷き）

●第16回　表彰式・発表会（2021年12月18日：オンライン開催）

発表会の様子

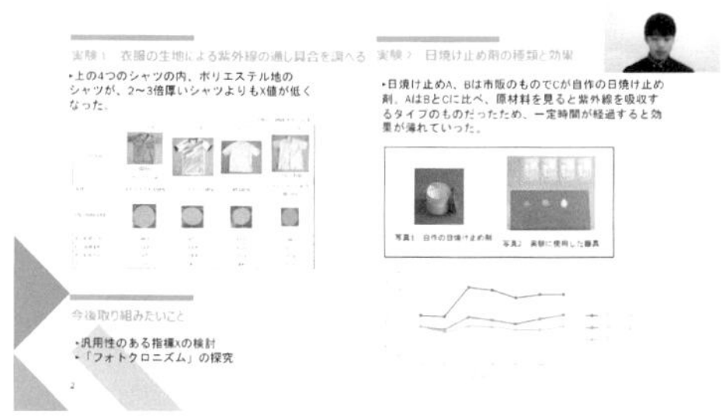

永田学長から高校生へ審査の講評

受賞記念品（楯）

受賞記念品（クリアファイル＆下敷き）

●第15回 「科学の芽」賞受賞作品

（代表者学年順）

作品の題名	学校名	受賞者氏名
〔小学生部門〕		
テントウムシのひみつパート3 ～なぜナナホシテントウはピタッと動きを止めるの？～	岐阜・多治見市立根本小学校3年	江﨑　心瑚
糞虫研究　ルリセンチコガネ 奈良公園の鹿の糞をきれいにしているのは、だあれ？	大阪・大阪教育大学附属天王寺小学校3年	矢野心乃香
自由に形が変えられる水	東京・筑波大学附属小学校4年	井上　玲
影磁石・光磁石	東京・筑波大学附属小学校4年	松本　晴人
コロナ　VS　マスク	京都・私立洛南高等学校附属小学校4年	幾野　和心
ハンミョウは最速の虫か② ～足のひみつにせまる～	大阪・大阪教育大学附属天王寺小学校4年	鈴木　健人
はい水こうにあらわれるダイヤモンドをさがせ！	大阪・豊中市立新田小学校4年	石橋　侑大
ザリガニの脱皮の研究（5） 満月が脱皮を引き起こすメカニズムの探索とふ化直後からの脱皮の観察	茨城・つくば市立竹園東小学校5年	小山　侑己
フラフープの謎にせまれ！ ～謎解きと成功の秘訣～	東京・筑波大学附属小学校5年	平井　沙季
湯葉のひみつ	東京・筑波大学附属小学校5年	春日井美緒
水辺のくらしに適応した謎のカメムシの研究	沖縄・恩納村立恩納小学校5年	渡邉　智也
〔中学生部門〕		
よく飛ぶ紙飛行機Ⅶ ～飛ぶ力と尾翼の形～	静岡・静岡大学教育学部附属浜松中学校1年	三宅　遼空
植物の発根の観察実験PART 5 シロツメクサの茎と発根の関係	愛知・豊橋市立二川中学校1年	石川　春果
ニホンヤモリの体色変化パート3 ～ストレスと模様の関係～	茨城・茨城県立並木中等教育学校3年	大久保　惺
シングルリード楽器における吹奏音の研究2 ～管端形状による反射する振動の変化を解明する～	埼玉・坂戸市立城山中学校3年	矢野　祐奈
火口・カルデラと隕石クレーターはなぜ似ているのか？ ～構造の分析と形成過程の共通点～	東京・私立武蔵高等学校中学校3年	山田　優斗
しみこむヨウ素、逃れるヨウ素、捕まるヨウ素	兵庫・私立仁川学院中学校3年	岡田隆之介
カタツムリの研究 パートⅧ ～殻をきれいに保つワケ～	島根・出雲市立第三中学校3年	片岡　嵩皓
〔高校生部門〕		
茶粕と太陽光を用いた水素製造	静岡・学校法人静岡理工科大学　静岡北高等学校2年 静岡北高等学校科学部水質班H2プロジェクトチーム 望月　凌，谷本　里音，田中　響 髙木　駿，西村総治朗	
マグネシウム空気電池の高電圧化と長寿命化	愛媛・愛媛県立西条高等学校　西条高校化学部 2年　谷﨑　信也，髙橋　圭吾，宗﨑　拓斗 1年　白川　琴梨	

●第15回 「科学の芽」奨励賞受賞作品

（代表者学年順）

作品の題名	学校名	受賞者氏名
〔小学生部門〕		
甘くな〜れ！サツマイモ 〜どこまで甘さを引き出せるか？〜	東京・筑波大学附属小学校３年	秋山リリカ
カイコの知られざるふしぎをさぐる	東京・筑波大学附属小学校３年	荒井　雅佳
転んだのはなぜ?! 下り坂でスピードがでる要因をさぐる	東京・筑波大学附属小学校３年	木村　颯汰
なんで光るの？	東京・筑波大学附属小学校３年	山本　凜
バッタのジャンプ 〜本当に得意なのか〜	東京・筑波大学附属小学校４年	柴田　蕗
熱さから手を守れ！	東京・筑波大学附属小学校４年	西村　水冴
「響け！パイプオルガン」〜コルネの音色の秘密 —パイプオルガンの音色を自宅で作り出す〜	東京・私立東洋英和女学院小学部５年	谷口　ゆい
新聞紙の相棒	東京・筑波大学附属小学校５年	鶴丸　梓
カブトムシは危険を察知すると飛ぶのか	大阪・大阪教育大学附属天王寺小学校５年	植田　稟都
なぜトイレットペーパーの芯は平行四辺形からできているのか？	東京・筑波大学附属小学校６年	櫻井　紫音
アサガオの子孫繁栄は種まきのタイミングにかかっている？	静岡・浜松市立西都台小学校６年	稲吉　俐心
方位磁針を用いた着磁と消磁に関する研究	長崎・長崎市立城山小学校６年	茶屋本悠司
〔中学生部門〕		
科学で追及するホットケーキ 〜米粉でもふわふわに、そして食料自給率を向上するために〜	東京・筑波大学附属中学校２年	雨宮龍ノ介
ハカラメの発芽のメカニズムを探るⅢ	茨城・茨城県立並木中等教育学校３年	服部　開都
紫外線照射下でみるパンジー 〜蛍光成分を TLC 法で探る〜　Part Ⅲ	茨城・茨城県立並木中等教育学校 ３年　三浦　愛生，沈　美優	
長崎市琴海南部における変成層状マンガン鉱床の特徴	長崎・長崎大学教育学部附属中学校３年	梅野　正
平面翼の形と重心位置による滑空のしかたの変化について	熊本・合志市立西合志南中学校３年	原　弘明
〔高校生部門〕		
ラトルバックの挙動解析によるメカニズムの探求	岐阜・岐阜県立多治見北高等学校１年	東裏　昂士
反応染料で染色した綿糸のマゼンタの割合は紫外線の影響の程度を示す指標となる	兵庫・兵庫県立姫路東高等学校　科学部紫外線班 ３年　赤瀬　彩香，高瀬　健斗 ２年　岩本　澪治，奥見　啓史，内藤　麻結 藤本　大夢，安原　倭，山本　夏希 兵庫・兵庫県立西脇高等学校　地学部 ３年　岸本ななみ，藤井　咲幸，横山　渚 ２年　小畑　颯矢，小林日菜向，村上　春輝 山田　怜央，吉田　翔	
液状化現象による避難経路の考察	高知・私立土佐高等学校２年	髙橋　孝弥
セイロンベンケイソウの不定芽形成の仕組み	東京・東京学芸大学附属国際中等教育学校３年	大谷　碧
環境中の細菌により放出される気体状の植物生育促進物質	広島・広島県立西条農業高等学校　生物工学科 微生物班 ３年　長岡　貫太，杉本　和希，仁田　昂佑 中野　凌兵，原　悠水，真田　陽平，實平　涼	
水面への落下物に対する水の挙動に関する研究	愛媛・愛媛県立松山南高等学校　水滴班 2020 ３年　竹田　夏菜，高城　和佳，西尾　怜愛	
釉薬表面に生じる青色酸化被膜を除去する方法の研究	愛媛・愛媛県立松山南高等学校　砥部焼梅ちゃんズ ３年　渡部　華夏，熊谷　響輝，吉田　匡希	

●第15回 「科学の芽」学校奨励賞

青森県・私立八戸工業大学第二高等学校附属中学校
茨城県・茨城県立並木中等教育学校
茨城県・茨城県立水戸第二高等学校
東京都・大田区立蒲田中学校
東京都・私立成城中学校
東京都・私立田園調布学園中等部
東京都・西東京市田無第四中学校
東京都・私立成城高等学校
新潟県・新潟県立新発田高等学校
石川県・石川県立七尾高等学校
京都府・私立洛南高等学校附属小学校
大阪府・大阪教育大学附属池田小学校
大阪府・大阪教育大学附属天王寺小学校
大阪府・大阪教育大学附属池田中学校
兵庫県・兵庫教育大学附属中学校
岡山県・私立岡山中学校
愛媛県・愛媛県立松山南高等学校
福岡県・福岡教育大学附属小倉中学校
福岡県・福岡県立城南高等学校
福岡県・私立福岡工業大学附属城東高等学校
宮崎県・宮崎県立五ヶ瀬中等教育学校
大韓民国・釜山日本人学校
中華人民共和国・青島日本人学校
ハンガリー共和国・ブダペスト日本人学校

●第15回 「科学の芽」努力賞受賞作品

〔小学生部門〕

○髪をサラサラにしよう！（市村智陽・3年）○上手に泳ぐための手の形の研究（大場士煌・3年）○アリは甘党か？辛党か？（加藤聡真・3年）○カイコのまゆの強さをさぐる（川上拓真・3年）○ダンゴムシのオスメス､性格・性質の違いはあるのか?!（小林花音・3年）○水しぶきのりょうと形のふしぎ！（芹川莉那・3年）○炭酸のチカラ（高田悠杜・3年）○ティッシュペーパーはなぜ2枚？（田中香帆・3年）○なっとうのネバネバは何？（田村梨華・3年）○コピー用紙の力とわたし（土倉歩美・3年）○他の物でもバイオリンと同じ音を出せるか？（冨田麻悠子・3年）○空気は，すごい！（中野孝祐・3年）○ローラーコースターはなぜ落ちないの（中野咲子・3年）○カブトムシの足はどう動くのか（中村良橘・3年）○よい目覚めと体温の関係（平井玲妃・3年）○妹と一緒にかいわれ大根を食べたい！（宗像希依・3年）○なぜエビは茹でると赤くなるのか（森田久咲・3年）○なぜ電車の中でジャンプしても同じ場所に着地するの？（渡邊 碧・3年）○死因究明　新法解剖（稲波紘太・3年）○家で『しいたけ』さい培〈何色が好き？〉（田中叶希・3年）○なぜリニアモーターカーは時速500 kmのスピードが出せるのか？（辻岡健太・3年）○キウイとトマトをうれさせる実けん（藤田優理花・3年）○紙飛行機の研究（中村ゆめ・4年）○グリーンフラッシュはどうやっておこるか ～光の色、屈折～（井上琉珂・4年）○土壌浸食を防ぐには？（入江渉太・4年）○橋を支える力（加賀谷昭仁・4年）○キーボードの秘密（木村日向子・4年）○紫外線の不思議 ～バナナの色が変わる？（桑原知宏・4年）○身近なチョウのふしぎ ～チョウの羽の「色」のひみつ～（髙瀬彩希・4年）○フルーツを、もっと美味しく大作戦！（田邉一馬・4年）○世の中の音を楽ふにしたヨ!!（辻上 葵・4年）○コピー用紙のふしぎ（中川結太郎・4年）○弦楽器の音と胴の不思議（原田壮真・4年）○わりばしから出るあわ（平下愛眞・4年）○グッピーはどういうときにダンスをするのかな（平野惠太郎・4年）○クロオオアリのサバイバル能力（泳力・嗅覚の力・視力・空洞感知力）（山岡優月・4年）○暮らしを支える橋（埋め立て地・川の多い東京に必要な橋）（横山瑛海・4年）○年齢による脈拍と血圧の関係（八代空星・4年）○シャープペンシルの芯が光るエジソン電球 芯の種類による変化（崎山修嗣・4年）○オカヤドカリの環境ストレスについて（伊藤実央奈・4年）○「火」と「ろうそく」（小倉涼佑・4年）○野菜の再生栽培（北出谷佳弥・4年）○アオミドロをやっつけろ！（田島大雅・4年）○紙の強さを調べてみよう（辻本開理・4年）○うく？それともしずむ？（椿原圭悟・4年）○科学のつめ（寺田一心・4年）○クマゼミはどんな時になくの？（平田理歩・4年）○親メダカに稚魚をまぜる時の方法について（蛭子琉南・4年）○発見！キノコを食べるイタモジホコリの動き方（相澤琴音・5年）○本当に殺菌するのはどれ？納豆菌VS身近な物（岩田開路・5年）○「種子の守り神」～種子にはなぜ殻があるのか～（大岡夏子・5年）○卵は浮くの？浮かないの？ 浮く卵と浮かない卵があるの？（岡崎正篤・5年）○湯むきに適した食べ物（木口間尋・5年）○おむすびころりん実験（徳永絢音・5年）○鍵を入れた途端に凍る魔法の水 ～密室殺人トリックを解け～ 過冷却（ポラード里菜・5年）○髪の毛の伸び方は年齢や場所によって変わる？（森崎さつき・5年）○夏のアゲハチョウの幼虫がサナギの色を決める条件について（吉本隆良・5年）○ミルククラウンの秘密 ～ミルククラウンは、どうやってできるのか？～（丸山紗楽・5年）○水泳の飛び込み ―より速く遠くまで―（塩﨑立人・5年）○メダカの卵の秘密 ～ふ化と光の関係性の追求～（深川真里・5年）○どのような水でも植物の種子は発芽するのか。（乙幡紗世・5年）○金魚の視力と視野について（叶 芯惟・5年）○ヒョウタンやヘチマのまきひげに目はあるのか？（吉田未央・5年）○台所にあるものを発芽させてみる！（河野 純・5年）○続・手の爪と足の爪どちらが速く伸びるか ～爪を見続け早3年～（勝見遥斗・6年）○ワニの肢の骨から生態を探ることはできるのか（大塚 蓮・6年）○学校でシャコガイを育てられるのか？（立津桃瑚，國仲彩禾，森田まるる・6年）○「デンプン」の入っている野菜で片栗粉は、作れるか？（山田秀美・6年）○物がものにぶつかる力（山口祐奈・6年）○魚のいる水そうは、なぜもがはえるの？（石田優介・6年）

〔中学生部門〕

○ろうそくの炎 パートⅣ ～磁場に反応する物質（気体）を探る～（高橋夏雪・1年）○食虫植物の捕虫液についての研究（佐藤佑衣・1年）○アオコの発生防止 ～ハシビロガモの回転運動でアオコを防ぐ～（杉山珠桜里・1年）○プルバック式ゼンマイカー ～仕組みとエネルギーの使われ方～（井戸沼悠成・1年）○イネの葉の形について（門馬 渡・1年）○色鉛筆と消しゴムの相性（若生誉良・1年）○電池の種類と性能について（堂本和花・1年）○チョウの飛ぶ条件とは 東京都北区赤羽自然観察公園での8日間の観察記録（坂口正堯・1年）○薪の伝承を科学する研究（山根悠真・1年）○米 収穫量向上計画（東裏旺武・1年）○「水清ければ魚棲まず」を科学する (1) 水質の制御について（神 麻里奈・1年）○炭酸飲料にメントスを入れると噴出する原理を検証する（鍋島鮎太・1年）○どうしてマヨネーズはらせん状に落ちるのか ～マヨネーズの粘弾性実験～（溝口貴子・1年）○ザリガニの研究 (6) Stay Home がザリガニの探索行動に与える影響（小山竜太郎・2年）○80年後の大災害に備えた二条大麦による地域製造型発電エネルギーの可能性について（小野琴未，坂部汐梨・2年）○迷路の全探索アルゴリズムの研究 ～実ロボットの探索時間の最適化を目指して～（國吉仁志・2年）○毛虫の毛をとったらどうなる？～毛虫の毛の役割を探る～（中島愛海，玉置春佑・2年）○困ったアリを家に侵入させない方法を探る ～アシジロヒラフシアリの研究～（山丸晃永，髙橋一朗，平井一舟・2年，奥山謙一郎・1年）○光の色によってスプラウトの糖度は変わるのか？―人間の目と植物の目は違う!!―（柳田純佳・2年）○最強!! ガウスの加速器（有瀬朗人・2年）○身近な物で電池を作ろう（井上 苺・2年）○美しい水滴を作る撥水性について（佐藤 丈・2年）○ With コロナ時代における知っておくべきマスクのリスク（西田英恵・2年）○蜂の巣から学ぶハニカム構造の凄さ（吉田航史郎・2年）○豆苗の再生についてⅢ ～3回再生の達成～（小栗健人・3年）○エチレンの効果を探る ～エチレンが引き起こす植物の利益と不利益～（山川良空・3年）○《金星の謎》スーパーローテーションに迫る Part 3 ～金星の雲頂の高さと温度の分布の関係～（山田 結・3年）○アリジゴクの不思議な生態 ～捕食と黄色い結晶の謎～（黒杭功祐・3年）○板状充電池の研究（北川 祐，酒井尉太郎，大平碧音，加藤和真・3年）○空間における風船の安定条件（染谷寧々・3年）○ストームグラス ～天気によって変わる結晶はどこから～（二木優奈・3年）○アジサイの色はなぜ変わるのか？（三浦沙羅・3年）○クラドニ図形観察「ドレミファソラシドのカタチ」（石本光歌子・3年）

〔高校生部門〕

○石こうと土壌水分の動きを利用したキャピラリーバリアの開発（寺沢ゆき，中居泉穂・1年）○セイヨウタンポポの果実の研究（岩田くるみ・1年）○カニたちの干潟での動きや分布 ―実験や現地調査を通して―（船倉理花，渡部史子，平岩万采・1年）○「原発温排水が海を壊す」は本当か？（嶋田星来・2年）○十徽十芋 ―【STAYHOME/お家で実験】真菌用培地に使用する芋はジャガイモだけでよいのか？―（久保田凪咲・2年）○競技カルタの友札で競り勝つ方法（武部夏鈴・2年）○新たなヘドロ堆肥の開発 ～シマミミズ *Eisenia fetida* を用いたヘドロ堆肥の可能性～（野田晃司・2年）○ CDP（シクロデキストリンポリマー）を用いた、色素分離（辻本脩斗，尾形ララ・2年）○コミヤマスミレの謎を追う（山口夏巳・2年，池邉智也，西村悠生・1年）○ユーグレナと二枚貝を用いた廃醤油の二段階処理（脇 賢翔・2年）○オイル産生藻類 ～茨城県内の分布と酸・アルカリ培地においての培養研究について～（大島悠加，小野瀬 雅・3年）○古紙で液状化現象を抑制する（石戸谷由梨・3年）○転んだダンゴムシ、どうやって起き上がる？（咋野菜々美，下田美羽・3年）○ヨウ素滴定によるビタミンC定量の問題点（田中萌絵・3年）○累乗の差（田島己隆，亀田冬羽，田中慎也・3年）○月の反射スペクトルと月面の岩石（今津夏海，大畑結奈・3年）○下部中新統瑞浪層群から産出した化石（越野智郎，平山稜大，一松佳希・3年）○青いフラスコの実験の速度論的解析（山﨑優実・3年）○インフルエンザの感染者数予測への考察（東末守央，須藤尚之，色波蔵之介，塚本浩人・3年）○浮沈子を用いた溶液の混合状態の可視化と混合方法の検討（大久保賢斗，床鍋陽紀・3年，中村友哉・1年）○ダイラタント流体は本当に衝撃を緩和しているのか ～受ける力と抵抗力の関係～（池田雄飛，瓢 和輝，井上大新，岸本麻由，松村稜央・3年）○ツルヒヨドリの有効利用の検討（城間元斗，島 充希，冨名腰義人・3年）

●第16回 「科学の芽」賞受賞作品

（代表者学年順）

作品の題名	学　校　名	受賞者氏名
〔小学生部門〕		
オオカミは井戸に落ちるのか？	東京・筑波大学附属小学校３年	大友さやか
「しずく」から見えた！ はっ水の力	東京・筑波大学附属小学校４年	土倉　歩美
どうして、パプリカは実の中では発芽しないの？	宮城・気仙沼市立松岩小学校５年	本藏　暖香
ランドセルでおじぎ実験 ～ランドセルの中身はどうしたら落ちるのか～	千葉・鎌ケ谷市立鎌ケ谷小学校５年	髙橋　実姫
パスタソースの旅路	東京・筑波大学附属小学校５年	今野　柚希
メンマの科学	静岡・磐田市立磐田西小学校 ５年　佐藤　迪洋，３年	佐藤　知海
「炭」パワーのひみつを見つけよう！パート３ ～環境に優しい「竹炭」燃料電池を作りたい！～	岐阜・多治見市立根本小学校６年	江﨑　凜太
〔中学生部門〕		
茨城県のトンボの体色変化 トンボの研究パート11	茨城・つくば市立手代木中学校１年	井上　善超
方位磁針を用いた地球磁場に関する研究（2） 方位磁針で伏角を知ることができないだろうか	長崎・長崎大学教育学部附属中学校１年	茶屋本悠司
簡易紫外線測定機による日焼け対策の検討 ～フォトクロミズムを利用した実験を通して～	東京・筑波大学附属中学校２年	芦ヶ原智之
トウモロコシの遺伝の法則	栃木・矢板市立片岡中学校３年	小野　琴未
蜘蛛の巣はなぜ円網なのか	神奈川・私立慶應義塾湘南藤沢中等部３年	三浦　愛咲
β-カロテンの人体への吸収率を上げる ～免疫力upのために～	岡山・岡山県立倉敷天城中学校３年	山本亜生子
〔高校生部門〕		
森林環境保全活動に伴う放置竹林の再利用	長崎・長崎県立諫早農業高等学校　食品科学部 ３年　渡邉　梓月，上夷　胡桃，草野　雄多 髙谷　昂佑，長門　杏奈 ２年　一ノ瀬美妃，浦添　陽勢，神尾　桃香 坂田　楓，柴田　伊吹，森下　真琴 山本　雪吹，吉田　美優 １年　石橋　拓実，原口　愛加，平野　仁那 森本　玲菜，矢竹　華奈	

●第16回 「科学の芽」奨励賞受賞作品

（代表者学年順）

作品の題名	学　校　名	受賞者氏名
〔小学生部門〕		
蝶の鱗粉の仕組みと季節型によるその拡大率 ～チョウのりんぷん大研究 part Ⅲ～	埼玉・志木市立志木第二小学校３年	西本　明道
ダンボールでイカダを作るには	千葉・我孫子市立我孫子第三小学校３年	中山　椋太
防災の科学 ～アルファ米～	東京・筑波大学附属小学校３年	濱﨑　　杏
とべ！カブトムシ！カブトムシのとぶ力を明らかに！カブトムシとすごした夏 ～パート３～	福岡・久留米市立篠山小学校３年	木下　大護
正確な地図が、作りたい‼ ～伊能忠敬への道～	東京・筑波大学附属小学校４年	石原　想真
すごいぞ‼磁石パワー	東京・筑波大学附属小学校４年	山本　　凛
何でつかないの？	東京・筑波大学附属小学校４年	伊東和薫子
糞虫の研究　ルリセンチコガネ　奈良公園の鹿の糞を綺麗にしているのは、だあれ？第２報	大阪・大阪教育大学附属天王寺小学校４年	矢野心乃香
紙コプターのふしぎ	徳島・鳴門教育大学附属小学校４年	増田　圭佑
ストローを使わずにパックの牛乳を飲む方法	東京・筑波大学附属小学校５年	若林　　想
光るブラックホール	東京・筑波大学附属小学校５年	松本　晴人
アゲハチョウの幼虫の観察 2021 寄生虫との闘い	東京・筑波大学附属小学校６年	吉本　隆良
ザリガニの脱皮の研究（6） 持続的な光の照射と暗闇が脱皮に与える影響	茨城・つくば市立竹園東小学校６年	小山　侑己
〔中学生部門〕		
密を検知して、密を解消するためのソフトウェア開発 ～ COVID-19　感染拡大を防止する～	茨城・つくば市立春日学園義務教育学校１年	天野　稜太
食品中における L- アスコルビン酸の濃度とその変動について	茨城・茨城県立並木中等教育学校 １年　菩提寺璃子,	星野早紀子
ダンゴムシと交替性転向反応	東京・筑波大学附属駒場中学校１年	桑添　謙丞
私の住んでいる地域では、なぜ土砂崩れが起きるところと起きないとこがあるのか？（研究２年目）	石川・金沢市立鳴和中学校１年	野﨑真由美
万華鏡の反射原理の研究 ～鏡のどこで光は反射しているのか～	長崎・佐世保市立中里中学校１年	服部　桃々
ストレス環境下における植物の防御機能について ～強光ストレスによるアントシアニンの蓄積の法則～	茨城・茨城県立並木中等教育学校 ２年　門　　和樹, 出張　俊輔,	庄田　龍平
調味料・飲料を用いた燃料電池の比較と効率化	東京・私立慶應義塾中等部２年	北村　健人
犬の気持ちと感情 ～犬の気持ちを理解するには～	東京・筑波大学附属駒場中学校２年	相澤　遼太
水で色が変わる謎	東京・筑波大学附属中学校２年	中澤小百合
ご飯を長持ちさせる方法	大阪・大阪教育大学附属池田中学校２年	中山　知優
ゼーベック効果を用いた新たな発電方法の開発	茨城・茨城県立並木中等教育学校 ３年　小山竜太郎,	谷　　碧人
トンボ７種の比較調査	東京・筑波大学附属駒場中学校３年	比嘉　秀海
毛虫の毛は何のためⅡ	東京・八丈町立富士中学校３年	中島　愛海
〔高校生部門〕		
ついに分析・発見！カタツムリとナメクジの触角のしくみ	島根・島根県立出雲高等学校１年	片岡　嵩皓
水質浄化の一考察	青森・青森県立名久井農業高等学校　環境研究班 ２年　寺沢　ゆき, 中居　泉穂, 新田　遥加 佐々木昌虎, 掛端　博貴,	大坊　拓也
アンケートと力学的考察による理想的なキッカー設計のアルゴリズム開発	東京・筑波大学附属高等学校２年	東　虎太郎
水中を落下するふたつの液滴が相互に与える影響	大阪・大阪教育大学附属高等学校天王寺校舎２年	中島　里菜

コノドント・プロジェクト ～秋山地域森沢林道の砥石型珪質粘土岩露頭の堆積環境の推定～	栃木・佐野日本大学高等学校３年	正田　智也
温め方の違いによるビタミンＣの量	山梨・山梨県立韮崎高等学校　ビタミンＣグループ ３年　和光　愛美，大野　萌夏，神原　花音	
ビル風を利用した垂直軸型風車の効率的な配置案の検討	兵庫・兵庫県立加古川東高等学校　課題研究Ｉ２班 ３年　一水信之介，泉　勇毅，坂田　斗輝 筒井　真見，山下　凌輝	
形態と生態からみたチョウの飛翔	愛媛・愛媛県立松山南高等学校　松南バタフライ班 ３年　豊岡　杏菜，伊藤　優希，大澤　璃奈，難波和佳奈	

●第16回 「科学の芽」学校奨励賞

青森県・私立八戸工業大学第二高等学校附属中学校
青森県・私立八戸工業大学第二高等学校
茨城県・茨城県立並木中等教育学校
茨城県・私立茨城中学校
茨城県・つくば市立手代木中学校
茨城県・茨城県立水戸第二高等学校
東京都・大田区立蒲田中学校
東京都・私立田園調布学園中等部
東京都・私立成城高等学校
神奈川県・私立慶應義塾湘南藤沢中等部
新潟県・新潟県立新発田高等学校
石川県・石川県立七尾高等学校
静岡県・私立浜松開誠館中学校
京都府・私立洛南高等学校附属小学校
大阪府・大阪教育大学附属池田小学校
大阪府・大阪教育大学附属天王寺小学校
大阪府・大阪教育大学附属池田中学校
大阪府・池田市立渋谷中学校
兵庫県・兵庫教育大学附属中学校
愛媛県・愛媛県立松山南高等学校
福岡県・私立明治学園中学校
福岡県・福岡教育大学附属小倉中学校
福岡県・私立福岡工業大学附属城東高等学校
福岡県・福岡県立城南高等学校
長崎県・長崎県小値賀町立小値賀小学校
大韓民国・釜山日本人学校
中華人民共和国・青島日本人学校
中華人民共和国・北京日本人学校
ハンガリー共和国・ブダペスト日本人学校

●第16回 「科学の芽」努力賞受賞作品

〔小学生部門〕

○ダンゴムシ 生き残り作戦の法則（鷺森蒼一・3年）○ジグザグダンゴムシ（伊藤迅澄・3年）○ザリガニのフンの観察（稲垣伽那・3年）○なぜバッタはだっぴをすると大きくなるのか（松島悠花・3年）○オオミスジコウガイビルが生きていかれるかんきょうについて（大澤群司・3年）○おいしいごはんのたき方（長野光瑛・3年）○とけにくい氷を調べる（昌山琴子・3年）○ラーメンよ！なぜのびる？ ～時間が経っても美味しいラーメンがあれば～（浅田茉友・3年）○色水のこさはなぜかわるのか（新村理紗・3年）○しおれたレタスはシャキシャキになるのか？（畑山 翠・3年）○セミのふしぎ ～どうやって鳴くの？～（池田結菜・3年）○夏のあつさから身を守れ！ ～うち水のこうかは⁇～（箱田有香・3年）○ピアノの上達のコツ、おし（お）えます！（藤本怜央菜・3年）○天まで届けスーパーボール！（湯川裕人・3年）○色を変えるカマキリ（近藤理仁・3年）○新生児の黄疸と生理的体重減少について調べる（身原凜香・3年）○メダカの見る世界 魚はどうやってものを見分けるの？（坂本 椿・3年）○自宅で測定した降水量について（星野奏斗・3年）○てんびんの実験 ～きょりが重さにかわるって本当⁈～（河野隼徳・3年）○水の本当の色は？（森内俊裕・3年）○ダンゴムシに教育ができるのか⁈（伊丹菜那子・3年）○パラシュートの研究（榊原妃音・3年）○手をあらおう‼（山田蒼依・3年）○身近な鉱石ガーネットを採集しよう！（浅井壱乃助・3年）○朴の葉の色々な使い道（岩崎桃佳・3年）○菌がいっぱい⁉ ―ぼくらの身近にいる細菌達―（奥山従道・3年）○カタツムリのふんは食べる物でアルカリ性・酸性とかわるのか？（川田怜生・3年）○カエルの実験パート① ～カエルの体色変化～（佐藤 陸・3年）○私の病気と髪の毛について（寺田海空・3年）○植物と犬たちを守れるか⁉（中山史隆・3年）○もれない正体　高分子ポリマー（松尾優花・3年）○イモリ天気予報VS天気のことわざ ～イモリの水槽をきれいに保ちながら調べたい～（室谷悠惺・4年）○ペットの毛を効率よく洗い流す洗濯方法を探る Part 1（北野 歩・

4年）○かき氷屋さんのような透明な氷を作る（和田遼征・4年）○東京2020オリンピック 高飛び込み「水しぶき」の不思議（木村颯汰・4年）○1本のヒモが楽器に変身！ ～音と弦の不思議にせまる～（高田悠杜・4年）○おでんの具から、モノの熱をたくわえる力を考える（隅田耕平・4年）○なぜとろろは皮ふにつけるとかゆいのに口に入るとかゆくないのか（笠神宗汰・4年）○お米のとぎ汁 ～いつかは透明になるの？～（近藤あまね・4年）○グミのヒミツ ～おいしいグミを作りたい！～（三科有璃・4年）○良い睡眠と体重変化にはどんな関係があるの？（平井玲妃・4年）○つるつるチャンピオンはだれだ？（中村良橘・4年）○もう玉ねぎに泣かされない！（中村桃子・4年）○根っこのふしぎをさぐる（荒井雅佳・4年）○なんでお父さんの足はくさいの？抗菌剤でにおいは消えるの？（渡邊 碧・4年）○どうして泡立たないの？ ～泡立ちを研究する～（中野咲子・4年）○プロペラの役割（小関福丸・4年）○ちょっと待った‼その水分補給、大丈夫？（吉弘 湊・4年）○おばあちゃんと食べたい！お肉を柔らかくする食材の研究（増澤絵麻・4年）○湯むきって楽しい（赤木夕璃子・4年）○吹きだまりができる場所（梅津凛乃・4年）○『葉耳』の役割について（板垣礼子・4年）○ティオニ・サバイバル ～オオカマキリの卵しょうの研究～（小野遥紀・4年）○テントウムシのひみつパート4 ～なぜ幼虫は成虫と同じ動き方ができるの？～（江﨑心瑚・4年）○救え！プラスチックごみだらけの地球 ～プラスチックごみ分解大作戦～（落合晃馬・4年）○橋を下からのぞいてみたら（塩崎文乃・4年）○きれいに醤油を注ぐには？（伊尾奏音・4年）○ドライアイスの「白いけむり」の正体をつきとめろ（佐藤暖生・4年）○シンクの三角コーナーの中身から、紙をつくる！ ～紙と自然のかんきょう～（齋藤秀真・4年）○身近なもので火打石は作れるか？（森定寛太・4年）○野鳥の研究2 ～中央公園池と松見公園池の野鳥～（先﨑理世・5年）○体温で発電！ゼーベック効果による発電実験（前川心花・5年）○電車の中で方位磁石はどう動くか（田岡杏菜・5年）○柿の種のピーナッツは、なぜ上に上がってくるのか⁉（堀江ゆう・5年）○メダカや稚魚は、色を見分けられるのか？（﨑谷絢奈・5年）○錆について ～錆ができやすい環境は？～（出村みはな・5年）○都市化、温暖化がもたらすヒートアイランド現象 何か効果的な策はないのか？（梅田悠翔・5年）○私の地層（関 のぞみ・5年）○『考えたことあった？　人のすれ違い方』（河面 玲・5年）○ミンミンゼミの鳴き声の研究 ～規則性と鳴き方～（岩瀬葉亮・5年）○まばたきの秘密（木村日向子・5年）○シャボン玉の未来 ～脱プラ時代の遊びへ～（鈴木瑛梨花・5年）○もっとおいしくカップ焼きそばを食べたい ～カップ焼きそばの“湯切り”から水と空気の関係を調べる～（伊藤菜々・5年）○ワレワレハ ウチュウジン…じゃない！（東裏侑芽・5年）○ひずむと熱が発生する？ ～イオの火山の不思議～（柴田千歳・5年）○ベタは音や光を覚えるのか？（村井椛恋・5年）○ソーラークッカーで朝食を（岡田麗央・5年）○「雑草王オシヒバの秘密」（平田理歩・5年）○イライラ解消！液だれを防ごう！（石橋侑大・5年）○大豆ミートを大解明‼ ～大豆ミートが世界を変える～（中元晃太朗・5年）○タニシは水をキレイにするのか？（森 咲絢・6年）○アルミパイプ棒を振ることで音が出る仕組み（宮本 鴻・6年）○「響け！パイプオルガン」② ～パイプオルガンの音の構成の秘密―重低音の限界～（谷口ゆい・6年）○オタマジャクシの体色変化のナゾについて ～ニホンアマガエルはいつから体の色を変えられるのか～（大角 健・6年）○メダカの卵の秘密 Part 3 ～光の実験から判明！卵の驚きの生命力～（深川真里・6年）○強い電磁石を作ろう ～電磁石で自分を持ち上げることはできるか～パート2（上村威月・6年）○インボリュート歯車の伝達効率評価Ⅲ ～複数の歯車によるかみ合い比率の実験～（西田莉麻・6年）○アシナガオトシブミとスウガク（黒木秋聖・6年）

〔中学生部門〕

○自然界に住んでいる鳥と飼育された鳥の生活の違い（竹廣友理・1年）○砂糖を減らした低カロリー食品作り ―甘味料を使っていろいろな食品を作る―（河合美空，千濱なつね・1年）○心拍数と血中酸素濃度の関係について（岩本莱花・1年）○アリの行動と観察（荒井建人・1年）○廃棄食品から生まれるバイオエタノール（穴澤見空・1年）○錆の研究（佐々木千夏・1年）○ハニカム構造で軽くて丈夫な板を作る（細川涼太・1年）○お菓子から着色料を抜き出す（山際悠斗・1年）○新規硬度測定法の開発（茂木 栞・1年）○生態系を脅かすマイクロプラスチックに関する研究 ～水質調査・発生源の解明・除去方法の開発～（門脇隼雄・2年，伊藤啓慈，平野大雅・3年，飯嶋大地，植村 丈，大庭有乃，山下優希・2年，天野稜太，市原楓花，伊藤晴慈，岡野朱李，小川心彩，櫻井正宗，竹中里緒，田中慶信，敦賀景杜，本郷碩士，渡部 司・1年）○プルバック式ゼンマイカーの研究2 ～ゼンマイに蓄えられるエネルギーと実際に使われたエネルギー～（井戸沼悠成・2年）○洗濯物を浴室干しで上手く乾かす方法（その2）（阪本舞桜・2年）○電池の効率の良い使い方について（堂本和花・2年）○メタセコイアは、めっちゃスゴイや！ ～地球上で9600万年も生き抜いてきた植物の強さの秘密とは～（小堺陽太・2年）○新型コロナウィルス感染拡大の影響で、大気汚染の程度に変化があったかを検証する Part 2（広瀬怜楠・2年）○トリートメントの苛立ちをなくせ！（東裏旺武・2年）○よく飛ぶ紙飛行機Ⅷ ～飛ぶ力と翼端形状～（三宅遼空・2年）○植物の発根の観察実験PART 6 シロツメクサの茎が発根に及ぼす影響（石川春果・2年）○水と水蒸気（尾崎美結・2年）○パイナップルがゼリーを溶かす！ ～果物に含まれるタンパク質分解酵素の性質について～（出口実日子・2年）○ビスマスの結晶と酸化ビスマスの還元について（中尾桃子，松原怜那，長谷部百恵，野間心葉・2年）○菌を用いた水質浄化（溝井悠斗・3年）○アシジロヒラフシアリの研究Ⅱ なぜ家に侵入してくるのか、生態を探る（山丸晃永・3年）○血圧と脈拍（長山晃久・3年）○チェロにおけるウルフキラーの取り付け方法の最適化（村瀬楓乃・3年）○泡の不思議 ～飲み物はなぜ泡立つのか～（篠原優花・3年）○角度と形による水はねの変化（坂上 碧・3年）○身近な水をきれいにしよう Part 5 微生物による水質浄化と発電の力を探る（中津山日彩・3年）○ Flights of Fancy ―飛行機の翼の形状と飛距離―（伊奈祐葵・3年）○コロナ禍 使用済マスクによるフッ化物及び液体のりとの食パン反応（小林亮太朗・3年）○イサチン関連化合物の還元的カップリング反応によるインジルビンのワンポット合成（藤村悠季・3年）○外来生物「カミヤツデ」のアレロパシー活性（坂岡百合香・3年）

〔高校生部門〕

○落下リンゴのマテリアルリサイクル ～アップルペクチンのキレート作用の評価～（竹内裕生，嘉手苅日向大・2年）○磐梯山の南麓における蝶相の現状と特色（守谷和貴・2年）○チゴガニ *Ilyoplax pusilla* のwavingにおける4つのパターンとその役割（多田大輝・2年）○甘利山土壌環境調査XIII 酸性ホスファターゼ（ACP）活性測定とACP産生菌の種の同定（中沢智也，深澤遥介，立中響樹・2年）○クマムシの体内圧調整について（岡野晃生，道上雄海，奈尾拓真・2年）○ネバダオオシロアリの魚粉代替利用としての可能性（横川智之，髙橋英眞・2年）○ゆらぐ、スミレ属の分類 ―形態解析×分子系統解析の結末―（西村悠生，池邉智也・2年，植田彩花，穂波佑成・1年）○ Sb2S3の水熱合成 ～市之川産輝安鉱巨大化の要因“巨大空洞仮説”の提案～（八木田陽香・2年，佐々木飛和，桑村 翔，細川唯笑，伊藤千尋・1年）○高度不飽和脂肪酸DHA・EPAを含む未利用資源東京湾赤潮珪藻の魚粉代替飼料原料としての可能性（宇田津 朗・3年）○岐阜県の自然災害伝承碑の分布と特徴（傍島琴美，中村穂栞，野呂七海・3年）○光触媒とケミカルライトを利用した水の浄化方法の検討（小山佳哲，梶 滉太，久野優輝・3年）○火山岩の角閃石から初めて熱水残液の循環を示す波状累帯構造を発見（岩本澪治・3年，多田明良，中農拓人・2年，本脇敬人，山本悠介・1年）○翼果モデルによる効率的な風力発電方法の研究（玉井健登，水田涼斗，毛利和暉・3年）○布の物理的性質の比較から導く伊予かすりの可能性 ～レーザー光の干渉を用いて～（國田章真，片上航瑠，佐々木 桜，二宮結愛・3年）○糖を用いたアントシアニンの安定化とアレルギー抑制効果の研究（宮岡愛奈，橘 円香，小田村莉見・3年）○アカハライモリにおける色に対する嗜好性と学習能力 ～両生類に新たな魅力を～（水野華恋，家山倖貴，島田紗菜・3年）○静止軌道デブリを探して九千里Ⅷ ―静止軌道デブリの捜索と軌道算出―（北里虎大・3年）

〈参考〉第1回（2006年）〜第14回（2019年）受賞作品一覧

●「科学の芽」賞

第1回：2006年

〔小学生部門〕

○ヒマワリの種はなぜ平らにまかなければいけないのか？（棚田莉加・3年）○あわでないでね（土田葉月・3年）○百日草のさき方と花について（永原彩瑚・3年）○「はねて・たつ・しゃりん」のひみつを調べよう（松原花菜子・3年）○モンシロチョウは葉のどこに卵をうむのか？（鳴川真由・5年）○カブトムシが集まるエサの研究Ⅲ（新居理咲子・5年）○くりの木の不思議 〜お母さんの木と子どもの木〜（渡部京香・5年）○風力発電機の研究（河村進太郎・6年）

〔中学生部門〕

○流れと渦の研究 〜なぜ渦はできるのだろう？〜（荒井美圭・1年）○紙おむつの秘密を探る（齋藤琴音・1年）○ラジカセの音を大きくするには（永井亜由美・中等1年）○のびろカイワレダイコン（松下美緒・1年）○人の色の見え方（佐川夕季・2年）○土壌汚染の植物への影響 PART3（仁熊佑太・2年，仁熊健太・1年）○納豆の醗酵に及ぼす「音」の影響（樫村琢実・3年）○キンギョの活動性に及ぼすミネラルの効果 〜軟水と硬水の比較実験〜（古川詩織・3年）

〔高校生部門〕

○融解塩徐冷法による塩化ナトリウムの結晶作り（中川恵理，長谷川 薫・2年）○ Brz が植物の耐塩性に与える影響（木村あかね・3年）○リニアモーターカーの理論と模型の製作（出口雄大・3年）

第2回：2007年

〔小学生部門〕

○2つの花だんの不思ぎ（佐藤三依・3年）○かいこのペットフードを作ろう（森 翠・3年）○「光の不思議」〜ラップはとう明なのになぜしんは見えないのか〜（小田島華子・3年）○スイカ，カボチャ，メロンの種の数は大きさに関係あるのか？（岡野史沙・4年）○植物の研究（樫村理喜・4年）○指のシワシワ実験（嶋 睦弥・5年）○魔球のひみつ（小原徳晃・6年）○くりの木の不思議Ⅱ〜お母さんの木と子どもの木〜（渡部京香・6年）○氷のカットグラス 〜どうして斜めの線ができるのか 氷にできる模様の観察〜（伊知地直樹・6年）○カブトムシが集まるエサの研究Ⅳ（新居理咲子・6年）

〔中学生部門〕

○ナミアゲハの蛹の色を決める一番の条件は？（橘 智子・1年）○海水の二酸化炭素の吸収について（日原弘太郎・中等1年）○粘着テープの強度比較（村岡健太・中等1年）○ジャム作りの秘密（中島可菜・1年）○サッカーボールの科学（笠原 将・2年）○ニホンイシガメの行動パターン（竹内捷人・2年）○漂白と液性の研究（太田みなみ・2年）○五平もちを上手に作りたい！ 〜ラップにつきにくいご飯の条件ともち米を加える秘密〜（杉浦 健，清水大貴・3年）○寄生 〜2次寄生の発生条件〜（清水 壮・3年）

〔高校生部門〕

○植物の特性を活かした観賞用インビトロ・プランツの開発（漆戸 啓，山一哲也，吉本慎二，中村秀樹・3年，三津谷慎治，中野渡 遥，蔵川千穂，橋端早紀，斗沢拓実・2年）

第3回：2008年

〔小学生部門〕

○オオカマキリのふ化からせい虫になるまで 〜オオカマキリと共にすごした303日間〜（板橋 茜・3年）○苦くてくさいパセリは，味つきパセリになれるかな？（大枝知加・3年）○ホテイアオイ・プカプカうきぶくろのひみつ（松井悠真・3年）○一つの骨から（岡村太路・4年）○テーブルの上に置いたおわんが動くのはなぜ？（中島澄香・4年）○紙でなぜ手が切れるの？（溝渕將父・4年）○きゅうすで注ぐ水の音と湯の音がちがうのはなぜ？（川上和香奈・5年）○謎の砂団子　コメツキガニのしわざ？（永原彩瑚・5年）○ひっくりかえるめんこのひみつ（松原花菜子・5年，松原汐里・3年）○よく回る硬貨の順番は？（嶋 睦弥・6年）○植物に必要な色は何色か（德田翔大・6年）

〔中学生部門〕

○アサガオから考える私たちの環境（石井萌加・中等1年）○セイタカアワダチソウを利用した生物農薬の研究（白井有樹，土田悠太，竹内 賢・中等1年）○くりの木の不思議Ⅲ 〜お母さんの木と子どもの木〜（渡部京香・1年）○ホットケーキを焼く 〜重曹とベーキングパウダーの違いに注目して〜（菊島悠子・2年）○心臓や声帯の動きを測れるか？（佐藤信太・2年）○セミの抜け殻における羽化の場所の研究（須藤克誉・2年）○ドルフィンボールの高さと深さの研究（廣川和彦・2年）○接着剤の強度比較 〜紙用接着剤の実験〜（村岡健太・中等2年）○緑青の発生スピードについて（山田祐太朗・2年）

〔高校生部門〕

○航空機内での静電気による電磁波の研究 〜帯電した金属の衝突によるモデル実験〜（大津拓紘・2年）○紅葉の仕組みと環境要因の解明（三澤亮介，藤原雅也，鈴木宏典・2年）○地球温暖化に対応した光触媒技術の開発と導入（青木達哉，大川井裕乃，下川智代，永倉頌子，穂積友介・3年，佐藤博美，平井泉美・2年，糟屋真菜，寺田結香，森 勝太，田中優平・1年）

第4回：2009年

〔小学生部門〕

○本当にめ花は少ししか咲かないのか（山﨑公耀・3年）○かいこのまゆ作りにお気に入りの形や場所はある？（永原蒼生・3年）○むしの起き上り方（蟹谷 啓・3年）○ピキピキのなぞ（秋吉喜介・3年）○青虫は，冷蔵庫でも生きる？（森 翠・5年）○「巣あな」の仕組みと日なたのアリジゴク（湯本拓馬・5年）○ありとオレンジ（大澤知恩・5年）○泥はねの研究（竹田悠太・5年）○アリは輪ゴムがきらい？（笠井美希・5年）○謎のウェービング　コメツキガニのあいさつ？ ～コメツキガニ Part 2～（永原彩瑚・6年）

〔中学生部門〕

○トビズむかでの習性をさぐる（金子一平・1年）○水と石鹸の謎（和田純麗・1年）○赤外線の研究（野崎 悦，萩原康平，日野裕輝・1年）○動物の「まばたき（瞬き）」に関する研究 ～草食（被食）動物の瞬きは素早い？～（大見聡仁・3年）○フィルムケースロケットが飛ぶ秘密（辻田宗一郎，広野龍一・3年，浅井啓志，野澤秋人，松ヶ谷玲弥・2年）○「水かけ」の科学（水野夢世，加藤翔湖・3年，浅野紘希，野村拓生・2年）○玄関先に営巣したメジロの研究（秋元勇貴・3年）○自然のカーテン（對木雄太朗，遠藤颯洸，古谷龍一・3年）

〔高校生部門〕

○宮古島の湧水域環境保全を目指した研究 ～湧水域に生息する生物の保全を目指して～（洲鎌理恵，本永 明，下地瑞姫・3年，西里公作・2年，垣花武志・1年）○堆積物中の二硫化鉄（FeS_2）生成の物理化学的検討 ～地質比較における生成条件・温度圧力条件の検討～（山﨑晴香・3年）

第5回：2010年

〔小学生部門〕

○謎の生物大発見!!（伊藤杏樹・3年）○雨の日でもなぜ蝶はとべるの？ ～蝶のはねのひみつ～（植田紗優奈・3年）○色は何色でできているの？（永原蒼生・4年）○酸性・中性・アルカリ性によってニガウリの育ち方は違うのか（山﨑公耀・4年）○ボウフラのきらいな光ときらいなものの研究（井上拓哉・5年）○眠れないアサガオ ～なぜアサガオのつぼみがつかないのか～（鈴木ゆみ子・5年）○バッタの羽が急にのびた！（花牟禮優大・5年）○アリジゴクの研究（4年次）（和田龍馬・5年）○まゆの色七変化 ～まゆの色とえさの関係～（杉村虎祐・6年）

〔中学生部門〕

○ボールはなぜ曲がるか（赤津颯一・1年）○貝のカタチというもの（東 弘一郎・1年）○コーラの泡をあまり出さずにグラスにたくさん入れる方法は？（福田優衣・1年）○バイオエタノールとエタノールロケット（槙野 衛・1年）○流れ－自動車に関する空力の実験－～自動車のボディーは流線形ではいけない？～（中西貴大・2年）○工業用ホースを使った音響実験（平井裕一郎・2年）○セミの発生周期の研究（湯本景将・中等2年）○ギラギラ光る油の研究（浅野紘希・3年，水野佑亮，森下貴弘・2年）○転がる速度はなぜ物体によって違うのか（外山達也・3年）

〔高校生部門〕

○炭素による酸化銅の還元について（岡崎めぐみ・中等4年）○白いリンゴと黄色いサクランボ ～植物の特性を活かした新商品開発～（上田若奈，東 のどか，鹿島真由美，川井絵美，佐々木理紗，千澤里花，沢口 舞・3年）○筑豊の「赤水」調査2010 ～坑道廃水の調査と環境に及ぼす影響，及び水の浄化に関する試み～（瀬戸渓太，早田亜希・3年，永井智仁，曽根裕子・2年，花田真梨子，井上 薫・1年）

第6回：2011年

〔小学生部門〕

○ノコギリクワガタとコクワガタの生活のちがい（飯田実優・3年）○ぬけがらから分かるアブラゼミの生たい（鈴木詠子・3年）○アブラゼミのウロウロくん（井出 麟・4年）○アリのチームワーク ～エサ運びで協力するアリたち～（伊藤知紘・4年）○変形菌の研究 変形体の動き方と考え方 2008～2011年 ～変形体どうしが出合うと何が起きるのか？～（増井真那・4年）○エンゼルフィッシュの消える『しま』の秘密 ～消えたりあらわれたりする『しま』その意味とは⁉～（髙澤英子・5年）○紙ふぶきの舞い方（田中琴衣・5年）○もそもそダンゴムシは何が好き？（永原蒼生・5年）○美味しいトマトの見分け方とそれを生む環境とは（山﨑公耀・5年）○ハゼの研究実験総集編 ～植物ロウを作ろう～（鎌田彩海・6年）

〔中学生部門〕

○沖縄島名護市屋部川周辺の鳥類調査 ～探鳥地としての可能性を探る～（北村育海・1年）○温度差による打ち水の効果を調べる（鈴木万紀子・1年）○ヘイケボタルの成虫を長期飼育することは可能か？（橋本理生・1年）○紅茶の色を変化させる要因 ～液性面と糖の種類の面からの実験と考察～（大田香緒里・2年）○カエルの体色変化に関する研究 Part2 ～ストレス（刺激）は体色変化に影響するか～（大見智子・2年）○不死身の秘密・甦る植物 ～根からの植物の再生とメカニズム～（樫村理喜・2年）○野菜くず紙は使えるか（永原彩瑚・2年）○なぜ氷は空気中よりも水中の方が融けやすいのか（髙塚大暉，伊藤光生・3年，広野 碧・2年）○人間の体温調節に関する研究（堀田文郎・3年）

〔高校生部門〕

○2つ穴空気砲および非円形の空気砲の考察（佐藤健史，梶原理希・1年）○光は農薬の代わりになるか？ ～LEDによる草花の伸長制御～（荒谷優子・3年，逸見愛生・2年）○花のチカラ ～被災地復興支援プロジェクト～（市沢理奈，中山歩美，若本佳南，荒谷優子，赤石譲二，西塚 真，山田大地・3年，小町一磨，阿部加奈江，佐々木里菜，砂沢愛依，日沢亜美，逸見愛生・2年）

第7回：2012年

〔小学生部門〕

○液ダレしないしょう油さし（安田匠吾・3年）○アオスジアゲハの最後のフンの正体（渡邉大輝・3年）○猪名川でミニ水車発電（熊ノ郷健人・3年）○アサガオの不思議な芽（中村一雄・4年）○変形菌の研究 変形体の動き方と考え方 2008〜2012年 変形体の「自分と他人」の区別と行動について（増井真那・5年）○庭の水の秘密（中里真尋・5年）○びっくり!! 水面散歩する貝のナゾ（永原蒼生・6年）○本当に古いゆで玉子ほどむき易くなるのか（山﨑公耀・6年）○紙ふうせんの不思議（田中琴衣・6年）○種のカラの役割の研究 〜ひまわりとかぼちゃの種を使って〜（河村杏衣・6年）

〔中学生部門〕

○ゲル化に関する研究（小板橋里菜・1年）○アサガオ 〜モーニングブルーの謎に挑む Part Ⅱ〜（鈴木ゆみ子・1年）○生分解性プラスチックの研究 Part2（大澤知恩・2年）○カメの秘密調べ 9年次 〜コンクリート化された水田地域のクサガメ行動調査〜（金澤 聖・3年）○ダンゴムシの交替性転向反応に関する研究（今野直輝・3年）○かやぶき屋根はどうして雨もりしないのか？（池田隼人・3年）○パンを焼くと柔らかくなる秘密（渡部 舞・3年，與那覇勝龍，ロ シンイー・2年）

〔高校生部門〕

○木質燃料の質量と燃焼効率 〜おがくずとヒノキチップ，自作ストーカー炉を使った実験〜（中西貴大・1年）○地元の主要産業品である高級石材凝灰岩「竜山石」の特性を活かした塗装剤の開発（松下紗矢香，岩本有加，竹谷亮人・2年）○旋光現象の巨視的考察（岡田知治，足立享哉，佐嘉田悠樹，中塩莞人・3年）

第8回：2013年

〔小学生部門〕

○おまつりの屋台の輪投げでねらったけい品を取りたい！（小長谷純世・3年）○消しかすがよくでる消しゴムは，よく消える消しゴムか？（東 虎太郎・3年）○弟の肌をしっとり大作せん（西村貫太朗・3年）○アオスジアゲハの最後のフンの正体2 〜ワンダリングの目的を推理する〜（渡邉大輝・4年）○せん入・くもの巣城（熊ノ郷健人・4年）○ベランダ熱っちっち お母さんを助けろ（野田哲平・5年）○だんごむしとわらじむしの甲らが白く，土が黒くなってきたのはなぜだろう？（片岡柾人・5年）○音の伝わり方の秘密（石 楓大・6年）

〔中学生部門〕

○アリのフェロモンについて（大輪奏太朗・1年）○ラワンの紙模型の研究（佐藤璃輝・1年）○りんごの変色を防ぐには（下津千佳・1年）○ぬれると色が変わるのは何故？（田中琴衣・1年）○6種の繊維の性質（町田華子・2年）○環境の中から見つけるセルラーゼ（田渕宏太朗・2年）○植物のネバネバ汁に意外なパワーを発見！（片岡澄歩・2年）○ゲルマニウムラジオに関する研究 〜コンデンサとコイルを手作りして〜（南雲千佳・3年）○スピンくるが逆回転する仕組み（ロ シンイー・3年，市川浩志，深谷夏希，古田創士・2年）

〔高校生部門〕

○草花による水質浄化システムの研究（葛形小雪，野田寿樹，四戸美希，佐藤晴香，松橋奈美，佐々木 愛，種市雪菜・2年）○粉体の堆積（中西貴大・2年）○効率よく風を送るうちわ（田中晋平，藤野功貴，前垣内 舜・3年）

第9回：2014年

〔小学生部門〕

○くるくるコインのらせん運動 〜なぜ後から入れたコインが先に入れたコインをぬかすのか？〜（木村佳歩・3年）○カラをぬいだカタツムリ発見！（片岡嵩皓・3年）○アゲハチョウの大きさの謎 〜幼虫を枯渇させるとどうなる？〜（立花 健・4年）○「葉」は植物の「脳」だった！！ 〜カイワレの観察から分かったこと〜（安田匠吾・5年）○蛹の25%から分かること…（渡邉大輝・5年）○黄色って何色？！〜色のひみつにせまる〜（田中拓海・5年）○セミの羽化のひみつ 〜生死をかける30分〜（清木 葵・5年）○吸い付く水と戦って浮きゴミをうまく取る方法（熊ノ郷健人・5年）

〔中学生部門〕

○千里浜なぎさドライブウェイは砂浜なのにどうして車で走れるのか（佐藤 和・1年）○変形菌の研究 2008〜2014年 変形体の「自他」を見分ける力とカギ（増井真那・1年）○紙飛行機の研究 どうしたら長く飛ぶ紙飛行機が作れるか 〜主翼の翼型と飛行時間〜（茂木幹太・1年）○お茶の泡はなぜたつか（岩松千佳・2年）○大気中の二酸化炭素濃度の動態に関する研究（降雨の影響）（稲田雅治，買 元日・2年）○スウィーツを科学する 〜スポンジケーキ編〜（河村杏衣・2年）○（生物模倣）昆虫の翅型風力発電機の開発（佐藤圭一郎・3年）○ゴルフボールのディンプルにヒントを得てプロペラを考える（田渕宏太朗・3年）

〔高校生部門〕

○切断した根が接着する！？ 〜セイヨウタンポポの根の傷が接着するための内的・外的要因を探る〜（樫村理喜・2年）○人間による音声の知覚と分解 －それに表れる計算機との相違－（中西貴大・3年）

第10回：2015年

〔小学生部門〕

○甘藷珍学（稲波里紗・3年）○床屋のサインポールのひみつにせまる 〜もっときれいに見えるポールをさぐれ！！〜（中條朋香・3年）○キノコがはえた お父さん，お母さんが子どもだったころと日本の気候はちがうの？（木村佳歩・4年）○最後までおいしいふりかけのひみつ（長野佑香・4年）○図工の作品を壊さずに持ち帰りたい ～学校帰りの荷物の運び方～（東 虎太郎・5年）○アオスジアゲハの色調べ　パート5～光で変身，不思議な仕組み～ 変身に必要な光の量と光の色は？（井原愛佳，三谷京子・6年）○家庭用正倉院（熊ノ郷健人・6年）○斜面をリズミカルに下る動物の秘密（松園若奈，諸岡亜胡，酒井理心，杉本悠弥，小深田拓真・6年）○光で幼虫の色を操る（渡邉大輝・6年）

〔中学生部門〕

○ダンゴムシとワラジムシに『防カビ力』を発見！（片岡柾人・1年）○歌詞とメロディーで変わる学習効果の不思議 －脳の聞き分けに注目して－（勝山 康・2年）○人とすれ違った際に起きる風について（栁田彩良，千葉さくら・3年，加藤佐和，清水ひかり・2年）○継続的観察によって解明した平戸市に生息するワスレナグモの生態 ～特にキシノウエトタテグモと比較した生息環境の違いについて～（相知紀史・3年）○壁を登る動物の足のつくりの応用　ヒトの力で壁を登る（沖山颯斗，浦木勇瑠，西村泰雅・3年，山下慎太郎・2年）○地衣類と微環境3年次 ～つくば市内の公園に生育する樹木における着生地衣類の分布と微環境の関係～（小野寺理紗・3年）○嘉津宇岳のバタフライ・ウォッチングⅣ ～チョウの年変動と温度耐性実験～（北村 澪・3年）○アリの役割分担を探る②　2015年クロオオアリ観察日記 part5（世鳥山和也・3年）

〔高校生部門〕

○セミ研究　10年次　終齢幼虫が羽化場所を決めるための習性について －先に羽化した他個体の羽化殻に集まるのか－（内山龍人・1年）○後頭骨化石からイルカの首の動きを復元できるのか（岡村太路・2年）

第11回：2016年

〔小学生部門〕

○冷凍庫のひみつ（村上智絢・3年）○根りゅうきんできるかな？（溝口貴子・3年）○洪水で浸水した常総市の虫は生き残れたのか？（田村和暉・4年）○五重塔はなぜたおれないのか？（雨宮龍ノ介・4年）○“種のパワー”研究 発芽の秘密（武田悠楽・4年）○走れ走れハムスター（恒松望花・4年）○ぼくの絵具（蘭 裕太・4年）○風鈴が風を受けるとき（長野佑香・5年）○海水から世界を救うおじぎ草 ～耐塩性から海岸植栽の可能性まで～（髙垣有希・6年）○ジンリックをカッコよく飛ばせたい ～フリースタイルスキーを科学的に考える～（東 虎太郎・6年）

〔中学生部門〕

○クワガタムシは右利き？左利き？（嶋田星来・1年）○ワニを解剖してみたら…～1本の骨から全長を推定する～（田中拓海・1年）○つるの研究 ～正確な測定と解析～（大川果奈実・1年）○斜面を下る二足歩行のおもちゃの秘密（小深田拓真・1年）○回れ！不思議なタネ ボダイジュ（大谷深那津・2年）○「ながら勉強」をするとなぜ学習効果が落ちるのか ～脳のマルチタスク処理に注目して～（勝山 康・3年）○飛ばそう！クルクルグライダー ～主翼の回転するグライダーに，レゴ人形を乗せて滑空できるか～（服部泰知・3年）○風船ポテトチップス作りの秘訣（蓑部 誉，佐野充章，瀬尾圭司，小野佑晃・3年）

〔高校生部門〕

○ファンプロペラの効率アップ ～風を変えるシンプルな表面加工～（田渕宏太朗・2年）○蚊が何故人間の血を吸いたくなるのかを，ヒトスジシマカの雌の交尾数で検証する（田上大喜・2年）○「粉体時計」の実現報告及びそのメカニズムの数理的考察（國澤昂平，伊東陽菜，友野稜太・3年，荒谷健太，大西巧真，岡部和佳奈，籠谷昌哉，三俣風花・2年）

第12回：2017年

〔小学生部門〕

○ウジが発生しないミミズコンポストを作る（池野志季・3年）○スーパーボールを，水面で弾ませたい！パート2（坂崎希実・4年）○立体プラネタリウムを作ろう（笹川双葉・4年）○オリーブの不思議な力（蔭島駿貴・4年）○昆虫の新能力を発見か⁉ 水死したはずのゾウムシが生き返った‼ パート2（田村和暉・5年）○最強のポイ（稲波里紗・5年）○夢を見るのはどんな時？（德留理子・5年）○清水の舞台の秘密（雨宮龍ノ介・5年）○キャッチャーはつらいよ ～少年野球のキャッチャーが暑い夏を乗り切るために～（神崎 咲・6年）

〔中学生部門〕

○つるの研究 ～巻きつるは光を感じるのか～（大川果奈実・2年）○風力発電に適した羽根の研究 ～ペットボトルを使った風力発電に適した羽根とは～（山道陽輝・2年）○金の赤色コロイドをつかまえろ（川村ヒカル・3年）○一滴から深まるクレーターの研究（吉田優音・3年）○水の輪のメカニズムの解明（伊東実聖，加藤聖伶，中島大河，龍岡紘海・3年，千葉大雅，乙津昂光海，古屋良幸・1年）○コップから流れる水の形（岡野修平，原田大希・3年，塚越 新・2年）○ヤマビルの刺激因子に対する応答に関する室内および野外実験（鞠子けやき・3年）○凍らせたジュースのおいしい飲み方 ～溶解・冷却時間と凝固点降下から考える～（宮内唯衣・3年）

〔高校生部門〕

○水切りの謎に迫る（山下龍之介，中尾太樹，山下ひな香・3年）

第13回：2018年

〔小学生部門〕

○地すべりが起きるのはなぜ？（太田瑛麻・3年）○金魚はかしこいのか？ ～えさをもらうために人間をよぶのか～（松本七星・3年）○ぴったりうちわを探れ（丸山紗楽・3年）○ザ・塩 Part3（加藤恵硫・5年）○カレーのカビが生える条件を調べよう（金城凜子・5年）○継母のひみつ。（村上智絢・5年）○スーパーボールを水面で弾ませたい！パート

3（坂崎希実・5年）○天下一の『通し矢』の記録を生み出した三十三間堂の秘密 ～120 m の距離を射通す驚異の成功率の謎を解く～（雨宮龍ノ介・6年）○デントコーンはなぜキセニアをおこさないのか（小野琴未，坂部汐梨・6年）○カマキリの眼 ～カマキリが見ている世界～（出口周陽・6年）

〔中学生部門〕
○ハスの葉柄内にみられた謎の膜様構造に迫る（小平菜乃・1年）○糸が切れる仕組みの解明（山口仁香流，河合 昴・2年）○塩ラーメンは発電している!?（小路瑛己・2年）○音響学と物理学から考えたアップライトピアノに関する研究（寺井健太郎・2年）○うちわのメカニズム（北島優紀・2年）○風力発電に適した羽根の研究（その2）～ペットボトルを使った風力発電に適した羽根とは～（山道陽輝・3年）○ダンゴムシ類の乾燥に耐える力（塚迫 光・3年）○つるの研究 ～つるは光の色を認識できるのか？～（大川果奈実・3年）

〔高校生部門〕
○指紋モデルの凹凸による摩擦力増加の研究（大村拓登・3年）○固まりにくい食塩をつくる ～尿素を用いた八面体食塩の作製～（笹田翔太・3年）

第14回：2019年

〔小学生部門〕
○街にある虹（松本晴人・3年）○バッタランド生息地によってちがいがあるのか？（井上雄翔・3年）○ハンミョウはさい速の虫か ～虫の走る速さの研究～（鈴木健人・3年）○不思議だな、カニの巣穴（高橋真湖・3年）○3本足のひみつ（菊地 灯・4年）○新聞紙の底力（鶴丸 梓・4年）○水は力持ち！（丸山紗楽・4年）○カタツムリ生活の秘密巣箱の工夫（日川義規・6年）○うちの猫は天気予報士!?（坂崎希実・6年）○植物の発根の観察実験PART4 シロツメクサの花と発根の関係（石川春果・6年）

〔中学生部門〕
○ニホンヤモリとミナミヤモリの体色変化パート2 ～光と模様の関係～（大久保 惺・2年）○シングルリード楽器における吹奏音の研究（矢野祐奈・2年）○混ぜるとすごい！カタツムリとナメクジの粘液（片岡嵩皓・2年）○「響け！クラリネット」～閉管楽器についての音響学的検討・管楽器の響きを可視化する～（谷口あい・3年）○吊り橋と振動のメカニズム（北島優紀・3年）○波打った紙を元に戻す方法 ～紙のパリパリ、ザラザラから考える～（坂本帆南・3年）○ラトルバック　めざせ!! 360°（東裏昂士・3年）○雑草なんて言わせない!! 本当はすごい！タンポポ（岩田くるみ・3年）

〔高校生部門〕
○オカダンゴムシの共生菌による抗カビ物質生産（片岡柾人・2年）

筑波大学ギャラリー（University of Tsukuba Gallery）の紹介

開館時間：　9：00–17：00
休 館 日：　土曜日，日曜日，祝日，年末年始，その他特に定める日
問 合 せ：　大学会館事務室（TEL.029-853-7959）

筑波大学ギャラリーは，本学の歴史的資料や芸術作品等を展示し，「総合交流会館」とあわせて，広く社会に向けた情報発信と，皆様との交流の場とするために整備された展示施設です。このギャラリーには，朝永振一郎博士，白川英樹博士及び江崎玲於奈博士の本学関係ノーベル賞受賞者記念の展示，オリンピックで活躍した選手をはじめとする体育・スポーツの展示，主に東京キャンパスに位置し，歴史と伝統のある附属学校の展示，石井昭氏から寄贈された美術品を展示しています。ぜひ一度，筑波大学の見学の際に訪問してください。

アクセス：　関東鉄道バス：つくばセンター（つくば駅）から筑波大学循環（右回り）「大学会館前」下車

日本のノーベル賞受賞者と筑波大学関係者（敬称略）

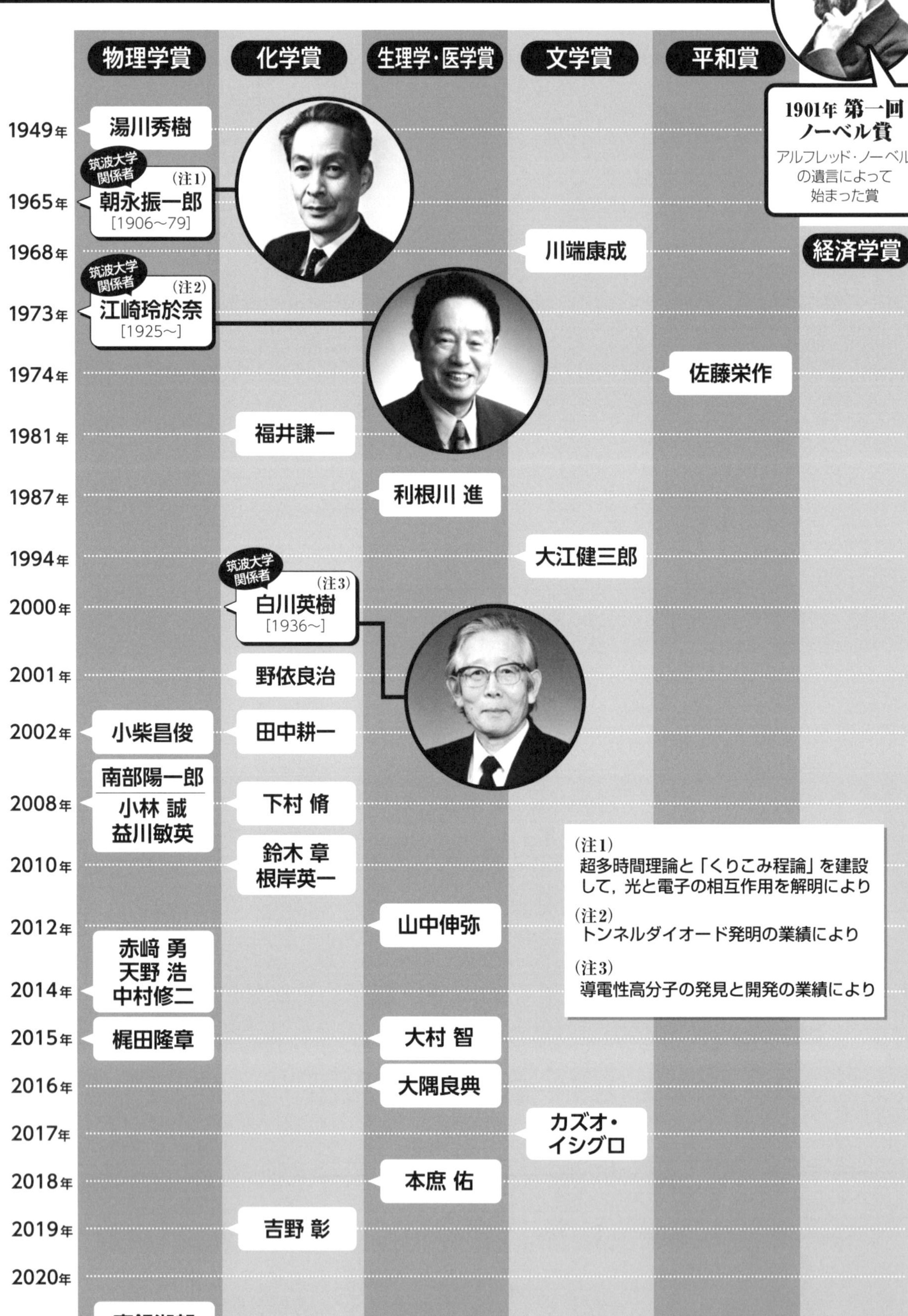

あとがき　～子どもたちのふしぎを育てる「科学の芽」賞～

溝上　智恵子

『もっと知りたい！「科学の芽」の世界』シリーズは，筑波大学が主催しております「科学の芽」賞の受賞作品を掲載した書籍です。「科学の芽」賞受賞作品のすべてを第1回目から掲載しており，2008年から2年ごとに発行されています。本書『もっと知りたい！「科学の芽」の世界 PART8』は，第15回（2020年度）と第16回（2021年度）の「科学の芽」賞受賞作品を掲載しています。

「科学の芽」賞は，全国の小学生・中学生・高校生を対象として，自然や科学への関心や思いを育てることを目的として行われている科学コンテストです。筑波大学の前身である東京教育大学の学長を務め（1956年～1961年），1965年にノーベル物理学賞を受賞した朝永振一郎先生の功績を称え，筑波大学における「朝永振一郎博士生誕100年記念事業」の一環として，2006年にはじまって以来，毎年実施しています。小学生から高校生を対象とした科学コンテストには様々なものがありますが，本賞は，一つの大学が全国の小・中・高校生を対象として実施しているコンテストとして唯一のものといえます。

第1回目（2006年度）の応募総数は645件でしたが，本書に掲載されている第15回目は2,116件，第16回目は2,441件を数え，国内外から多数の応募をいただきました。これまでに応募いただいた海外の国と地域には，中華人民共和国，大韓民国，タイ王国，マレーシア，インド，イラン・イスラム共和国，ハンガリー共和国，イタリア共和国，ポーランド共和国などがあります。一方，「科学の芽」賞受賞数は，毎回大きく変わらず，小学生部門7～11件，中学生部門6～9件，高校生部門1～3件で推移しています。

なお，「科学の芽」賞には，「科学の芽」賞のほかに，「科学の芽」奨励賞，「科学の芽」努力賞，「科学の芽」学校奨励賞がありますが，第11回目より「科学の芽」探究賞を新たに創設しました。探究賞は，第11回目の募集から，特別支援学校（知的障害）の児童・生徒さんからも応募いただくようになり，その姿勢を表彰するために設けたものです。

「科学の芽」賞受賞作品は，大人顔負けの最先端の研究成果というよりも，むしろ子どもたちが素直な眼で見て感じた世界のふしぎを，それぞれの発想や工夫により解明しようとした作品が多く含まれています。これが，本シリーズの特色であり，「科学の芽」賞の特徴でもあるといえます。本シリーズは，科学を通して世界に向き合う子どもたちの独創的な発想や姿勢を大人たちに示してくれるものです。また，夏休みの自由研究など子どもたちの研究を指導される学校の先生方や保護者の方々，そして，何よりも身の回りのいろいろな事柄に『なぜだろう？』，『なんだろう？』とふしぎの眼を向ける子どもたちに役立てていただけるものと考えています。

ところで，「科学の芽」賞の名称の「科学の芽」ということばは，朝永先生が書かれた色紙のことばから引用されたものです。

ふしぎだと思うこと　これが科学の芽です
よく観察してたしかめ　そして考えること　これが科学の茎です
そうして最後になぞがとける　これが科学の花です

この朝永先生のことばには，科学することの流れが述べられています。しかし自然科学に限らず，あらゆる学びに共通することを表しているともいえるのではないでしょうか。

「科学の芽」賞は，誰もが感心するような高度な研究だけを求めるものではありません。これからも，ふしぎだなと感じる子どもたちの「科学の芽」を大切に育てていきたいと考えています。本書をご覧いただいている大人の方たちにも，子どもたちのそうした素朴な疑問を大事にしていただければと思っております。

今後とも，「科学の芽」賞へのご理解とご支援をどうぞよろしくお願いいたします。

［「科学の芽」賞実行委員会委員長］

著者紹介

監　修

永田　恭介　国立大学法人筑波大学長

編集責任

溝上智恵子　筑波大学副学長・理事：附属学校教育局教育長
雷坂　浩之　筑波大学附属学校教育局次長
梶山　正明　筑波大学附属学校教育局教育長補佐
濱本　悟志　筑波大学附属学校教育局特任教育長補佐（執筆当時）

執　筆

筑波大学長　永田恭介
筑波大学副学長・理事：附属学校教育局教育長　溝上智恵子
筑波大学教授　野村港二
筑波大学准教授　南龍太郎　笹　公和
筑波大学講師　長友重紀

筑波大学附属小学校教職員
志田正訓*　佐々木昭弘　鷲見辰美　辻　健　（*小学生の部　責任編集）
富田瑞枝
筑波大学附属中学校教職員
齋藤正義*　新井直志　和田亜矢子　佐久間直也　（*中学生の部　責任編集）
筑波大学附属駒場中・高等学校教職員
真梶克彦*　宇田川麻由　吉田哲也　（*中・高校生の部　責任編集）
内山智枝子　今和泉卓也　黒田圭佑
筑波大学附属高等学校教職員
櫻井一充*　松下朝子　岡部玉枝　小澤　啓　（*高校生の部　責任編集）
勝田仁之　古寺順一　柳澤秀樹　山田　剛

編集協力

筑波大学教授　中野賢太郎
筑波大学准教授　山本容子　丸岡照幸　菅澤直美
筑波大学講師　木村範子
筑波大学附属坂戸高等学校教職員　石井克佳
筑波大学附属桐が丘特別支援学校教職員　小山信博

もっと知りたい！「科学の芽」の世界 PART 8

2022年6月27日　初 版 発 行

監　修　永 田 恭 介
編　者「科学の芽」賞実行委員会

発行所　筑波大学出版会
〒305-8577
茨城県つくば市天王台 1-1-1
電話（029）853-2050
https://www.press.tsukuba.ac.jp/

発売所　丸善出版株式会社
〒101-0051
東京都千代田区神田神保町 2-17
電話（03）3512-3256
https://www.maruzen-publishing.co.jp/

編集・制作協力　丸善プラネット株式会社
装丁・デザイン　清家 愛＋スタジオ・マイ
中扉イラスト　高橋由為子＋スピーチ・バルーン

組版／月明組版　印刷・製本／富士美術印刷株式会社
ISBN978-4-904074-69-5 C0040